Алексей Яковлев

ПРЕМЬЕРА

Санкт-Петербург
«Издательский Дом „Нева“»
Москва
Издательство «ОЛМА-ПРЕСС»
2003

ББК 84. (2Рос-Рус) 6
Я 47

Яковлев А.

Я 47   Премьера: Роман. — СПб.: «Издательский Дом „Нева"»; М.: «ОЛМА-ПРЕСС Звездный мир», 2003. — 383 с.

ISBN 5-7654-1897-X
ISBN 5-94850-286-4

Вам не кажется иногда, что все происходящее с вами разыгрывается умелыми режиссерами по давно известному сценарию? Когда все ваши шаги просчитаны наперед, и вас планомерно загоняют в ловушку? Режиссер Дмитрий Тимашов никогда не думал, что окажется марионеткой в чьей-то жестокой игре, но когда его поставили на счетчик за несуществующий долг, когда разрушили его семью, а его тайная любовь предала его чувства, он решил разобраться, кто и зачем устроил театр из его жизни...

ББК 84. (2Рос-Рус) 6

ISBN 5-7654-1897-X
ISBN 5-94850-286-4

«Театр уж полон, ложи блещут...»

А. С. Пушкин

Действие первое
ВИКТОР И ВИКТОРИЯ

1. Завязка

...А для начала вот вам запись одного телефонного разговора.

— Але. Это я.

— *(Молчит)*

— Привет, Тим.

— *(Молчит)*

— Деньги достал?

— А где я их могу достать?! Я уже всех обегал... Всех, кого мог...

— Ну вот... *(Вздыхает)* Деньги мне срочно нужны. Я больше ждать не могу. Ты меня понял, Тим?

— Ну негде мне их взять, Веня! Негде!

— Пошевели мозгами.

— Десять тысяч долларов! Откуда их взять?.. Подскажи.

— Квартиру продай.

— А я где жить буду?

— Это твои проблемы. Я больше ждать не могу. Звездец!

— Ну еще недельку дай... Может, придумаю что-нибудь...

(Пауза)

— Последнюю неделю даю! Последнюю! Ты меня понял?

— А потом что?

— А потом... Звездец! *(Смеется довольно)*

(Пауза)

— Убьешь меня, что ли?

— А ты как думал? *(Смеется)* Ре-шу!

— А смысл? Денег ведь ты с меня все равно не получишь? Уже никогда не получишь.

— Зато получу удовольствие.

— Какое удовольствие?.. От чего удовольствие?! Веня!

— Неделю тебе даю. Последнюю! По-ка, Тимуля.

(Конец записи)

Вы когда-нибудь были должны десять тысяч долларов? Смешной вопрос. Понимаю.

Те, кто был должен такие деньги и отдал, моих книг не читает. А те, кто не отдал, — их уже никогда не прочтет. Как говорится, «иных уж нет, а те далече...» Так что читатель у меня вполне определенный — это те, кто никому ничего не должен!

Приветствую тебя, мой читатель, никогда не бравший в долг ни у государства, ни у своих лучших друзей, спокойно и уверенно смотрящий в глаза любому встречному!

Приветствую и надеюсь на тебя, потому что жизнь определяют именно те, кто никому ничего не должен!

Сегодня я расскажу тебе занимательную историю об одном, похожем на тебя человеке, который тоже считал, что никому ничего не должен... Правда, началась эта история с вполне реального долга в десять тысяч долларов. Смешно?... Слушай дальше.

Этот неподъемный долг на Диму Тимашова (это который Тим) повесил его лучший друг, румяный и пухлый, как Винни-Пух, курчавый продюсер Веничка. Повесил неожиданно, коварно и, по сути, совершенно ни за что. Дима не брал у него ни копейки и все равно оказался в должниках.

И так бывает иногда. В наше удивительное время.

Живет себе человек. Считает себя свободным, никому ничего не должным и независимым. И вдруг... В одно прекрасное утро оказывается в должниках. То ли за то, что у него симпатичная жена, то ли за то, что окна его квартиры выходят на какой-нибудь питерский канал, то ли за то что он верит не в то, во что надо верить, то ли просто за то, что живет в это удивительное время. Нам громко, во всеуслышание объявили, что бесплатный сыр бывает только в мышеловке. Мы, подумав, согласились. И оказалось, что и за нашу жизнь мы должны кому-то заплатить. Ее нам тоже, оказывается, дали не бесплатно. Так что гоните монету. Если хотите еще немного пожить...

А ты ведь хочешь еще немножко пожить, если держишь в руках мою книгу, правда?

Тогда дослушай мою занимательную историю. Может, она поможет тебе. Я лично очень хочу, чтобы помогла...

Ну вот...

Как уже сказано, румяный Веничка был театральным продюсером. Он закончил лет пятнадцать назад экономический факультет ЛГИТМИК'а им. А. Н. Черкасова (который теперь называется просто Театральной Академией). А Дима Тимашов учился там же на режиссерском факультете, на курсе великого мастера сцены. Знали они друг друга давно, а подружились на каникулах. Вместе отдыхали в Крыму. Тогда еще в нашем общем Крыму, не ставшем пока «незалежной» татарско-хохляцкой автономией, оснащенной ракетно-ядерным россиянским флотом.

Общее бирюзовое побережье, общая зеленая луна, общие песни под гитару, дешевое кислое вино и загорелые общие девчонки очень способствовали их душевному сближению.

Слякотной питерской зимой за стаканом «андроповского коленвала» они с удовольствием вспоминали свои летние приключения.

А потом, как говорится, жизнь дала трещину.

Уплыл в небытие сказочный солнечный Крым. Отдых там для Димы стал неподъемным. А вечно румяный Веничка возил по Европам какие-то непонятные, появившиеся вдруг неизвестно откуда, как дурманные грибы после дождя, «независимые» театры. Поговаривали, что этими поездками Веничка помогает кому-то отмывать «крутые бабки». Но чужие деньги Диму не волновали. К своей профессии он относился очень серьезно.

Когда-то в одном из первых своих интервью молодежной газете Дима объявил свой манифест:

«Театр — метафизическое, космическое, религиозное занятие. Современная цивилизация пытается постичь себя созданием аналогов — компьютеров, машин, техники разной. И есть только маленькая реальность, где человек может безнаказанно общаться с тем, что уже тысячи раз было, с мифом и через миф познать самого себя. Театр — единственное место, где человек есть божественное явление в том виде, в котором он был задуман Богом...»

Журналистка улыбнулась скептически:

— Вы верующий человек?

Дима ответил просто:

— Я не верующий человек — я **знаю,** что Бог есть. Зачем мне верить в то, что я и так знаю...

Дима мечтал поставить Чехова. «Три сестры». (О причине мы еще поговорим.)

В театры с такой идеей стучаться было бессмысленно. Брошенные на произвол рынка, театры еле сводили концы с концами. Играли черт знает что. В основном переводную чушь из жизни голубых и лесбиянок, сексуально озабоченных старух и капризных нимфеток. Во всю веселили публику, раздевая голодных актрис. Дима решил создать свою антрепризу. Театр «КС». «Камерная сцена» — это для всех. «Космическое Сознание» — только для себя.

Всё упиралось в финансы. И Дима пришёл к Веничке.

— Дед, ты ёкнулся! Какой Чехов? Какие «Три сестры»? Кому это нужно? — сказал румяный продюсер.

— Веничка, — твёрдо настаивал Дима, — их ещё никто не ставил как надо. Я открыл загадку Чехова. Мой спектакль войдёт в учебники.

Продюсер сдвинул выгоревшие на гастролях в Испании бровки:

— Загадка, говоришь? А что? Давай их сделаем лесбиянками! Такого ещё не было. Голые три сестры! А? Подберём девочек на все вкусы. Старшая — толстушка, средняя — пухленькая, а младшенькая — просто топ-модель! Клаудиа Шиффер! А? Давай, дед, разденем Антона Павловича! Вот смеху будет!

Дима представил себе бледное обнаженное тело Чехова, пенсне на носу, черный витой шнурочек за ухом, и в сердцах обозвал продюсера очень нехорошим словом.

Но на прощание продюсер дал всё-таки дельный совет:

— Найди звезду, дед. Публика теперь ходит только на звезд. Найди звезду, которая ни разу в жизни Чехова не играла, которой надоело со сцены свою голую жопу показывать. Найди идиотку и уговори. Ты гений, ты сможешь. Только под звезду спонсоры деньги дадут!

— И ты дашь? — пристально уставился в него Дима.

Веничка печально вздохнул:

— Ты же знаешь, как я тебя люблю. Ты же мой друг всё-таки...

Найти идиотку Дима не успел. Зато неожиданно, нашелся идиот. Актер, конечно, так себе, но по сегодняшним меркам — звезда первой величины.

В полутемном баре Дома Актера, куда Дима по привычке забежал выпить кофе, за дальним столиком гудела компания. «Звезда» в чёрной ковбойской шляпе, только что отснявшийся в сериале про «ментов и бандитов», угощал знакомых актеров.

Дима знал его. Они учились в театральном на параллельных курсах. Знаменитым он стал давно, с тех пор, как сыграл в музыкальном фильме Сирано де Бержерака. Зачем замечательного поэта Сирано заставили в фильме петь пошлые, нескладные песенки, никого не интересовало. Всем очень понравился задорный носатый француз в мушкетерской шляпе.

С тех пор «звезда» и в жизни ходил только в шляпе, то ли хасидской, то ли мушкетёрской. Злые языки утверждали, что он не снимает шляпу, чтобы не показывать свою уже полысевшую голову. Но публика обожала и его, и его шляпу, поклонники у него не переводились. И друзья-актеры его обожали за редкую щедрость.

Вся компания была уже на хорошей кочерге. Дима встал, чтобы уйти незаметно. Но тут неожиданно подвыпивший собрат достал «звезду»:

— Ты, конечно, гений, Сашуля. В своем жанре. А вот Чехова тебе никогда не сыграть! Ни-ког-да!

Дима, уже привставший со стула, снова сел. «Звезда» сдвинул на затылок шляпу:

— Чехова? Антон Палыча?.. Да, это высший пилотаж... Психология, подтекст, сквозное действие... Это мечта каждого аса. Я мечтаю о Чехове, ребята. Но кто его сегодня ставит? Я опоздал родиться! Кто мне сегодня предложит Чехова? Кто?!

— Я, — сказал Дима из темноты, — я предлагаю тебе роль Вершинина.

Разгоряченная компания изумленно повернулась к нему...

Так начался театр «КС». Для всех — «Камерная сцена», для Димы — «Космическое Сознание». Театр, поставивший только один спектакль и сыгравший его всего один раз...

Но это было настоящее Чудо. И всё благодаря ей.

Она была его открытием. Его созданием. Его гордостью... Её звали Викой. Викторией. Победой. Тогда она чуть не стала его Победой...

Продюсер Веничка пригласил в компанию звёздный состав. Дима с ним не спорил. Он поставил только одно условие: младшую сестру, Ирину, Дима найдет сам. Потому что понял, что вся загадка пьесы в Ирине.

И он нашел её на последнем курсе театральной академии. Худенькую, бледненькую девочку. С ребячьими угловатыми манерами и детским капризным голоском. Она играла в дипломном спектакле Марью Антоновну, дочку городничего, к которой сватается заезжий лоботряс Хлестаков.

Девочка-подросток искренне поверила лоботрясу, вдруг ощутила себя женщиной, и это превращение у всех на глазах девочки-ребёнка в женщину потрясло зал. Как она переживала подлую измену лоботряса, когда тот на ее глазах с жаром объяснялся в любви её маменьке!.. Известная, заигранная комедия о всеобщем обмане вдруг превратилась в трагедию об обманутой первой любви.

Она ещё многого не умела, не сразу поняла, что от неё хочет Дима. Он оставался с ней после репетиций и до поздней ночи проходил её сцены. Он хотел, чтобы она научилась играть то, что умеют играть только настоящие актеры — атмосферу. И когда она сыграла ему солнечное, майское, студёное, как родниковая вода, утро своих именин, она сама себе не поверила.

«Скажите мне, отчего я такая счастливая? Точно я на парусах. Надо мной широкое голубое небо и носятся большие белые птицы. Отчего это? Отчего?..»

Она долго стояла на сцене, опустив голову, а потом сказала, удивляясь себе:

— Ты гений, Тим. Я люблю тебя...

Дима сам уже давно влюбился в неё. Но совсем по-другому. Он никогда не путал жизнь со сценой. Он любил её, как своё создание, как героиню своего спектакля. И только. Он знал, что созданная им на сцене жизнь закончится, как только упадет занавес. И его любовь, его героиня, останется там за занавесом.

А вышедшая из гримёрки худенькая девочка не будет с ней иметь ничего общего, как бы она ни старалась продолжить игру. Дима отлично знал, что наша суровая действительность не терпит вторжения другой реальности. Она отторгает её от себя, как антимир. Перепутавшего реальности человека ожидает неминуемая катастрофа.

Молоденькая актриса этого ещё не знала. И Дима до премьеры не стал её расстраивать. Он сказал ей:

— Я тоже тебя люблю. Ну-ка, девочка, повтори всю сцену ещё разок.

Репетировали они в старом, давно выселенном флигельке, в маленьком зальчике, бывшим когда-то красным уголком домоуправления, в двух шагах от Невского проспекта. Вот это последнее обстоятельство продюсер Веничка и считал самым значительным. Он тоже завелся, он поверил в театр «КС».

Полуразвалившийся флигелёк, в двух шагах от Невского, он мечтал превратить в модный элитный театр.

У Венички появилась замечательная подруга в КУГИ. Она уже подготовила все документы на аренду флигелька, а он уже заслал взятки чиновникам. Дело оставалось за малым. Нужна была только ослепительная премьера!

Перед самой премьерой Дима репетировал с ней до поздней ночи. В пустом флигельке хлопали от ветра рамы, барабанил дождь по дырявой крыше, стонали голуби, устраиваясь на ночлег на чердаке.

Они ничего не слышали. Они репетировали сцену прощания Ирины с уходившим на дуэль Тузенбахом. Белые весенние птицы превратились уже в улетающих с тоскливым криком журавлей. Со дня её именин прошло пять лет и всё стало по-другому...

Он подыгрывал ей за Тузенбаха, он целовал её, прощаясь, а она плакала:

— О, я так мечтала о любви, мечтаю уже давно. Дни и ночи, но душа моя, как дорогой рояль, который заперт и ключ потерян...

Он целовал её, успокаивая.

И вдруг настежь открылась дверь, и в зал вошёл мокрый с дождя парень в черной куртке, в вязаной шапке, натянутой до глаз. Она вздрогнула в Диминых объятиях. А парень достал из кармана куртки пистолет, направил его на Диму и сказал:

— Отойди от неё!

— В чём дело? — растерялся Дима.

— Отойди к стене! — приказал парень. — Руки за голову!

Дима отошёл к стене и посмотрел на неё. Она, опустив голову, улыбалась. Улыбалась как-то странно. Парень сказал ей:

— Одевайся и подожди меня на улице.

И она послушно сошла со сцены, сняла со стула свой плащ и, задевая стулья, вышла из залы. Парень подошёл к Диме и, подняв стволом пистолета его подбородок, посмотрел в глаза. Дима навсегда запомнил его бледно-голубые глаза с чуть заметной косинкой.

— Всё, козёл. Ты её больше не увидишь. Понял?

— Как?! — вскрикнул Дима. — Через неделю у нас премьера!

— Это меня не колышет, — сказал парень. — Через неделю у нас свадьба. Понял?

На прощание он ещё раз больно ткнул Диму холодным стволом в шею. И они ушли...

Но премьера всё-таки состоялась.

Румяный продюсер Веничка каким-то образом уговорил жениха отпустить её на неделю. Дать ей сыграть премьеру. Наедине Дима с ней больше не репетировал. Она торопилась домой. Жених ждал её в машине.

На премьере жених сидел в первом ряду, нарядный, в модном костюме и цветастом итальянском галстуке. Веничка собрал весь театральный бомонд.

Собрались и женственные критики, мужеподобные критикессы, бледные как приведения театралы, олицетворяющие общественное мнение, какие-то пергаментные старухи, помнившие еще спектакли Немировича-Данченко, совсем молодые лохматые студенты в грязных свитерах, прорвавшиеся без билетов, — словом в маленьком зальчике некуда было и яблоку упасть... Дима никого не видел. Он смотрел спектакль из осветительской ложи, в конце зала. В осветительскую ложу переделали кинобудку бывшего красного уголка. Как идет спектакль, Дима не знал. Он сидел на высоком жестком табурете киномеханика и про себя проигрывал роли за всех. Очнулся он от аплодисментов и поцелуев румяного Венички.

— Дед, ты Феллини! Бомонд в отпаде! Я везу твой спектакль во Францию! Вот смеху-то будет!

В тесном коридорчике Дима столкнулся с потным толстым критиком, старым циником и жутким бабником. Вытирая платочком набухшие глаза, критик сказал ему:

— Слушай, я в жизни так не хохотал! Я впервые понял этих ничтожных людей. Слушай, я никогда не мог понять, что они ноют, почему говорят о работе и ни черта не делают, почему тоскуют о счастье, которое будет через двести лет?! Слушай, над ними же висит рок! Ведь первая революция уже через четыре года! Это же музыка, симфония! А девочка! Боже, где ты её нашёл? Слушай, это же Комиссаржевская! Потом познакомишь! Когда я в себя приду...

Уже поддавший «звезда» в расстёгнутом вершининском мундире орал на всю гримёрку:

— Сыграл! Я Чехова сыграл! Ай да, Сашка ай да сукин сын!

Какие-то незнакомые люди пожимали ему руки, целовали. Хлопали бутылки шампанского...

Вика ждала Диму, уже одетая, в своей грим-уборной. Он хотел поругать её за недоигранный финал. Но она встала, протянула ему руку и сказала на «вы»:

— Прощайте, Дмитрий Николаевич. Большое вам спасибо.

— Почему? — спросил он невпопад.

Она взяла с гримёрного столика сумочку:

— Витя мне разрешил только один спектакль сыграть. Завтра мы уезжаем в свадебное путешествие на Кипр. Витя уже путевки купил.

Он впервые услышал имя её жениха. Виктор и Виктория. Победа и Победитель. Он хотел рассмеяться, но взял себя в руки и сказал:

— Ты же актриса! Ты замечательная актриса! Тебе надо играть!

Она улыбнулась презрительно:

— Что же вы раньше молчали?

— Когда я молчал? — не понял он.

— Когда Витя за мной пришёл. Что же вы ему это не объяснили? А говорили, что любите меня.

Он вспомнил холодный ствол под подбородком и сжал зубы:

— Я сейчас ему это скажу! Сейчас!

— Поздно, Дмитрий Николаевич, — сказала она. — Надо было тогда... Я так ждала... Вы сами виноваты.

Она ушла. И больше Дима её не видел. На банкете он крепко напился и зачем-то подрался со «звездой». Сорвал с него знаменитую шляпу и долго топтал её ногами...

На следующий день он сообщил Веничке о том, что Вика больше играть не будет. Продюсер скривился, как от зубной боли!

— Дура. Нашла жениха. Знаешь, что он мне сказал, когда я его упрашивал? Не хочу, говорит, чтобы моя жена стала блядью! Отморозок полный. Бандит. Только за тонну баксов согласился ее на премьеру отпустить. Не расстраивайся, дед, другую найдем. Умней и красивей! На, поправляйся, я тебе коньяк притащил. Французский! Вив ля Франс, дед! Французы обожают Чехова!

Но во Францию они не поехали. Дима отказался искать другую актрису. С другой актрисой получился бы совсем другой спектакль. А другого он не хотел.

Румяный Веничка сделался багровым, когда Дима ему это сообщил. Он визгливо и неумело ругался матом, а потом потребовал заплатить ему неустойку в десять тысяч зеленых, хотя никакого контракта они не заключали. Веничка дал ему ровно год. И предупредил, что уже включает счетчик...

Вот так, неизвестно за что, Дима оказался должен Веничке десять тысяч долларов. Вы скажете, глупо! Вы спросите, почему же Дима не потребовал от Венички конкретного отчета? Мол, объясни, пожалуйста, за что это я тебе должен и почему именно столько?!

На это я могу ответить только одно — Дима понимал, что закрывая уже готовый спектакль, совершает что-то ужасное, греховное. Но допустить, чтобы вместо Виктории играла какая-то чужая актриса, он не мог по тем же высоким причинам. Он жалел Веничку за то, что тот не может понять этих высоких причин, но объяснить их ему Дима тоже не мог, как если бы его попросили объяснить, за что он любит кого-то или почему верит в Бога...

В конце концов, Дима убедил себя, что действительно должен Веничке эти десять тысяч. И постарался их найти. Чтобы опять стать свободным и быть никому ничего не должным!

Чувствую, что я вас не убедил. Знаю, что все равно этот долг кажется вам начисто лишенным всякой логики.

На это я отвечу так.

А есть ли хоть какая-нибудь логика, когда вас, свободного и независимого, однажды вечером, при подходе к родному подъезду, шарахают чем-то по башке, везут в какой-то вонючий подвал, приковывают там наручниками к ржавой батарее и заставляют звонить по мобильному вашей жене, чтобы сообщить ей, что вы должны совершенно неизвестным вам людям десять тысяч долларов? Есть тут логика? Это во-первых.

А во-вторых, все дело в характере моего героя.

Дима жил на Петроградской стороне. Там и родился в родильном доме на проспекте Щорса (бывшем Малом проспекте). Так что он был коренной «петроградец» (в смысле, коренной житель петроградской стороны). А это очень важно. В характерах коренных питерцев, даже в зависимости от района их рождения, сохранились какие-то особые, сокровенные черты. Знающий человек никогда не спутает «петроградца» с высокопарным, чопорным жителем «адмиралтейской», центральной части города. Про жителей Васильевского острова и говорить нечего, не зря питерцы прозвали их «островитянами», хотя сами обитают чуть ли не на ста островах.

А «петроградцы» — народ совершенно особый. Странный и загадочный. До конца XIX века Петроградская сторона была почти сплошь деревянной. Жили в своих домах, больше похожих на деревенские усадьбы, окруженные высокими заборами и злыми собаками. И это в «блистательном Санкт-Петербурге» — в столице империи, рожденной гением России и Растрелли. Зато на деревянной Петроградской были самые мрачные кабаки и трактиры. Именно сюда, на Петроградскую пришел кончать счеты с жизнью и застрелился прямо на Большом проспекте у пожарной каланчи (которая и теперь жива) неистовый Свидригайлов. Именно здесь, на Петроградской, на углу Введенской и Геслеровского, в неясном свете газовых фонарей, пьяный Блок встретил свою Незнакомку...

Короче, Дима был коренной петроградец...

Ровно год Веничка пунктуально, раз в неделю, звонил и напоминал Диме о его долге. Сокрушенно цокал языком на сбивчивые Димины рассказы о неудачных поисках денег. А в последний раз (об этом вы уже знаете) пообещал через неделю Диму «решить»...

— А смысл? — спросил его Дима. — Денег ведь ты все равно с меня не получишь. Уже никогда не получишь.

Веничка засмеялся в трубку:

— Зато получу удовольствие.

Дима даже опешил:

— Какое удовольствие?.. От чего удовольствие? Веня!

2. Секретный режиссер

Веничка повесил трубку. А Дима так и сидел у телефона, пытаясь вникнуть в смысл этого «удовольствия». Но так и не понял смысла. Он понял только одно — он совершенно не знает румяного, похожего на Винни-Пуха, курчавого толстяка, называющего себя лучшим другом

Обегав всех знакомых, Дима понял, что оказался в полном тупике. О продаже квартиры не могло быть и речи. Дима жил не один. Его жена Тамара никогда бы на это не пошла.

Тамара Баринова была Диминой однокурсницей. Единственной девушкой на курсе. Мастер называл ее «Томочкой». В его приглушенном, прокуренном басе чувствовались и «том-ление», и «ис-тома»... Она была королевой курса. В нее были все влюблены. И она это чувствовала.

Мастер скептически относился к «женской режиссуре», считал режиссуру сугубо мужским делом, как писательство. Но Тамару он взял и оказался прав. Без нее на курсе было не обойтись.

На первых порах, когда они еще только занимались робкими актерскими этюдами, во всех сюжетах должна была присутствовать женщина. И Томочка была нарасхват. Она играла молоденьких девушек, развязных женщин, ворчливых старух. Во всех ролях она играла только себя: уверенную, гордую, независимую. Но в этом была какая-то особая прелесть. Как будто перед глазами проходила жизнь одного человека, с юности до старости.

После занятий, гордая и неприступная, она сразу исчезала куда-то. Никто ни разу ее даже до дома не проводил. Не знали даже, где она живет и с кем. Свою личную жизнь она берегла, как хороший разведчик. Она великолепно понимала, что малейший ее «курсовой роман» тут же станет достоянием всех. Имидж королевы рассыплется в прах. Боготворить ее будет только один — остальные ненавидеть. Включая и Мастера. Она очень тонко выстроила линию своего поведения. В работе никому не отказывала и никому не делала исключений. Все ее обожали. А кого любила она, этого никто не знал...

На последнем курсе совершенно неожиданно в свой знаменитый театр Мастер пригласил «Томочку». Лучшие ученики мечтали о его театре. А Мастер пригласил её...

Все были в шоке. В курилке по этому вопросу шептались.

Но Томочка быстро развеяла сплетни. Она вдруг прилюдно предложила руку и сердце Диме Тимашову. Больше всех был обескуражен этим предложением сам Дима. Разве он мог отказать королеве курса? Его бы все перестали уважать. Включая Мастера. Дима благодарно поцеловал ей руку. Так перед самым выпускным балом в тесной квартирке на Петроградской стороне появилась «царица Тамара». Димин отец, отставной полковник, скоро собрал свои пожитки, сел в старенький «Москвич» и уехал жить на дачу в Васкелово, как он заявил, «подальше от царского гнева».

Тамара знала о Димином долге. Но считала его «глупой шуткой». И делала вид, что это ее не касается. У отца ничего не было, кроме старенького «Москвича» и боевых орденов. Можно было бы попросить у него хотя бы ордена, но старик давно наколол их на шелковую, красную, «гробовую» подушечку. Орден Ленина, орден Боевого Красного Знамени и облупленную Красную Звезду с серебряным красноармейцем в середине... Многочисленные медали стоили совершенную ерунду...

«Душу свою кому-нибудь заложить, что ли? — сокрушался Дима, — Да кому она теперь нужна? Теперь люди как-то и без нее обходятся».

Посоветоваться было не с кем. Тамара уехала по своим делам в Москву. И Дима вышел на улицу.

Был чудесный вечер. Субботний вечер. Город был тих и пуст. Горожане ловили последний летний кайф на своих дачах.

Дима вышел на Каменноостровский проспект. И тут его кто-то окликнул. Дима был настолько занят своими трагичными мыслями, что и оборачиваться не стал.

— Тим! — догнал его настырный. — Не узнал однокурсника, что ли? Здорово, гений! Как ты? Почему бледный такой?

Перед Димой стоял солидный сытый мужик в дорогом кашемировом пальто ярко-желтого цвета. Дима с трудом узнал в нем своего однокурсника Леву Стрекачева, уехавшего по распределению то ли в Орел, то ли в Воронеж режиссером детского театра. Сейчас Лева смахивал на преуспевающего нефтяного магната.

Дима хотел тут же попросить у него в долг, но почему-то постеснялся. Затормошив и затискав Диму, Лева предложил поехать в Дом Актера. Посидеть, потрендеть, ведь пятнадцать лет не виделись! Он излучал такую радость от встречи, что Дима просто не мог ему отказать и решил попросить в долг во время застолья...

Лева поймал машину и с ходу врубился в студенческие воспоминания. Радостно хохоча, Лева вспоминал их вступительный экзамен. Лева пять раз поступал на режиссерский. Дима на режиссерском оказался с первого раза и совершенно случайно. Это почему-то до сих пор веселило Леву.

После школы Дима пытался куда-то поступать, но не поступил. Пытался где-то работать, но не задержался нигде. В восемнадцать его призвали в армию. Шла афганская война. И папа, отставной полковник, мобилизовав все свои ресурсы, отмазал Диму от армии. Папа верил в Димино предназначение. С тех пор как от них ушла мать, папа всю свою жизнь посвятил Диме... Но Дима своего предназначения не знал. Он, на свободе, увлекся питерским роком. Вечерами пропадал в рок-клубе на улице Рубинштейна. Ночами писал тексты под Сашу Башлачева, но их никому не показывал. К девятнадцати годам научился крепко выпивать с рокерами и курить анашу, привезенную с афганской войны.

Однажды ночью, придя домой, он не смог открыть дверь своим ключом. Суровый отставной полковник поставил новый замок. Он разуверился в Димином предназначении. И Дима лишился родительского крова.

Пришлось поселиться у рыжей Нельки по кличке «Каштанка» в загаженной коммуналке на улице Марата. Дима решил считать, что Нелька — его первая любовь, потому что она была его первой женщиной. Рыжая Неля об этом не думала. Она бредила театром. Над ее кроватью висела цветная фотография Алена Делона, который, как всем известно, не пьет одеколон, а сама она готовилась к вступительным экзаменам в Театральную Академию. От нечего делать и чтобы как-то оправдать свое пребывание в Нелькиной постели, Дима стал ей помогать. Подобрал для нее стихи, прозу и басню для экзамена. А когда выяснилось, что Мастер требует, чтобы поступающие показали себя еще в каком-нибудь драматическом отрывке, Дима нашел рассказ Чехова «Шуточка», сам ей его поставил, как сумел, и сам же ей подыграл. Потому что был абсолютно уверен, если ветреная «Каштанка» найдет себе другого партнера по отрывку, то ему тут же придется покинуть ее постель и комнату в загаженной коммуналке.

Так что Димино «творчество» было вызвано абсолютно меркантильными соображениями.

На экзамене Мастер их отрывок заметил. Он спросил Нелю, кто им его поставил? Неля небрежно показала на Диму: «Он».

Мастер поправил тяжелые очки и закурил «Мальборо».

— Юноша, я вас беру.

— Куда? — удивился Дима.

Мастер даже хрюкнул в большой горбатый нос:

— Как это куда? Я вас беру на свой курс.

Очевидно, он ожидал увидеть бурю страстей, но Дима признался честно:

— А я не поступаю. Я только помогаю ей.

Мастер возмутился. Он и представить себе не мог, что кто-то не хочет поступить на его курс.

— Как это не поступаете? Нет! Вы поступаете! Немедленно сдайте документы в приемную комиссию! Немедленно!

Так Дима Тимашов стал учеником великого Мастера.

Правда, Дима навсегда лишился Нелиной любви. Она не простила ему «коварства». Театральная Академия была ее мечтой, а поступил туда неожиданно Дима, который и не думал никогда о театре. О коммуналке на Марата пришлось забыть навсегда. И Дима вернулся под отчий кров, обрадовав отца неожиданно открывшимся призванием...

В кафе Дома Актера Лева чувствовал себя как дома. Он усадил Диму за лучший столик, называл официантку «заинькой». Дима жадно смотрел, как он трясет красивым тугим бумажником, и ждал своего часа.

— Ну ты и везунчик, Тим! — завидовал ему Лева. — Так просто не бывает! Все получил, бесплатно! И профессию, и королеву курса. Как наша красавица, кстати?

— Нормально.

— Как ты? Что ставишь? Где? Чем нас порадуешь?

Дима неопределенно хмыкнул. После того как он закрыл свой последний спектакль, он нигде не работал. Жил на Тамарину зарплату и бегал по городу в поисках денег, чтобы вернуть долг Веничке. Но об этом он рассказывать Леве не стал. Еще не пришло время...

— Говорят, ты гениально поставил «Три сестры», — приставал к нему Лева. — Весь город шумел. Говорят, ты их во Францию возил на гастроли?

— Нет, — сказал Дима, поморщившись. — Гастролей не было.

— А что так?

— Не вышло.

Дима не хотел ему говорить, почему «не вышло», и сам спросил:

— А ты как? Давно в Питер вернулся?

После рюмки коньяка Лева расслабился.

— А сразу. Я и года в этом сраном ТЮЗ'е не проработал. Не для сопливых кретинов я курс великого мастера кончал. Правда? Послал всю эту «детскую радость» подальше и вернулся в родные пенаты.

Дима оглядел его дорогой костюм и нарядный галстук:

— И что ты тут делаешь?

Лева со смехом грохнул дном бутылки о стол:

— Ставлю!

— Где? Что-то я о твоих постановках не слышал?

Лева сделал вид, что не услышал вопроса, закурил:

— Тим, а правду говорят, что Мастер перед смертью приглашал тебя в свой театр?

Дима кивнул.

— Потрясающе! — поразился Лева. — Он же других режиссеров близко к своему театру не подпускал. Говорил, что в курятнике должен быть только один петух... А тебя пригласил?

Дима опять кивнул.

— Потрясающе! И что же?

— А ничего, — вздохнул Дима.

— Расскажи, — попросил Лева. — Хоть в двух словах расскажи.

И Дима решил рассказать, чтобы подогреть его сочувствие и приготовить к своей просьбе.

Тамара служила у Мастера вторым режиссёром. Помогала ему в работе с актёрами. Однажды вечером Тамара пришла из театра какая-то загадочная и достала из сумочки бутылку армянского коньяка.

Дима не привык вмешиваться в её дела и молча накрыл ужин на кухне. Тамара сама разлила коньяк и подняла рюмку:

— За тебя, сволочь!

Дима, не возражая, выпил. Тамара обиделась:

— Ты что? Ты же передо мной должен на колени встать! Ты мне должен руки целовать и все остальное... Сволочь!

Дима спросил:

— А что случилось-то?

Тамара выпила свою рюмку и положила ногу на ногу:

— Я уговорила Мастера пригласить тебя на постановку.

Дима спросил, заикаясь:

— В его... те... театр?

Тамара улыбнулась загадочно:

— Он мне рассказал, как на вступительном экзамене ты показал «Шуточку» Чехова с какой-то рыжей вульгарной блядью. Мастер до сих пор помнит твою «Шуточку».

— Ну да? — искренне удивился Дима. — Это же действительно была только шуточка. Что я тогда умел?

Тамара хлопнула в ладоши, как на актерском уроке:

— Внимание, Тим! Сосредоточься. Сейчас самое главное... Давай еще по рюмашке.

Они выпили еще по рюмке, и Тамара, уперев подбородок в ладони, вперилась в него пронзительным взглядом:

— Это твой последний шанс, Тим! Мастер дает тебе ставить «Три сестры» Чехова! Ты понимаешь, что это значит? Ты сразу сможешь стать Питером Бруком, Стреллером, Питером Вайсом. Сразу! Докажи им, Тим! Докажи!

Дима сверкнул глазами:

— Докажу!

Тамара засмеялась, встала, стянула через голову платье и, уже задыхаясь, попросила:

— А теперь благодари, сволочь!

На следующий день, утром, Дима сидел в мягком кресле напротив своего учителя. Дима давно не видел Мастера и заметил, что за эти годы он сильно сдал: похудел, пожелтел, помрачнел как-то.

Мастер глубоко затянулся фирменной сигаретой. Так глубоко, что смуглые щеки соединились внутри рта.

— Митя, — сказал Мастер ватным от дыма басом, — послушайте меня, Митя.

Дима, по приказу Тамары надевший свой единственный костюм, побритый и постриженный, не отрывал от Мастера глаз.

— Митя, — повторил Мастер, выкатив из-под очков мудрые, собачьи глаза, — когда я ставил в Нью-Йорке Горького, в каком-то русском ресторанчике меня познакомили с Теннесси Уильямсом. Он сказал мне: «Мы будем жить долго. Мы — волшебники. Театр — то место, где останавливается время».

Дима хотел напомнить Мастеру, что Теннесси уже давно нет на свете, но понял, что Мастер и сам это отлично знает.

Мастер громко закашлялся, поправил тяжелые очки и закурил новую сигарету. Когда Мастер длинно и надолго затягивался, это означало, что сейчас последует самое главное.

— Митя, мы просто обязаны долго жить. Чтобы все это пережить. — Мастер показал рукой с сигаретой в сторону занавешенного окна. — Пережить. Только в этом заключается смысл жизни. Жить, чтобы все пере-жить...

Они договорились встретиться через неделю. Через неделю Мастер ждал от Мити экспликации будущего спектакля.

Вечером Дима по привычке пил кофе в Доме Актера на Невском. К нему подошел какой-то бледный, худой человек с прозрачным носом и сказал:

— Постарел петух. Постарел. Если допустил тебя в свой курятник.

В полутьме кафе Дима не узнал собеседника. В Доме Актера все общались, как давние знакомые. На прощанье тот добавил на проборосе:

— Боюсь, не доживет старик до твоей премьеры.

Дима уехал в Васкелово. Дотемна сидел в холодной мансардочке, вчитываясь в знакомые со школы и оттого совершенно не поддающиеся анализу загадочные чеховские реплики, похожие на музыкальные фразы.

«О, как играет музыка! Они уходят от нас. Один ушел совсем, совсем навсегда, мы останемся одни, чтобы начать нашу жизнь снова. Надо жить... Надо жить...»

«Чтобы все пере-жить!» — всплывала в памяти фраза Мастера.

И Дима понял вдруг, почему Мастер выбрал именно эту пьесу. И почему доверил ее ему. Через три дня экспликация была готова. Вечером Дима спустился с мансарды на кухню попить кофе перед дорогой. Он торопился обрадовать Мастера.

На кухне журчал телевизор. Отец смотрел только новости. Как только они кончались, он, матерясь, шумно вырубал старенький «Рекорд». Сейчас шло ленинградское «информтеве».

Пухленькая телеведущая вдруг посерьезнела круглым лицом:

— Сегодня днем внезапно в машине у памятника Суворову скончался наш выдающийся театральный режиссер...

От неожиданности Дима вздрогнул и откинулся на спинку стула. Рассохшийся за зиму стул не выдержал — рассыпался. Дима спиной грохнулся на пол. Отец хохотал:

— Во новости! Мать их ети! То поезда горят, то самолеты падают, то режиссеры дохнут... Ты их не смотришь и то на пол грохнулся. А я каждый день смотрю и еще живой!

Лежа на полу, схватившись за ушибленный затылок, Дима повторял тупо:

— Это же был последний шанс... Последний шанс...

После смерти учителя его экспликация оказалась никому не нужна.

Но Дима не сдался. Ему казалось, что он открыл загадку «Трёх сестёр», завещанную ему Мастером. И пришел к Веничке...

Димин рассказ неожиданно вызвал у Левы не сочувствие, а какое-то хищное удовлетворение:

— Не все коту масленица, как говорится! И тебе не повезло! Ха-ха... Извини-подвинься...

Дима не понимал, почему так зло хохочет этот сытый, самодовольный и, по-видимому, никому ничего не должный, человек. Лева перестал смеяться и предложил:

— Давай за нашего Мастера выпьем. Смешной был дед, царство ему небесное.

Так Мастера еще никто не называл. Уж «смешным»-то он точно не был. Однажды утром Дима встретил его на лестнице театра. Мастер только что приехал из дома. Он поднимался навстречу в своей любимой клетчатой кепке и в модной кожаной куртке. Вид его был комичен, кепка надета козырьком на ухо, а из-под куртки видна была расстегнутая ширинка с торчащим из нее углом рубашки. Но и тогда он не был смешным. Всю свою жизнь Мастер посвятил театру. И на старости лет у него не было человека, который хотя бы оглядел его дома, провожая на работу.

Дима молчал. Лева понял его молчание и, многозначительно сдвинув брови, объяснил.

— Дед всю жизнь сидел в своем академическом театре, как в башне из слоновой кости. Жизни старик совсем не знал. Ни одно его предсказание не сбылось.

— Какие это предсказания? — не понял Дима. — Он не Нострадамус.

Лева потрепал его по руке:

— А кого он на курсе гениями считал? А? Тебя да Гарика Горелина. И кто ты теперь? Никто! А тех, кого он ни в грош не ставил, людьми стали. Настоящими людьми!

Дима проглотил обидное «никто» и спросил.

— Кто это у нас настоящими людьми стал?

— А ты не знаешь? — поразился Лева. — Ильюша Фурман открыл в Москве свой независимый театр! А Саша Спивак стал продюсером у самой

Болотниковой! Миллионер! — Лева поднял к потолку палец. — Не деревянный миллионер! Зеленый! Неужели не слышал? Вот и Мастер этого предвидеть не мог. Жизнь, Тимуля, сложная штука. Предвидеть все ее перипетии могут только гении. А наш смешной дед гением не был. Доказано.

— Ты считаешь, что Фурман и Спивак гении?

— А кто же? Такими деньгами ворочают, мерзавцы!

Дима еще раз оглядел его дорогой костюм:

— И ты, Лева, тоже гением стал?

Лева самодовольно оскалился и откинулся на спинку стула:

— И я не из последних. Заинька!

К их столу рванулась официантка.

— Еще бутылочку конины, заинька. И икорки черненькой наметай. Хочу побаловать однокурсника.

Только тут Дима сообразил, что Лева зазвал его сюда, чтобы при всем театральном народе продемонстрировать бывшему гению свое крутое благополучие. Диме стало противно, он хотел уйти. Но его задержал тугой Левин бумажник.

— И кто же ты теперь? — выпив рюмку коньяка, спросил Дима.

Лева прищурился:

— Работаю по профессии. Режиссером.

— Где?

Лева через стол наклонился к нему и сказал шепотом:

— Извини, секрет.

— Что за секреты?! Не в КГБ же ты работаешь?

Лева улыбнулся лукаво:

— Конечно. Но тоже в очень серьезной организации.

— Никогда не слышал, что режиссура может быть секретной! — Завелся Дима. — Не вешай мне

лапшу на уши, коллега! Торгуешь, наверное, спеку-
лируешь! Купи-продай! Вот твоя режиссура.

Лева обиделся.

— Я же сказал — ставлю!

— Что? И где? — не отставал Дима.

Лева огляделся по сторонам и ответил шепотом:

— Я ставлю ролевые игры!

— Какие игры? — не понял Дима.

И Лева, снова наклонившись к столу, объяснил
неудачнику суть своей работы.

Оказывается, сейчас богатые люди во всем мире
увлеклись ролевыми играми. Это покруче, чем ночные клубы и дорогие казино. Имея деньги и страдая
от скуки, они воссоздают себе иную реальность. Им
подчиняются и время и пространство. Они могут
заглянуть в любой век, в любую эпоху. Например,
на острове Мадейра элита снимает самый дорогой
отель «Reids». Глубоким вечером все собираются на
открытой террасе с видом на океан. Зажигают свечи,
официанты разносят на серебряных подносах шам-
панское и легкие закуски. Постояльцы в дорогих
вечерних нарядах 30-х годов и в скромных фамиль-
ных бриллиантах. Ровно в двенадцать часов ночи
раздается истошный женский крик. В саду — труп!
Одна из гостей зарезана кинжалом. Гости в шоке.
Среди них неожиданно объявляется месье Эркюль
Пуаро — и начинает расследование. Выясняется,
что трупов несколько. Кто-то отравлен, кто-то заду-
шен, кто-то покончил с собой выстрелом из пистолета. Всю ночь продолжается расследование кровавой драмы. Гости становятся ее участниками. Как
могут помогают Эркюлю Пуаро.

Наутро все довольны и счастливы. Стоят такие
игры не дешево. Кроме антуража, нужно пригласить
профессиональных актеров, придумать сюжет и, наконец, поставить все это зрелище.

Вот этим и занимается Лева в одной секретной питерской фирме...

— Понятно, — кивнул Дима. — Криминальное чтиво ставишь.

— Зачем? — насупился Лева. — У нашей элиты игры покруче. Про Агату я для примера только.

— Что же тут секретного? — спросил Дима. — Обычная дешевая халтура для богатых кретинов.

— Не скажи! — обиделся Лева. — Не скажи! Это же хэппенинг! Это настоящее творчество! А платят так, что тебе и не снилось.

— Как называется твоя фирма?

— Тебе я ее не назову. Не имею права. Я подписку давал.

— Даже подписку? Морочите головы богатым кретинам — вот и вся ваша секретность.

Лева только головой покачал.

— Чудак... Знал бы ты, какие случаются в этих играх нюансы...

— Какие?

Лева отвернулся.

— Об этом лучше не вспоминать. Все. Дальше — тишина, как говорится.

Дима понял, что ведет себя абсолютно неправильно. Вместо того, чтобы завистливо восхищаться Левиным благополучием и его секретной режиссурой, он ехидничает над своим потенциальным кредитором. И, кажется, уже разозлил Леву и провалил всю комбинацию. Дима поднял налитую рюмку:

— Извини, Лева... Я думал ты шутишь... Извини. Давай за тебя! За твою секретную режиссуру...

Снова выпили, и Лева оттаял.

— Какие шутки, Тим! Если б ты знал, какая у меня работа... Хожу по лезвию ножа. На грани криминала. За это и платят... Хочешь расскажу?

Лева обернулся по сторонам. Дима взял его за руку.

— Не надо. Ты же подписку давал.

Лева благодарно улыбнулся.

— Тогда давай выпьем за твою Томочку. Какая девочка была, господи. Откровенно признаюсь, я был в нее влюблен как псих! Каждую ночь она мне снилась. Честное слово.

Они выпили за Тамару, и чтобы увести разговор еще дальше от скользкой темы, Дима снова налил.

— А теперь давай выпьем за Гарика Горелина.

Дима не ожидал, что Лева вдруг побледнеет и насторожится.

— Почему это за него?

— Он же был у нас самый талантливый на курсе. Супер.

— Ну и что? Зачем за него пить? Зачем ты его вспомнил?

Дима не понимал, почему так заволновался Лева.

— Это не я его вспомнил. Ты первый про Гарика сказал.

— Когда это?

— Да совсем недавно. Ты сказал, что мы с Гариком были на курсе гениями, а стали — «никто».

— Я так сказал? Не мог я так сказать.

— Я же сам слышал.

Лева прищурился:

— Про кого ты слышал? Про Гарика?

— Ну да.

— Что ты про него слышал?

— Что ты сказал.

Лева насторожился.

— А что я сказал?

Дима ему терпеливо напомнил:

— Ты сказал, что мы с Гариком стали — «никто».

Лева загадочно улыбнулся:

— Тим, только по-честному. Что ты знаешь про Гарика? А?

Дима откинулся на спинку стула и задумался. Что он знал об Игоре Горелине?.. Почти ничего.

Они никогда не дружили. Не то чтобы у них была какая-то взаимная неприязнь. Просто они были абсолютно разные люди. И по характеру, и по возрасту. При поступлении в Театральную Академию Диме едва исполнилось двадцать. Игорь пришел на курс вполне сформировавшимся человеком. Он уже успел закончить медицинский институт, поработать врачом в какой-то закрытой клинике и даже, как говорили, сделать себе карьеру. Говорили, что в клинике он успешно лечил своих пациентов «театром». Он заставлял невротиков проигрывать тормознувшую их психику критическую ситуацию в кругу таких же больных. Свой «театр» Игорь в шутку называл «психодромом». Критическая ситуация, разыгранная под пристальными взорами товарищей по несчастью, становилась вдруг такой простой и понятной, что лечебные сеансы нередко кончались надрывным, истерическим смехом всей экзальтированной аудитории. А смех, как известно, лучшее лекарство. В лечении нервных заболеваний — самое главное понять *причину*, увидеть невидимую занозу, терзающую твою психику, увидеть и на глазах у всех извлечь ее из подсознания. Игорь взял идею «психодрома» у Фрейда и возродил ее в наших, так сказать, социальных условиях. Игорь уже начал писать диссертацию о лечебном театре, у него появились ученики…

Но тут, как говорится, «случилось страшное»! Доктор сам заболел. Заболел театром. Ему вдруг показался ужасно глупым и унизительным его лечебный «психодром» по сравнению с Настоящим Театром!

По ночам ему снилась темная, как мироздание, освещенная узким одиноким лучом прожектора настоящая сцена. А в луче прожектора стоял он сам. Красивый и загадочный. Он слышал взволнованный ропот переполненного зала, его волновал тонкий запах грима и хмурая тайна кулис. Просыпался он под аплодисменты...

К тридцати годам Игорь не выдержал и со скандалом ушел из клиники в Театральную академию. Так они стали однокурсниками. Но не друзьями. Скорее соперниками. Из-за Томочки Бариновой...

Однажды, уже на третьем курсе, Тамаре стало плохо на занятиях. Она чуть сознание не потеряла. Все, как один, бросились к ней. Шумно открывали заклеенные по зиме форточки, предлагали какие-то таблетки, бегали за врачом. Хотя бывший доктор и так был рядом.

Потом в курилке Игорь со знанием дела заметил, что у «Томочки» последствия аборта. Все, разинув рты, уставились на него. А Дима сказал:

— Не от тебя же! Трепач. А еще клятву Гиппократа давал.

С тех пор их отношения вообще прекратились.

По распределению Игорь получил сразу солидный пост главного режиссера Молодежного театра в Сибири (не то в Иркутске, не то в Красноярске).

Через год о неизвестном сибирском театре заговорила критика. Спектакли Игоря хвалили за «тонкое психологическое чутье». Дима читал рецензии в столичных газетах и недоумевал, как удалось Игорю заманить известных критиков в такую даль?

Еще через год гастроли Молодежного Сибирского театра состоялись в Москве. И опять Игоря много хвалили. Говорили, что «кто-то» очень хочет оставить в Москве молодого, талантливого, тонкого режиссера.

Еще через несколько лет в полутемном кафе Дома Актера Дима услышал страшную весть. Ссылаясь на очевидцев, актеров, вернувшихся в родной город из Сибири, шепотом рассказывали, что Игорь Горелин погиб. Талантливый режиссер, завоевавший столицу, утонул в великой сибирской реке, омывающей берега не то Иркутска, не то Красноярска. Все были потрясены трагической гибелью большого таланта, пили в тишине, не чокаясь. Женщины плакали.

А Дима почему-то вспомнил его дипломный спектакль «Живой труп». Там тоже герой, оставив вещи на берегу реки, убедил всех, что он утопился...

— Так что ты о нем знаешь? — опять спросил Лева.

Дима улыбнулся.

— А ты?

Лева нервно дернул плечами:

— Утонул Игорек. Царство ему небесное.

— Вот за это и выпьем, — сказал Дима. — Не чокаясь.

Лева сказал серьезно:

— Чокнуться можно!

— Он жив, что ли? — спросил Дима.

Лева улыбнулся:

— Ты не так понял. По-славянски за покойников пьют, чокаясь теплом рук.

Лева обхватил бокал. И Дима обхватил свой бокал. Они подняли бокалы и прижались теплыми пальцами. Молча выпили.

— Жалко мне тебя, Тимуля, — неожиданно подобрел Лева. — Такой способный парень был, — он захохотал. — С первого раза поступил. Случайно.

Ты извини, что я тебя назвал — «никто». Но я же любя. Веришь? Обидно мне за тебя. Не вписываешься ты в ситуацию.

— Почему это не вписываюсь?

Лева махнул пухлой рукой:

— Да видел я твои работы. И «В ожидании Годо», и «Гамлета» твоего видел. Ну, кому это сейчас нужно? На кого ты работаешь?

— На себя, — ответил Дима. — Я ставлю только то, что мне интересно.

— Чудак, — посочувствовал ему Лева. — Да кому интересно это твое богоискательство? У нас, Тимуля, удивительная страна. Единственная в мире. Мы кинуты и богом, и дьяволом! Ты понимаешь это? Первозданная пустота! И в этой пустоте карабкается человечек, стараясь выжить. Без Бога в душе и без дьявола. Ему все нипочем. Он ничего не боится. Ни жизни, ни смерти. Если законфликтует с кем-нибудь, ему легче соперника на тот свет отправить, чем договориться с ним по-хорошему. Поверишь, один мой знакомый только по лени своего партнера убрал. Лень ему было на стрелку с ним съездить. Вместо стрелки он целый день в кабаке просидел. Тот ему на трубу звонил, сердился. Так он тут же в кабаке киллера нанял, чтоб тот его беспокоить перестал... А ты про бога, Тимуля... А как они человека опускают, ты знаешь? Такого равнодушия к смерти сам дьявол себе не позволит, честное слово, — Лева наклонился к столу. — А если бы дьявол увидел мои ролевые игры, он бы содрогнулся, наверное. Веришь?.. Хочешь расскажу?

— Не надо, — сказал Дима. — Ты же подписку давал.

Лева засмеялся:

— Боишься? Даже послушать боишься!

— Да не боюсь, — сказал Дима, — просто не хочу слушать. Давай лучше выпьем. За наш курс. За двенадцать разгневанных мужчин, как называл нас Мастер.

— Давай, — согласился Лева. — И за Томочку в придачу!

Они выпили, и Дима с жадностью набросился на только что принесенный «заинькой» антрекот. Лева смотрел на него, самодовольно улыбаясь:

— Ты ешь, ешь. Давно, наверное, хорошего мяса не ел?

Дима оторвался от тарелки.

— Тамара в Москву уехала. По делам. Некому готовить.

— Ты ешь, ешь, — улыбался Лева. — И денег, наверное, тебе не хватает?

Дима положил на тарелку вилку и нож. Он понял, что момент настал.

— Слушай, Лева, не мог бы ты меня выручить? Я отдам потом, честно.

Лева тут же достал бумажник:

— Какие разговоры, Тим. Ты просто меня обижаешь. Сколько тебе надо?

Дима проглотил кусок антрекота, запил его минеральной водой.

— Понимаешь, я тут в одну неприятную историю попал...

— Короче, сколько? — не хотел вникать Лева.

Дима вздохнул и выдохнул:

— Десять тысяч.

Лева, как книгу, раскрыл бумажник.

— Какие разговоры.

— Долларов, — уточнил Дима. — Десять тысяч долларов.

Лева захлопнул бумажник.

— Это серьезней. С собой у меня таких денег нет.

Дима не терял надежды.

— Мне последнюю неделю дали. — Он криво улыбнулся. — Через неделю обещали решить...

Лева посерьезнел:

— За такие деньги запросто уберут. Без разговоров.

— А какой смысл? — спросил его Дима. — Ведь деньги он все равно не получит. Уже никогда не получит.

Лева с жалостью посмотрел на Диму.

— А если ты останешься живой, он их получит? Дима растерялся:

— Все-таки есть надежда.

Лева спрятал бумажник в карман.

— Никакой на тебя надежды нет. Ты уже всех знакомых обегал, если у меня просишь. Верно? — Он вздохнул и побарабанил мясистыми пальцами по крахмальной салфетке.

— Вот и выходит, Тимуля, что с тебя можно получить только удовольствие.

— Какое удовольствие? — встрепенулся Дима, услышав знакомое слово. — За что удовольствие?

— Я же говорю, Россия — страна кинутая и Богом и дьяволом. Раньше смертью на этой земле они распоряжались. А теперь у нас смертью распоряжается тот, кто деньги имеет. Ты представляешь чувство, когда по твоему заказу убирают здорового, полного жизни, талантливого мужика? Представляешь?

Дима покачал головой:

— Не представляю.

— Я же говорю, ты не от мира сего, — засмеялся Лева. — Тебе этого не понять. Давай за тебя, богоискатель.

Дима хотел обидеться, но сдержался. Снова выпили, и он спросил Леву, между прочим:

— Но ты мне эти деньги дашь? Правда?

— Нет, — отчеканил Лева. — Не дам!

Дима оторопел.

— Неужели у тебя нет такой суммы?

— Есть, — сурово кивнул Лева.

— Почему же ты не дашь?

Лева посмотрел ему прямо в глаза.

— А потому, что ты ее никогда не вернешь.

Дима заторопился:

— Почему это?.. Почему не верну?.. У меня есть планы... Вот Тамара... Тамара завтра вернется из Москвы...

Лева махнул рукой:

— Брось, Тимуля! Знаю я твои планы. Опять какое-нибудь богоискательство... Если честно, жаль мне твою Томочку. Она же так на тебя надеялась.

Дима налил только себе. И выпил, не закусывая.

— А ты не жалей ее! Не надо!

Лева смотрел на него, качая головой:

— Опомнись, Тимуля. Как друг тебе говорю. Опомнись.

— Как друг? — зло засмеялся Дима. — Да ты... Ты же меня под пулю киллера подставляешь! Ты понимаешь это?! Тебе несчастные зеленые бумажки дороже моей жизни! И друг, говоришь? Да ты!.. Ты!..

На их столик стала обращать внимание театральная тусовка. Лева схватил Диму за руку:

— Тихо! Заткнись! Люди смотрят!

Дима медленно оглядел, устремленные на него из полутьмы кафе лица и махнул им рукой:

— Ну что уставились? Занавес! Отдыхайте!

Лева закурил:

— Ты меня не понял, Тимуля.

Дима мрачно хмыкнул.

— Чего же тут не понять?.. Все я понял, Лева. Все великолепно понял. Ты тоже от моего талантливого трупа получишь удовольствие. Да?

— Ты ни-че-го не понял. Денег я тебе не дам...

Дима беззвучно засмеялся:

— Спасибо.

— Денег я не дам, — повторил Лева. — Не смейся! Хватит. Слушай меня внимательно. Денег я не дам, но я устрою тебя на работу в нашу фирму. Завтра я поговорю с генеральным директором. — Лева загадочно улыбнулся. — Он тебя хорошо знает. Думаю, проблем не будет.

Дима напомнил ему:

— Мне всего неделю дали! Последнюю неделю.

— Я все объясню генеральному, — пообещал Лева. — Он даст тебе аванс.

— Десять тысяч долларов? — не поверил Дима.

Лева улыбнулся.

— Это стоимость одной поставленной игры.

— Какой игры? — не понял Дима.

— Одной ролевой игры, — объяснил Лева. — Он выдаст эту сумму тебе авансом. Завтра. Я поговорю. Согласен?

Дима смотрел на него, пьяно прищурясь.

— Согласен, Тим? Это единственный выход.

Дима засмеялся:

— Стать твоим подельником в криминальных играх? Ходить по лезвию ножа?

Лева оглянулся:

— Тихо! Люди смотрят!

Но Диму уже было не остановить:

— Чтобы Дьявол содрогался?! Да?! За кого ты меня принимаешь? Ты... Ты... Секретный режиссер! Которого никто не знает!

Лева толкнул его в грудь:

— Заткнись. Ты пьян!

Дима откинул его руку:

— До себя опустить меня хочешь? Ты — бездарь! Ты...

Лева отодвинул стул, встал и оглянулся по сторонам:

— Заткнись лучше!

Дима тоже встал:

— А что будет? Ну? Что будет? Скажи по секрету! Ну?

Лева побледнел:

— Я убью тебя!

Дима даже обрадовался, зачем-то задрал на груди джемпер.

— На! Убей! И подавись своими зелеными бумажками! На! Убей меня, бездарь! Убей! Получи удовольствие!

Лева скрипнул зубами и схватил со стола бутылку. Но тут к Диме подбежала знакомая актриса:

— Дмитрий Николаевич, не надо! Дмитрий Николаевич!

— Уйди! Пусть убьет! При всех! Уйди!

Актриса схватила Диму за руку и оттащила от стола.

— Не надо, Дмитрий Николаевич! Не надо! Не позорьте себя! Пошли. Пошли.

Она вывела Диму на лестницу и закрыла за собой дверь в кафе.

— С кем вы связались, Дмитрий Николаевич? Зачем вы так? Ну зачем?

Дима ей начал пьяно объяснять:

— Он мой однокурсник... Он говорит — мой друг... А сам убить хочет...

— Не надо вам таких друзей, — чуть не плача сказала актриса. — Кто вы? И кто он? С кем вы пьете, Дмитрий Николаевич?

Она проводила его до гардероба, помогла надеть куртку.

— Идите домой, Дмитрий Николаевич. Выспитесь хорошенько и все забудьте. Забудьте, как страшный сон!..

3. «Тайный советник»

Но Дима ничего не забыл. Рано утром, проснувшись у себя на Петроградской, он схватился за гудящую голову.

«Идиот! Он же действительно предлагал мне шанс... Последний шанс! И я его упустил! Идиот!»

Дима лихорадочно стал искать в телефонной книжке номера своих однокурсников, чтобы у них узнать телефон Левы. Но номера, как назло, не находились, и он отбросил книжку в угол. Вспомнились взволнованные слова знакомой актрисы: «Кто вы — и кто он! Господи!..» И Дима немного успокоился.

Даже за эти несчастные десять тысяч долларов он не имеет права продавать свой талант. Благополучный, сытый Лева на поверку оказался запуганным и жалким прохиндеем. Деньги, конечно, он имеет, но какой ценой они ему достаются. Он «ходит по лезвию ножа, на грани криминала» и даже однокурснику боится рассказать о своей работе.

Он превратился в запуганную дрожащую тварь! На такую судьбу Дима никогда бы не согласился! Никогда и ни за что!

После звонка Венички прошел всего один день. Сегодня вернется из Москвы Тамара — и все уладится. Дима решил поручить дальнейшие переговоры с Веничкой ей. Он хорошо помнил вожделеющий Веничкин взгляд, которым он всегда провожал Томару. Его помутневший взгляд на играющие под узкой юбкой Тамарины ягодицы. В Тамаре Дима был уверен, как в себе. Она уговорит Веничку, и Дима опять станет свободным, никому ничего не должным человеком. Сможет, наконец, работать, придумывать новые спектакли. Это несчастный долг так измотал Диму, так подчинил себе, что он ни о чем другом не мог думать.

Дима был уверен, что с приездом Тамары весь этот кошмар закончится.

Сидя на кухне, он неожиданно вспомнил разговор с Левой и задумался. Студентом Лева был посредственным и умом никогда не блистал. А вчера вдруг заговорил про кинутую Богом и дьяволом Россию, про человека, взявшего на себя обязанности распоряжаться человеческой жизнью… Кажется, он сказал даже: «Хоть бы в Дьявола поверить, что ли! Как Михаил Булгаков…» Кажется, он именно так сказал, а может быть, Диме показалось спьяну.

Как бы то ни было, либо Лева сильно поумнел за это время, либо он повторяет чьи-то слова. Очень хитрые слова, оправдывающие весь вселенский беспредел…

В одиннадцать утра явилась Тамара. Но разговора, на который так рассчитывал Дима, не получилось. Совершенно неожиданно Тамара заявила, что ездила в Москву, чтобы получить визу, и послезавтра она улетает в Америку. Дима был в шоке.

Она ласкала его, успокаивала, просила ее понять. К утру Дима сделал вид, что понял.

После смерти Мастера Тамаре в театре делать было нечего. Новый худрук, выбранный на общем собрании труппы из старых, заслуженных актеров, начал потихоньку избавляться от новых учеников Мастера. Тамара не стала ждать своего часа. Она написала в Москву друзьям, и они устроили ей приглашение преподавать актерское мастерство в каком-то театральном колледже в городе Бостон. В Америке ценили русскую актерскую школу еще с первых гастролей Станиславского. А в тридцатые годы там открыл свою студию Михаил Чехов. Жива она до сих пор. Лучшие актеры Америки — де Ниро и Микки Рурк — ученики этой школы...

Перед ее отъездом в Америку они сидели на кухне и пили французский коньяк из широких бокалов маленькими глотками. Она спросила вдруг:

— Митя (она звала его так, как его звал на курсе Мастер), Митя, а почему ты не спросишь, почему я тебя с собой не беру?

Дима подумал и ответил:

— Наверное, ты знаешь, что я там не смогу.

Она улыбнулась:

— А почему ты там не сможешь?

— Потому что я привык жить здесь.

Она засмеялась:

— Привык?.. Пятнадцать лет я тебя отучаю от дурных привычек. Так и не отучила, — она покрутила в ладонях широкий бокал. — Ты прав. Тебе нужно жить здесь. Эта страна — рай для неудачников. Только в этой стране ты можешь спокойно дожить до старости. В Америке ты пропадешь. Там ты просто погибнешь.

Дима не согласился с ней:

— Я и здесь погибну, если через пять дней не отдам Веничке долг.

Она пренебрежительно махнула рукой:

— Да брось ты... Не делай из Венички гангстера!

Дима завелся.

— Это ты зря! Ты не знаешь Венички. Только с виду он румяный и пухленький Винни Пух. Что касается денег — Веня зверь. Он угрожал мне по телефону! Он обещал убить меня!

Она хотела что-то сказать, но Дима впервые прикрикнул на нее:

— Заткнись! Уезжаешь в Америку, грести баксы лопатой! Оставляешь мужа на убой! Ты же ничем не удосужилась мне помочь! Ничем! У тебя же столько друзей!..

Тамара хлопнула в ладони:

— Кончай истерику, Тимашов! Кончай! Это тебе не идет! Это не твоя роль!

Они долго молчали. Наконец, Тамара сказала:

— Как ты мог так подумать?.. Разве я могу бросить тебя «на убой», сволочь?

Тамара открыла сумочку, вытащила записную книжку, достала из книжки визитную карточку и протянула Диме:

— Завтра позвонишь по этому телефону. Я уже обо всем договорилась.

Дима взял у нее карточку и прочитал на ней: «Тайный советник И. Я. Штерн», а внизу номер телефона и номер факса.

— Это что такое? — спросил Дима. — Это кто такой?

— Наш однокурсник, — небрежно бросила Тамара.

— Штерн? — Удивился Дима. — Не было у нас таких...

Тамара усмехнулась:

— Это псевдоним Игоря Горелина. Его trade mark, так сказать...

Дима растерялся:

— Он же... он же утонул!

Тамара, прищурясь, смотрела на него из-под подтемненных очков:

— Митенька, такие люди не тонут.

— А как же?..

Тамара не дала ему договорить:

— Он сам все тебе расскажет при встрече. Если захочет...

— Вот именно, — подхватил Дима, — если захочет. Он меня вообще видеть не захочет. Мы же с ним на курсе даже не здоровались...

Тамара его успокоила:

— Не волнуйся. Я обо всем договорилась. Он ждет твоего звонка.

Дима насторожился:

— Где ты его видела?

Тамара улыбнулась:

— Впервые мы встретились на твоей премьере. Сидели рядом.

На премьере Дима никого не видел. Он был как в бреду.

— Кстати, — сказала Тамара, — Игорю очень понравился твой спектакль. У него были какие-то замечания к тебе. Он сам тебе все расскажет...

— Лучше не надо, — буркнул Дима.

— И деньги даст, — напомнила Тамара. — Напрасно ты подумал, что я оставляю тебя «на убой». Напрасно, Митенька. Игорь в курсе твоих проблем. Он тебе поможет.

— Извини, — выдавил из себя Дима.

Они выпили по глотку и опять долго молчали. Тамара подсела к нему поближе:

— Митя, а ты никогда не задумывался, почему я выбрала именно тебя?

Это, действительно, был для Димы «вопрос вопросов».

Тамара глядела на него из-под очков, скептически улыбаясь:

— Неужели не догадываешься?

Дима чистосердечно признался:

— Нет.

Она добродушно рассмеялась:

— Да потому что молоденькая дурочка была. Потому что перепутала тебя с твоим героем. Это сейчас я понимаю, что театр и жизнь — абсолютно разные вещи! Аб-со-лют-но!

— С кем ты меня перепутала? — не понял Дима.

— С Красавчиком Джекки. Помнишь наш курсовой спектакль? — Тамара улыбалась своим воспоминаниям...

...На четвертом курсе стали репетировать пьесу для дипломного экзамена по актерскому мастерству. В пьесе была только одна женская роль, и ее, конечно, получила Томочка. Она играла дорогую проститутку, а все мужчины курса — ее клиентов, следователей и полицейских.

Дело в том, что в самом начале пьесы эту проститутку убивали. Собственно, вся пьеса была допросом клиентов-свидетелей, их воспоминаниями о встречах с ней. Дима играл юного плейбоя, красавчика Джекки. Самого любимого ею. Уж он-то казался вне подозрений. И все-таки в конце пьесы хитроумный, старый следователь, типа Мэгре, которого играл Игорь Горелин, разоблачал коварного убийцу.

Последняя сцена пьесы и была сценой ее убийства. Она узнала, что Джекки решил жениться на дочери миллионера. Влюбленная проститутка пригрозила открыть невесте их связь. Джекки сначала хладнокровно напоил ее отравленным шампанским, а она все не умирала. Тогда Джекки вонзил ей под сердце бандитский выкидной нож. Этот бандитский нож и сбивал поначалу следствие. Все считали, что у богатого, красивого мальчика не может быть такого ножа. Не мог он ее так цинично убить! Но старый, хитроумный «Мэгре» (Игорь Горелин) неопровержимыми уликами блестяще вывел убийцу на чистую воду! На Джекки (Диму) в конце спектакля надевали наручники...

... — Ты играл замечательно. Ты был такой очаровательной сволочью... Такой талантливой сволочью. Я думала, мы с тобой вместе горы свернем! — Тамара потрепала его по щеке. — Извини, Митенька.

— За что?

— За то, что я ошиблась в тебе.

— В чем? — спросил Дима. — Ошиблась, что я не сволочь?

— Ага, — тихо засмеялась она.

Потом она его обняла, поцеловала так, как только она одна умела целовать. И в его комнате на диване состоялась их последняя ночь любви. (Свою комнату Тамара уже законсервировала.) Эту ночь Дима запомнил навсегда...

Проводив Тамару в Америку и из гордости выждав еще пару дней, Дима, наконец, набрал номер телефона «тайного советника». Тот ответил бодрым, веселым голосом:

— Привет, Тим! Третий день жду твоего звонка.

— Почему третий? — мрачно спросил Дима.

Игорь спокойно объяснил:

— Два дня, как Тамара улетела. Ты закирял, что ли, с радости?.. Или с горя? — Игорь добродушно засмеялся.

Дима признался:

— Просто я не ожидал, что ты будешь рад меня видеть.

— Напрасно, — укорил его Игорь. — То, что было — быльем поросло. Все течет, все меняется. Правда? — Игорь помолчал, ожидая реакции Димы, но не дождался. — Короче, когда ты ко мне можешь заехать?

— Да хоть сейчас, — зло ответил Дима.

Игорь сделал вид, что не заметил этого:

— Записывай адрес.

И Дима записал на его визитке адрес на Мойке, в так называемом, «золотом треугольнике».

Эти дни действительно были непростыми для Димы. С отъездом Тамары его не покидало ощущение полной пустоты. Он вскакивал при каждом стуке на лестнице, бросался к каждому телефонному звонку. Ее отъезд ему казался какой-то глупой шуткой. Он все ждал: сейчас откроется дверь, войдет она и скажет:

— Ну, как? Тяжело тебе без меня, сволочь? То-то! Будешь теперь знать, как хамить законной жене!

Но дверь не открывалась. Звонили чужие, ненужные ему люди. И к вечеру Дима напивался, только для того, чтобы уснуть одному. Он припух лицом, оброс щетиной и перед визитом к «тайному советнику» решил привести себя в порядок. Но поглядев на себя в зеркало и уже намылив помазок, плюнул зло в раковину. «Кого обманывать? Перед кем прикидываться? Перед своим кредитором? Пусть видит, что долг я ему никогда не верну!»

Он так и поехал в «золотой треугольник»: небритый, в сером джемпере, надетом на голое тело, и в застиранных до белизны джинсах. Кончался август, на улице было жарко, и когда Дима с визиткой в руке подошел к дому на Мойке, пот с него лил градом, обильный похмельный пот. В парадной его встретил строгий охранник в форме. Когда узнал, к кому он идет, проводил до лифта и сам нажал кнопку вызова.

Открыла Диме дверь седая женщина в черном. Дима подумал, что это мать Игоря, но женщина, обернувшись в глубину коридора, сказала громко:

— Игорь Яковлевич, к вам клиент.

Клиентом Дима еще никогда не был и удивленно на нее посмотрел.

— Игорь Яковлевич вас ждет. Пройдите, — указала ему на стеклянную дверь женщина.

Дима зачем-то вытер ноги о коврик и пошел к стеклянной двери. Через стекло был виден солидный кабинет: стеллажи с папками, компьютер, сейф и незнакомец, сидящий за столом в высоком кожаном кресле и говоривший с кем-то по телефону.

Дима вошел и остановился в дверях. Незнакомец с седой хэмингуеевской бородкой закончил разговор:

— Хорошо, Валерий Васильевич. Не волнуйтесь. Я все сделаю. У меня клиент, — и повесил трубку.

Они долго смотрели друг на друга. Дима, набычась, зло, незнакомец с лукавым прищуром. С большим трудом Дима узнавал в бородатом незнакомце Игоря Горелина. Наконец тот встал с кресла, улыбнулся и протянул Диме руку:

— Ну, здравствуй, однокурсник. Очень рад тебя видеть. Честно.

Дима вытер мокрую руку о джемпер и пожал руку Игоря.

— Привет, утопленник.

Игорь внимательно посмотрел на Диму и через его плечо крикнул в коридор:

— Клеопатра Антониевна, нам кофейку покрепче.

— Есть, — по-военному ответила Клеопатра.

Дима обвел глазами солидный кабинет:

— Я думал, ты меня домой приглашаешь. А тут у тебя офис.

— И офис, и дом, — вздохнув, ответил Игорь. — Вся жизнь в работе.

Игорь усадил Диму на стул у стола, а сам вернулся в свое кресло. Дима давно заметил, что невысокие люди очень любят большие, монументальные вещи. Игорь почти потерялся в своем кресле. Был он по жаре в белоснежной рубашке с короткими рукавами, поверх которой был повязан строгий черный галстук. Он, действительно, очень изменился за эти годы, — встретив на улице, Дима бы его просто не узнал. Дима посчитал про себя, — Игорю уже давно перевалило за сорок. Ведь он был старше Димы на целых десять лет. Дима не хотел сам начинать разговор о деньгах, Тамара сказала, что Игорь в курсе дела. Но Игорь молчал, глядя на него, загадочно улыбался. Диме пришлось начать самому:

— Тамара сказала... ты видел мой спектакль?

— Видел, — коротко подтвердил Игорь.

— Тамара сказала... у тебя есть какие-то замечания ко мне?

Игорь оживился:

— Только одно замечание. Только одно...

Тихо вошла Клеопатра, поставила перед каждым по чашке кофе и, окинув Диму взглядом, молча вышла. Кофе пахнул как-то необычно...

Дима посмотрел ей вслед:

— Странная у тебя секретарша...

— Это моя сестра, — поправил его Игорь.

— Родная сестра? — удивился Дима.

— Старшая сестра моего отделения, — вежливо пояснил Игорь. — Мы с ней работали в одной закрытой клинике. Ещё до Академии...

Дима посмотрел на дверь:

— Как её зовут?

— Клеопатра Антониевна. А что?

Дима пожал плечами:

— Антоний и Клеопатра в одном лице? Странно.

— Меня это устраивает... — улыбнулся Игорь.

Он взял со стола дорогие сигареты, протянул пачку Диме.

— Не курю, — отрезал Дима.

— Как? — удивился Игорь и прищурился. — Я помню наши с тобой разговоры в курилке...

Разговор в курилке у них был только один, по поводу аборта Тамары. И Дима насупился.

— Неужели завязал?

— Курить бросил, — уточнил Дима.

Игорь засмеялся:

— Тогда, может, по рюмашке?

Дима вытер рукавом джемпера мокрый лоб:

— Не откажусь.

Игорь вынул из холодильника красивую бутылку дорогой водки и картонную коробку апельсинового сока, из шкафа достал хрустальные стаканчики и бокалы для сока.

— Поправляйся.

— Да я и так здоров, — огрызнулся Дима.

— Ну, тогда здоровей дальше, — подмигнул ему Игорь.

Диме хотелось одним ударом скинуть со стола эту красивую бутылку. Но он сдержался. Сердце замирало в груди, поправиться было необходимо.

— За встречу, — чокнулся о его стаканчик Игорь.

Дима выпил, запил соком — и словно диафрагму в объективе открыли. Водка была замечательная, безвкусная, как вода.

— Тамара сказала, что ты в курсе моих проблем.

Игорь прищурился:

— Это насчет долга?

— Да.

— Когда истекает срок?

— Завтра.

Игорь беззаботно махнул рукой:

— Времени куча... Ты начал про мои замечания к твоему спектаклю. Ты хочешь их послушать?

Дима расслабился, положил ногу на ногу.

— Сначала я бы хотел услышать, как ты воскрес?

Игорь откинулся в кресле:

— Я не Христос. Я не воскресал.

Это было сказано таким спокойным, самоуверенным тоном, что Дима даже растерялся немного:

— А как же твои актеры? Они сами рассказывали, что ты утонул?..

Игорь весело рассмеялся:

— Ты счастливый человек, Тим. Ты никогда не работал в провинции. Ты не знаешь, что такое провинциальный театр... Приезжаю я в Сибирь. Назначаю собрание труппы. Утром является труппа — все в жопу пьяные. Это с утра! Я спрашиваю их единственного заслуженного артиста: «Послушайте, зачем вы пошли в актеры?» А он на полном серьезе отвечает: «А куда мне идти? На завод, что ли? Вкалывать с утра до ночи? Я пошел в актеры, чтобы жить весело! А вы разве не для этого в режиссеры пошли?» — Игорь закурил, нахмурился. — Представляешь, сколько сил, сколько энергии потребовалось, чтобы сделать за год из этого пьяного сброда лучшую в Союзе труппу. Это не мои слова. Так оценила критика наши гастроли в Москве. Ты не видел мои спектакли?

— Видел. Дипломный. «Живой труп»...

Игорь скривился:

— Жаль. Тогда бы ты понял, что такое настоящий театр.

Дима сказал с вызовом:

— Я это и так знаю, между прочим.

Игорь вдруг очень развеселился. Заерзал в своем высоком кресле.

— Читал, читал твое интервью. «Театр — религиозное занятие»! Так?

Дима хмуро молчал. Игорь стал цитировать дальше:

— «Театр — единственное место, где человек чувствует себя тем, каким задумал его Бог!» Это ты про актеров так? Это ты пьяного актера считаешь венцом творения? — Игорь зло засмеялся. — Да в прежние времена актеров даже на кладбищах не хоронили, как самоубийц. Те тело свое убивают, а актеры душу! Это, пожалуй, еще пострашнее будет.

Дима защитился:

— Я не об актерах. Я о театре, как о самостоятельной реальности, говорил. Я говорил о Театре с большой буквы!

Игорь развел руками:

— А где он, этот Театр с большой буквы? Где? Не знаешь?

— Знаю, — Дима мокрой ладонью дотронулся до лба. — Он здесь!

Игорь вдруг помрачнел:

— Все-то ты знаешь! И Бога ты знаешь?

— Какого еще Бога? — буркнул Дима.

Игорь удивился:

— Забыл? Забыл свои собственные слова? Я их помню, а ты забыл?

— Что я забыл? — не понимал Дима.

Игорь напомнил ему слова из интервью:

— «Я не верующий человек! Я знаю, что Бог есть. Зачем мне верить в то, что я и так знаю?» Это разве не ты сказал?

— Ну, я...

— И теперь от них не отказываешься?

Дима подумал немного,

— Нет!

Игорь облегченно рассмеялся и протянул Диме руку. Дима ее автоматически пожал.

— Поздравляю, — улыбался Игорь. — Ты, оказывается, законченный атеист. Поздравляю!

Дима ничего не понимал:

— Почему это я атеист?

Игорь наклонился над столом, сказал шепотом:

— Потому что Бога познать нельзя. Он непознаваем.

Снова налил по стаканчику и поднял свой:

— За тебя, атеист.

Дима хотел разозлиться, но уж очень вовремя Игорь налил стаканчик — сердце опять стало замирать. Дима выпил и, чтобы уйти от темы, на которую он сейчас рассуждать не хотел и не мог, спросил:

— Твои актеры рассказывали, что видели своими глазами, как ты утонул...

Игорь недовольно скривился:

— Когда я уехал из города, труппа закиряла по полной программе. Кто-то по пьянке сказал, что видел мои вещи на берегу. И все с удовольствием поверили. Им всем надоело работать! Им снова захотелось жить весело! И они меня, от всей души, утопили! Чтобы я больше не возвращался к ним. И я к ним больше не вернулся. Вот и вся история.

Дима впервые улыбнулся:

— А ты оставил вещи на берегу?

Игорь бросил на него строгий взгляд и зашелестел бумагами на столе:

— Кажется, оставил...

— Да не кажется, а точно оставил!

Игорь спокойно и внимательно посмотрел на него:

— Ты-то откуда знаешь?

Дима рассмеялся:

— Я сразу понял, что ты не утонул. Ты же по схеме сработал. Как Федя Протасов из «Живого трупа». Жаль, что твои актеры не читали Толстого...

Зазвонил телефон, но Игорь выдернул шнур из розетки.

— Спектакль у тебя получился. Особенно хороша была девочка... Где она теперь?

Диме тяжело было говорить на эту тему. Он пожал плечами:

— А черт ее знает...

Игорь оживился:

— Тамара сказала, что она вышла замуж за какого-то бандита.

Диме стало неприятно, что Тамара рассказала Игорю об этом.

— Она меня больше не волнует!

Игорь так и впился в него глазами:

— А раньше волновала? Да?.. Тамара подозревает, что ты был в нее влюблен... Это правда?

Его слова еще больше взбесили Диму. Он сам налил себе стаканчик, выпил и медленно запил соком:

— В своих артисток влюбляться — безнравственно. Театр и жизнь абсолютно разные вещи. — Дима почти дословно повторил Тамарины слова.

Игорь ему ласково улыбнулся:

— А как же Шекспир? «Весь мир — театр, а люди в нем — актеры»! — и он положил руку на лежащий на столе томик Шекспира.

— Шекспир не так сказал, — возразил Дима.

— Но по мысли-то так!

— И по мысли не так, — сердился Дима. — Шекспира открой. «Венецианского купца» открой. Я покажу страницу.

Игорь развел тонкими руками:

— Некогда мне, Тим, Шекспира перечитывать. Дел по горло, — и он показал на уставленные папками стеллажи.

— Вот же у тебя на столе Шекспир лежит! — показал на книгу Дима. — Шекспира хочешь поставить?

Игорь улыбнулся:

— Это для дела. Нужно решить один тонкий юридический вопрос. Театр тут ни при чем.

Дима удивился.

— Ты бросил театр? Неужели ты бросил театр?

— Чудак, — сказал Игорь. — Посмотри, кто сейчас идет в актеры? Бездарная шваль. Тоже хотят жить весело. Талантливые люди давно поняли, что в жизни играть гораздо интересней. И выгодней! Настоящий театр — это жизнь!

Дима вздохнул:

— Зрителей жалко.

— А где они? — прищурился Игорь. — Наших зрителей, Тим, давно нет. Они мутировали в поклонников южно-американских сериалов и читателей бездарных испражнений в пестрых глянцевых обложках... Или забились по щелям своих «шестисотовых» фазенд. А самые тонкие, самые преданные наши зрители обратились в клиентов наркологических и психиатрических диспансеров. Я-то знаю, поверь. Мы живем, Тим, в эпоху тихой и бесславной гибели русской интеллигенции. Посмотри, кто сейчас ходит в театр! В самых напряженных местах спектакля в зале трезвонят сотовые телефоны... — Закончил он неожиданно. — Деньги не в тех руках, Тим! В этом все дело! На то, чтобы владеть деньгами — нужно моральное право иметь! Моральное право!

После третьего стаканчика Дима почувствовал себя в полной форме; он оглядел стеллажи:

— А что у тебя за дела? Кто ты теперь? — Он посмотрел на визитку. — Почему ты «тайный советник»? Почему ты Штерн?

Игорь откинулся на спинку высокого кресла, прищурился:

— Не много ли вопросов для первого раза? Ты же ко мне за деньгами пришел?

Дима ему объяснил:

— Прежде чем взять деньги, я должен знать, у кого я их беру.

Игорь удивился:

— Как это у кого? У своего однокурсника!

— А кто ты теперь? — настаивал Дима. — Откуда у тебя такие деньги? Что такое «тайный советник»? Я хочу знать, господин Штерн!

Игорь прижал ладони к груди:

— Вот за это не волнуйся. Деньги вполне чистые. Честным трудом заработанные деньги. «Тайный советник» — это просто прикол. Я вернулся к своей прежней профессии. Психолог-психоаналитик. Я консультирую очень богатых людей, по самым тайным, по самым интимным вопросам. Они мне хорошо за это платят. Так что за мои деньги ты не волнуйся! — Он улыбнулся. — А Штерн?.. В Японии, например, когда художник начинает новый творческий период, он просто обязан взять новую фамилию, чтобы его не путали с ним — прежним. Ранний Пикассо и поздний — это же совершенно разные люди... Правда? Игоря Горелина больше нет. Теперь я Штерн... Это фамилия моей бабушки... Ольги Карловны Штерн. Петербуржской немки... — Игорь усмехнулся лукаво: — Ты, наверное, подумал, что я еврей. Не волнуйся, процентов я с тебя не возьму...

Дима выслушал все это очень внимательно и сурово сказал:

— И обо мне ты должен все знать...

Игорь махнул рукой:

— Каким ты был, таким — остался. О тебе-то я все знаю.

— Откуда?

— Да Тамара мне все о тебе рассказала.

Дима сжал зубы:

— Не все! Она не сказала главного! Я никогда не верну тебе долга. Никогда!

Игорь пожал плечами:

— Почему?

Дима наклонился над столом:

— Потому что я — безработный. Потому что мне таких денег никогда не заработать. И в долг мне никто не даст! Никто!

Игорь смотрел на него ласковым, успокаивающим взглядом психоаналитика:

— Не волнуйся, Тим... Мне эти деньги не очень нужны. Честно.

Дима насторожился:

— Ты хочешь дать просто так?! Просто так я никогда не возьму! Предупреждаю сразу!

Игорь ласково спросил:

— А как ты возьмешь? Что ты можешь взамен предложить? Душу свою заложить хочешь, что ли?

Дима налил себе еще стаканчик.

— Если бы она что-то стоила! Кому сегодня нужна душа? Посмотри вокруг... Люди превратились в биороботов!..

— В кукол, — уточнил Игорь. — Это кукольный театр, Тим.

— Работа — деньги, деньги — работа! Больше их ничего не волнует.

— Так было всегда, — вздохнул психоаналитик. — Девяносто процентов людей всегда были куклами. Или биороботами, как ты выразился. Они с удовольствием играют любую пьесу. Какую им закажут. Сейчас заказали очень смешную...

— Смешную?! — поразился Дима.

— Конечно, — усмехнулся Игорь. — Для тех, кто понимает юмор, пьеса эта — просто убойная комедия.

— Убойная? — повторил про себя Дима.

— Конечно, — убежденно повторил Игорь. — Это и есть главное мое замечание к твоему спектаклю. Ты поставил мелодраму. У тебя в финале в зале плачут. А Чехов написал убойную комедию. В финале все хохотать должны!

— С чего там хохотать-то? — насупился Дима. — Когда в душе нет ни Бога, ни Дьявола — плакать надо.

— Как это с чего? — разошелся Игорь. — О чем вся эта история? Сестры собираются уехать из провинциального, пошлого, заброшенного городка в страну обетованную. «В Москву, в Москву, в Москву!» — твердят они все время. И никуда не уезжают. Наоборот. Врастают в эту пошлую жизнь и остаются в этом захолустье навсегда! А почему?

— Почему? — спросил сурово Дима.

— А потому, что появился... Дьявол! — шепотом произнес Игорь.

Дима даже растерялся немного:

— Какой Дьявол? Кто это?

Игорь встал со своего кресла:

— Полковник Вершинин, — он замечательно передразнил походку «звезды», игравшей Вершинина. — Перед его приходом вбегает испуганная нянька: «Полковник незнакомый!.. Господи!» И крестится. С чего это она? Она-то почувствовала нечистую силу!

— Почему это Вершинин — нечистая сила? — не сдавался Дима.

Игорь заходил по кабинету, размахивая руками:

— Потому что из-за него сестры никуда не уехали. Он разбил их мечту!

— Не понимаю, — ершился Дима. — Он-то при чем?

Игорь остановился напротив него:

— Представь себе. Люди собрались в страну обетованную. У них уже чемоданы собраны. До отхода поезда ровно час. И вдруг к ним приходит Дьявол.

Он ведь в любом обличье появиться может. У Достоевского черт — какой-то шпендрик в клетчатых штанах. А у Чехова — полковник артиллерии! Но разницы никакой! Появляется Вершинин и начинаются какие-то идиотские разговоры: воспоминания, охмурения... Люди очухиваются, а их поезд уже давно ушел!

Игорь победно посмотрел на Диму:

— Вот мое единственное замечание. Если бы ты это понял, у тебя бы получился настоящий спектакль!

Дима сложил руки на груди:

— У меня и так получился спектакль. При чем тут бедный Вершинин? Во всех персонажах, кроме Ирины, дьявол сидит. Антоша Чехов — хитрый хохол. Он великолепно знал, что этот мир весь во власти дьявола. В этом и есть суть его грустных комедий. Люди борются с дьяволом в себе и не могут его победить. И это так грустно, что от этого плакать хочется.

Игорь уже сидел в своем кресле и внимательно смотрел на Диму.

— И ты с ним борешься?

— С кем? — не понял Дима.

Игорь хотел что-то сказать, но вместо этого пробормотал только:

— Ну-ну, — и закурил. — Так возьмешь ты от меня деньги?

Дима подумал и твердо отчеканил:

— Не возьму!

Игорь напомнил ему тихо:

— Этот Веничка тебя закажет! Запросто.

— И хер с ним, — просто ответил Дима.

Игорь наклонился над столом к Диме:

— А хочешь — мы закажем этого подлеца? У моих клиентов есть связи в бандитском мире. Стоить это будет сущие пустяки... Гораздо меньше твоего долга. На порядок меньше... Хочешь?

Дима представил себе румяного Веничку, лежащего на асфальте с простреленной башкой, и покачал головой:

— Пусть живет.

Игорь дернулся в своем кресле и вдруг заорал на Диму:

— Да ты что?!.. Что ты из себя Христосика строишь?! Я тебя не отпущу без денег! Богоискатель!

Дима сказал гордо:

— До милостыни я еще не опустился...

Игорь мгновенно успокоился и смотрел на него, насмешливо прищурясь:

— Это не милостыня. За тебя уже заложилась Тамара.

Сердце у Димы дрогнуло:

— То есть как... Как это «заложилась»? Объясни!

Игорь открыл ящик стола, достал лист в прозрачной пленке и положил его перед Димой. Сквозь бликующую на солнце пленку Дима узнал бисерный, ровный почерк жены. И ее небрежную подпись.

— Она дала мне расписку...

— Зачем же... Почему же ты сразу мне не сказал?

Игорь наблюдал за ним внимательно, как доктор за пациентом:

— И Тамара тебе ничего не сказала об этой расписке?.. Ведь так?

Дима вспомнил, как в последний вечер кричал на жену, упрекал ее за то, что она не хочет ему помочь...

Игорь сказал ласково:

— Мы с ней договорились по-дружески. Ее расписка вступает в силу, если ты сам ничего не придумаешь. А что ты придумал? Два дня ты пил. Пришел и вместо того, чтобы предложить мне что-то, строишь из себя оскорбленного гения. А Тамара так надеялась на тебя...

Он еще что-то говорил. А Дима вспомнил вокзал. Когда они всем курсом с цветами провожали Игоря в Сибирь. Как на войну. Поезд тронулся, Игорь крикнул с площадки вагона:

— Томочка, все равно ты от меня никуда не денешься! Так и знай!

Тамара весело засмеялась:

— Ну и сволочь ты, Гарик!

И все смеялись вслед поезду. И Дима смеялся. Потому что Сибирь им казалась далекой, как Луна...

— Она так надеялась на тебя, Тим, — грустно сказал Игорь за другим концом стола.

Дима очнулся:

— Нет! Так не пойдет!

Он хотел взять расписку, но Игорь выдернул ее из-под его руки.

— Отдай! — рассердился Дима. — Ее не впутывай! Это мой долг! Только мой! Она тут совсем ни при чем! Отдай!

Игорь, откинувшись в кресле, держал на весу расписку и улыбался:

— А что ты можешь предложить взамен?

— Да что хочешь! — вскрикнул Дима. — Только расписку отдай!

Игорь вдруг посерьезнел:

— Тогда бери бумагу и пиши.

Дима машинально взял лист и ручку:

— Что писать?

Игорь поглядел в потолок:

— Пиши: такого-то числа мною получено у Игоря Яковлевича Штерна десять тысяч долларов... Написал?

— Написал, — кивнул Дима.

— Пиши дальше. За это... Написал? За это я обязуюсь выполнять любые требования Игоря Яковлевича Штерна... Написал?

Дима положил ручку:

— Ты совсем охренел, однокурсник!

— Пожалуйста, предложи что-нибудь взамен, — улыбнулся Игорь. — Предложи.

Дима задумался:

— Подожди... Это какие же требования?

Игорь пожал плечами.

— Любые. Лучше уж выполнять мои требования, чем трупом быть... Правда?

Дима презрительно хмыкнул:

— Даже если ты меня заставишь человека убить?

Игорь от души рассмеялся:

— За кого ты меня принимаешь? Пиши, Тим, пиши.

— Подожди, — спросил Дима. — Я все-таки хочу знать, что это за требования такие? Что ты меня заставишь делать?

Игорь ему ласково улыбнулся:

— Заставлять я не буду. Я тебе предложу хорошую работу. За хорошие деньги. И больше ничего. Кстати, меня просила Тамара найти тебе хо-ро-шую работу... И я дам тебе работу. Ты заработаешь деньги и вернешь мне долг. Только и всего.

— Какую работу? Я ничего не умею, — зло сказал Дима. — Ты вот психоаналитик. А я ничего не могу. Я — пас. Полный пас.

Игорь недовольно поморщился:

— Твои способности я знаю. Не кокетничай. Я предложу тебе работу по способностям.

— В театре, что ли? — удивился Дима, — В каком это? Меня не возьмут!

Игорь усмехнулся:

— В театре по имени Жизнь. Пиши... У тебя выхода нет. Пиши.

Когда Дима дописал строчку, Игорь взял его ручку и положил перед ним другую.

— Теперь подпишись.

— Сначала ее расписку отдай, — потребовал Дима. — Мы же договаривались.

— Не волнуйся. — Игорь спрятал листок в прозрачной пленке в стол. — Когда вернешь мне долг, получишь ее расписку. И свою.

— Когда? — не унимался Дима. — А срок? О сроке-то мы не договорились!

Игорь махнул в воздухе тонкой ладонью:

— Ерунда. Тамара приедет на рождественские каникулы. Я думаю, к этому времени ты уже со мной рассчитаешься.

Дима взял ручку:

— Думаешь, уже рассчитаюсь?.. А если у меня не получится?

— Ерунда, — успокоил его Игорь. — Ты же гений. У тебя все получится. Подписывай.

И Дима, уже не думая, подписал чистый лист красными чернилами. Новая ручка оказалась кроваво-красной. Игорь тут же спрятал лист в ящик стола. Дима хотел налить себе еще стаканчик, но Игорь задержал его руку:

— На сегодня хватит. Сегодня больше не пей. И приведи себя в порядок. Побрейся и подстригись. У тебя есть деньги на стрижку?

— Тамара оставила немного...

Игорь спрятал бутылку в холодильник, подошел к сейфу и достал из кармана брюк связку ключей на длинной цепочке. Сейф с мелодичным звоном открылся. Игорь взял из сейфа пухлую пачку долларов, заклеенную банковской лентой.

— Тут ровно десять тысяч. Можешь не пересчитывать. Это отдашь. Только расписочку с него возьми обязательно. — Из заднего кармана брюк Игорь достал кошелек; вынул из него две сотенные зеленые бумажки. — А это тебе. На первое время.

Дима взял бумажки:

— Эти тоже в контракт впиши, не забудь.

Игорь махнул рукой:

— Я ничего не забуду. Не бойся. Главное, сегодня не пей. Завтра днем за тобой заедут. В три часа. Запомнил? Ровно в три. И объяснят тебе, что нужно делать.

Дима засунул пачку долларов за пояс под джемпер на мокрый живот.

— Только учти, если работа мне не понравится, я откажусь.

Игорь прищурился:

— И просто так отдашь мне Тамару?

Дима даже рот раскрыл:

— Ах, вот ты как?..

Игорь включил телефон в розетку, и телефон тут же зазвонил:

— Все, — сказал Игорь. — У меня дела. До завтра. Кофе допей.

Дима залпом выпил остывший кофе и пошел к двери.

— Здравствуйте! Как ваше здоровье, Сурен Гургенович? — рассыпался Игорь в трубку.

Седая Клеопатра Антониевна проводила Диму до лифта. Внизу охранник открыл перед ним парадную дверь. И только когда захлопнулась тяжелая бронированная дверь, отделанная деревом, Дима забеспокоился... хотел вернуться, но решил, что нужно сначала выпить еще хотя бы сто грамм...

4. Театр по имени жизнь

Никогда не берите в долг, а тем более не перезанимайте! Это чревато очень серьезными последствиями. Это похоже на лавину в горах. Лавина начинается с маленького камушка. Оступился человек — и поехало! И загрохотало все вокруг...

Дима не зря волновался. Ведь только что за десять тысяч долларов он заложил своему однокурснику родную жену. И при этом еще обязался выполнять любые его требования! Получив деньги, Дима попал в еще большую кабалу, чем подставка румяного «друга» Венички...

Тут было над чем подумать. Очень серьезно подумать. Для того, чтобы привести себя в порядок, нужно было срочно выпить хотя бы сто грамм.

Пухлая пачка долларов выпирала из под джемпера и жгла, как горчичник, мокрый живот. В мелкие карманы тесных джинсов она не помещалась. Дима даже сумки с собой не захватил, настолько был уверен, что однокурсник, оценив его возможности, не даст ему ни копейки.

Во фруктовом киоске на Конюшенной Дима купил три банана на закуску и целлофановый пакет. Зайдя в подворотню, он оглянулся и бросил пачку долларов на дно пакета, накрыв ее сверху бананами. Мокрому животу стало легче, но не голове.

К счастью, совсем недалеко от подворотни Дима увидел вывеску: «Кафе Луна». Истекая похмельным потом, он спустился в бывший подвал, с трудом добрался до стойки и окинул взглядом стройный ряд доступных, как уличные девки, бутылок. К нему с профессионально застывшей улыбкой обратилась пожилая барменша:

— Что будем пить, молодой человек?

Он уже хотел назвать неизменную ливизовскую «Охту», но вытаращил глаза, захлопнул ладонью рот и выскочил из забегаловки. В подворотне его вырвало бурой кофейной жижей.

Дима вспомнил пристальный взгляд секретарши Клеопатры Антониевны, вспомнил окрик Игоря: «Кофе допей!» и подумал с ненавистью: «Ах, ты еще и нарколог, тайный советник Штерн! Ты уже начал свою игру... Ну что ж, посмотрим! Поглядим, кто кого!»

Дима взял пакет с деньгами и бананами под мышку и пошел к метро. Тамара обещала позвонить сразу, как устроится в Бостоне, и уже третий день не звонила.

«Сегодня точно позвонит», — решил Дима и заторопился к себе на Петроградскую.

От разговора с Тамарой зависело многое. Тамара должна ему объяснить, в какую историю его запутала. Ведь Игорь уверяет, что он выполняет ее просьбу. Зачем тогда она дала ему свою расписку? Зачем она рассказала «тайному советнику» о Виктории?

И вообще, какие у нее отношения с ним? Натренированная Димина фантазия разыгралась не на шутку.

По привычке он завернул в ночной магазин «24» на Пушкарской, хотел купить себе на вечер бутылку. Но только подошел к винному отделу, как горло свел спазм и рот наполнился тугой, противной слюной. Вонючий «кофе» Клеопатры Антониевны все еще действовал в его организме. Дима сплюнул и выскочил из магазина...

Дома было пусто и неуютно. Дима накрыл газетой грязную посуду на кухонном столе и сел под торшером на диване у телефона. Перед ним на журнальном столике лежали бананы и заклеенная пачка долларов. Дима размышлял. Он старался выбрать из двух зол меньшее. Конечно, лучше всего было вернуть эти деньги однокурснику и потребовать назад обе расписки, свою и Тамарину. Но как тогда быть с «румяным другом» Веничкой? Начинать с ним разговор о порядочности и о справедливости долга было уже поздно. Дима сам согласился с ним. То, что у Венички не было никаких документальных подтверждений его претензий, Диму мало волновало. Приступая к организации театра «КС», они с ним договорились на словах. А Дима привык считать свое слово важнее официальных бумаг. После ухода Виктории он закрыл свой спектакль. А значит — нарушил слово... Но отдавать эти деньги и тем самым попасть в кабалу к «тайному советнику», уже угостившему его вонючей антиалкогольной бурдой, взявшему в залог его родную жену, было для Димы позором невыносимым. Еще на курсе они были соперниками. И в творчестве, и в любви. Если бы не Тамарина расписка, Дима никогда бы не взял этих денег, не позволил бы сопернику распоряжаться своей судьбой. Смешно сказать, «тайный советник» хочет превратить Диму в своего раба...

На журнальном столике, как мертвые скрюченные пальцы, валялись банановые шкурки. Дима и не заметил, что в процессе своих размышлений умял все три банана.

Но выход, кажется, был найден. Завтра же он пригласит Веничку к себе и чистосердечно все расскажет. Не может быть, чтобы Веничка мог забыть чудесные крымские ночи и ночные разговоры о будущем театре, и замечательную премьеру в старом, полуразрушенном флигельке... Этого просто не может быть! Веничка не даст в обиду Тамару, Веничка не позволит ему превратиться в раба!..

Успокоенный Дима включил телевизор. Шла какая-то денежная игра, то ли «Миллионер», то ли «Алчность». На табло мелькали немыслимые суммы, за столом визави сидели двое. Какой-то инженер из провинции с широко раскрытыми, испуганными глазами и молодой, ехидный ведущий с полным ртом лошадиных зубов, которые мешали ему говорить. Ведущий, гримасничая, артикулировал вопрос, инженер возводил к потолку немигающий взгляд, словно умоляя кого-то о подсказке. Все это походило на пытку в застенках гестапо...

— Я же знал это... знал... — твердил инженер. — Я же знал... Господи...

— Вы хотите позвонить Богу? — ехидничал ведущий. — Его телефон не отвечает. Пробовали.

В зале услужливо смеялись. Инженер мучился, глядя на фантастическую сумму. Ведущий скалил лошадиные зубы.

Дима легко ответил на вопрос. Сумма была — триста тысяч рублей. Как раз десять тысяч долларов! Бедный инженер обливался потом. И Дима выключил экран. Он не любил издевательств.

Вся страна была занята денежным вопросом. Будто весь народ враз оказался в неподъемном долгу, обладая несметными запасами нефти, газа, алмазов, золота... Затерянная в песках Саудовская Аравия от продажи нефти стала одним из богатейших государств мира. На каждого ее гражданина при рождении открывается круглый банковский счет. Дальше все зависит от тебя. Нефть там — достояние каждого гражданина. Куда деваются несметные российские богатства, не знает никто, даже правительство делает вид, что не знает этого. Огромная страна живет на бюджет, равный бюджету Финляндии, население которой меньше населения Санкт-Петербурга. А промышленность Петербурга в несколько раз превосходит всю промышленность Финляндии... Загадка? Эту простую загадку никто не хочет разрешать. Каждый думает только о себе...

Дима давно перестал интересоваться политикой, считая ее делом циничным и грязным. С недавних пор вся политика России свелась к распределению денег между людьми своего клана...

До трех часов утра Дима просидел на диване под торшером, ожидая звонка из Америки. Но так и не дождался. Уснул.

Ровно в десять утра его разбудил телефонный звонок. Дима спросонья чуть не уронил трубку. Звонил Веничка. Напомнил, что все сроки вышли. Дима, как было задумано вчера, пригласил его к себе. Веничка почему-то отказывался. Согласился приехать, когда Дима сказал обиженно: «А еще друг, называется...»

К его приезду Дима кое-как убрал в комнате и спрятал заклеенную пачку долларов в стол. На кухне убрать не успел. В дверь позвонили. Дима радушно распахнул дверь и замер на пороге. За спиной Венички громоздилась незнакомая тучная фигура с мрачно-удивленными голубыми глазами.

— Это мой сотрудник. Бывший мент, между прочим, — представил его Веничка.

Бывший мент без приглашения вошел в переднюю, огляделся и заявил с ходу:

— Где деньги?

Дима посмотрел на Веничку.

— Деньги достал? — сурово спросил его Веничка.

Дима растерялся:

— Я с тобой поговорить хотел...

— Сначала деньги, — предупредил Веничка.

— Где деньги? — мрачно повторил бывший мент.

Дима растерялся:

— Слушай, Веня, он-то причем?

— Ты должен моей фирме. Он мой сотрудник, — объяснил Веничка. — Ты деньги достал или нет?

— Достал или нет? — эхом откликнулся его сотрудник.

Дима посмотрел в его выкаченные голубые глаза.

— Вы меня убивать пришли, что ли?

Бывший мент прислушался и полез за подмышку:

— В квартире есть кто-нибудь?

— Вы меня убивать пришли, — понял, наконец, Дима.

Румяный Веничка проворно оглядел квартиру, дернул закрытую дверь в Тамарину комнату:

— А Тамара где?

Бывший мент коленом прижал Диму к вешалке. От него пахло кислым перегаром. У Димы схватило спазмом горло.

— Отвечай! Тебя спрашивают! Где жена?

— Уехала... — тихо выдохнул Дима.

Бывший мент сморщился, изобразив на потном лице подобие улыбки, и достал из-под мышки штатный «ПМ».

— Последний раз спрашиваю, есть деньги или нет?

Дима стоял, прижатый к вешалке, его затылок неприятно щекотала вязаная Тамарина шапка. Из-за плеча бывшего мента на Диму с каким-то жадным восторгом глядел Веничка.

— Ве-ня... Ве-ня... — с трудом сказал Дима.

Веничка задергался, потирая пухлые ладони:

— А что «Веня»?.. Что «Веня»?.. Ты сам виноват, Тим! Сам виноват! Я дал тебе еще неделю! Целую неделю! Если бы ты хотел, ты бы деньги добыл! Ты сам виноват! Сам!

Диму поразило его радостное, вдохновенное лицо. Он отпихнул от себя мощную тушу и вошел в комнату.

— Стоять! — рявкнул ему вдогонку бывший мент.

Дима открыл ящик стола и достал заклеенную пачку.

Из дверного проема за ним испуганно наблюдал Веничка, а бывший мент, стряхнув ладонью пот, прищурясь, наводил на него пистолет. Дима бросил пачку к ногам Венички и опустился на диван под торшером. Веничка жадно схватил пачку:

— Что же ты молчал? Что же ты?.. Тебя же чуть не убили, гад!

Бывший мент сказал, не убирая пистолета:

— Может, кукла?.. Проверьте, Вениамин Михайлович...

Веничка разорвал банковскую ленту и развернул доллары веером.

— Ты даешь, Тим... Не ожидал... Наверное, старушку убил, как Раскольников? А? — он радостно засмеялся.

Дима мрачно смотрел на него своим «петроградским» взглядом. Если он не ожидал денег, то зачем же пришел?...

Веничка спрятал деньги во внутренний карман пиджака и вошел в комнату:

— О чем ты хотел поговорить-то? А? Говори. Теперь можно.

— Уходи, — попросил его Дима. — Мне не о чем с тобой говорить. Уходи.

— Обиделся? — удивился Веничка. — За что? Я же с тебя и проценты мог взять. Я бы мог по закону...

Дима встал, вышел в переднюю и открыл настежь входную дверь.

— Уйди, — и вскрикнул вдруг: — Вон отсюда! Мразь!

Веничка пропустил вперед бывшего мента:

— Зря ты обиделся, Тим. Я же не взял с тебя процентов по дружбе.

Дима захлопнул дверь. Он слышал, как они молча спускались по лестнице. В парадной оба радостно заржали...

Выбора у Димы больше не было. Сама жизнь распорядилась его жребием. Чтобы спасти Тамару, он должен был продаться в кабалу, в рабство своему однокурснику...

Дима долго ходил по комнате, натыкаясь на стулья, повторял про себя, как заклинание:

— Поглядим кто кого... Посмотрим... Поглядим кто кого... Посмотрим...

Потом он вышел в прихожую и снял с вешалки пушистую Тамарину шапку.

— Что же ты сделала со мной, Томочка?.. Ну, зачем ты уехала в такой момент, Томочка?!..

Дима тоже называл жену так, как звали ее все на курсе. Потому что было в этом имени и «томление», и «ис-тома». Особенно теперь, когда ее не было рядом. Неожиданно Дима вспомнил, как однокурсник намекнул ему, что Тамара уехала, потому что приревновала его к Виктории. Дима прижал к лицу пушистую шапку.

— Дурочка! Как ты такое подумать могла?! Дурочка! Почему ты мне ничего не сказала? Почему?..

Пушистая шапка противно защекотала щеку. Дима сердито повесил шапку обратно на вешалку и вернулся в комнату. На книжной полке за стеклом стояла большая цветная фотография, снятая на последней премьере. Сцена из первого акта — имениины в доме Прозоровых. В центре в праздничном белом платье сама именинница — Ирина, которую играла Виктория. Сквозь стекло Дима долго смотрел на нее.

В чем-то, конечно, Тамара была права. Виктория ему нравилась, но совсем не так, как нравятся обычные женщины. Наоборот, она ему и нравилась как раз за то, что в ней не было ничего привычного, вульгарно-женского. С ней можно было говорить на любую тему, как с другом. Правда, она понимала все по-своему, немножко по-детски. Но эта ее чистота, серьезный взгляд ее черных глаз, на которых не различить зрачков, ее доверчивая улыбка из-под приподнятой верхней губы, все это, может быть, и было той высшей женственностью, которую может оценить только настоящий мужчина. Не лукавое кокетство, не секс, а именно эта открытая чистота и открытая доверчивость...

Дима вдруг осознал, как ему не хватает ее именно сейчас. Он бы ей все рассказал и она бы ему подсказала единственно верный в его почти безнадежном положении выход. Обязательно бы подсказала, не кокетничая и ничего не требуя взамен. То, что она от него никогда ничего не требовала, то, что рядом с ней он и подумать не мог о сексе, делало их отношения по-настоящему любовными. Так считал Дима. Потому что любовь, основанная на сексе, обманывает, сексуальное влечение не зависит от человека, потянуть неожиданно может к кому угодно... Дима вдруг вспомнил холодный ствол у себя под подбородком и бледно-голубые глаза с чуть заметной косинкой, и хриповатый голос:

— Все, козел. Больше ты ее не увидишь...

— И не надо, — уже сейчас ответил ему Дима и отошел от книжного шкафа.

Почему все так странно вышло, почему талантливая актриса вдруг бросила театр, чтобы выйти замуж за обыкновенного бандита, Дима до сих пор не понимал. Это было вне его понимания.

Дима раздраженно ходил по комнате, пока не посмотрел на часы. Была половина третьего. В три за ним должны заехать, чтобы все объяснить... В три должно было начаться рабство.

Стричься уже было некогда. Дима решил хотя бы побриться. Он пошел в ванную, повторяя про себя заклинание:

— Поглядим кто кого... Посмотрим...

Он намылил щеки. Станок, скрежеща, отдирал трехдневную щетину. А Дима под этот скрежет пытался представить, что ему объяснит посланец «тайного советника». Что он может ему предложить? Игорь обещал использовать Диму по способностям. Но не в театре. Фантазия подсказывала самые немыслимые варианты от криминальных порнофильмов до лечебного «психодрома», которым так гордится однокурсник. С одной стороны Игорь бросил театр, а с другой — заявил, что, сменив фамилию, он начал новый творческий период... Каким же творчеством он теперь занимается? За что так хорошо платят, что с долгом можно рассчитаться уже к Рождеству?.. И почему он обязал Диму выполнять его «любые требования»? Значит, он знает заранее, что Дима может от его предложения отказаться? Откуда он это знает?.. Его предупредила Тамара? Но зачем тогда он сказал на прощание: «Если откажешься, Тамара достанется мне»?.. На все эти вопросы Дима так и не нашел ответа, пока скрежетал лезвием по щетине.

Он посмотрел в зеркало на свое помолодевшее суровое лицо и сказал сквозь зубы:

— Томочка, ты у меня одна. Я тебя не предам. Я тебя освобожу. Клянусь тебе, Томочка.

В дверь позвонили. Дима вздрогнул. Он попытался представить, кто там сейчас стоит за дверью. Но так и не смог. От бывшего однокурсника, ставшего «тайным советником Штерном», всего можно было ожидать. Всего. Дима, не спеша ополоснул лицо.

В дверь опять позвонили.

Дима обрызгал лицо спреем.

В дверь позвонили в третий раз.

Дима, не спеша, готовя себя к любому сюрпризу, пошел открывать. Долго возился с замком. Открыл и рассмеялся от неожиданности. Перед ним стоял «секретный режиссер» Лева Стрекачев. Тот сказал не здороваясь.

— Ты готов? Мы опаздываем. Машина внизу. Поехали!

Машина у Левы была прикольная, новенький темно-красный джип «Вранглер». Как раз о таком Дима мечтал давно. Дима не успел с Левой поговорить, пока они не сели в машину. Дима одевался, а Лева его торопил, поглядывая на дорогие часы:

— Давай живей. Опаздываем! Шевелись, Тим. Шевелись.

Только в машине он успокоился и включил кассетник, давая Диме понять, что разговаривать с ним не намерен. Дима выключил кассетник.

— Так это ты?

— В каком смысле? — не понял Лева.

— Тебя послал ко мне Игорь Горелин?

Лева закурил:

— Игоря Горелина больше нет. Он утонул. Про это все знают. Игорь Яковлевич Штерн просил и тебя не забывать об этом. Понятно?

Дима помолчал, откинул от лица тугую струю дыма:

— Куда мы едем?

— На работу.

Дима усмехнулся:

— Ставить ролевые игры?

— Игра уже поставлена, — сказал Лева. — Игорь Яковлевич хочет, чтобы ты посмотрел и поучился, как это делают мастера.

— А кто ее поставил?

Лева удивленно покосился на него и пожал плечами:

— Я, — и снова включил кассетник.

Джип с широкого Гренадерского моста свернул на узкий Сампсониевский проспект и полетел под музыку по трамвайным рельсам, обгоняя плотный поток попутных. Дима сделал звук потише.

— Значит, Игорь... извини, значит Игорь Яковлевич и есть генеральный директор твоей секретной фирмы?

— Не угадал. С нашим генеральным директором я тебя сегодня познакомлю. Отличный мужик. Он тебя знает, между прочим.

Лева хотел прибавить звук, но Дима удержал его руку:

— Погоди. При чем же тут Игорь?

— Игорь Яковлевич Штерн — поправил его Лева, — Он вчера говорил с нашим генеральным о тебе. И попросил, чтобы лично я ввел тебя в курс дела. Понятно?

Диме еще ничего не было понятно. Но он промолчал.

— Да, залетел ты, Тим, — вдруг пожалел его Лева. — Крепко залетел. Бедняга.

— Почему это я залетел? — не понял Дима.

— Ты взял у Штерна в долг? Этого не надо было делать!

— У меня выхода не было. Он сам предложил мне деньги. Сам.

Лева сокрушенно поцокал языком:

— Я же тебе предлагал выход! Наш генеральный дал бы тебе аванс. А ты начал строить из себя какую-то целку... Опозорился на весь театральный мир...

— Кто опозорился?

— Не я же, — с достоинством объяснил Лева. — Ты наскандалил и отвалил... Над тобой все кафе смеялось потом.

— Надо мной?

— Не надо мной же! Ты отвалил, а мы потом столы сдвинули, я угощал, — Лева блаженно закатил глаза. — Мариночка нам до двух часов ночи романсы пела. Обворожительная девочка, между прочим.

Мариночка была той самой артисткой, которая вывела Диму из кафе и пожалела его, помогая надеть куртку. А потом до двух часов ночи пила на деньги Левы и пела ему романсы...

«Это и есть театр, — думал про себя Дима. — Любовь и ненависть, верность и предательство. — в нем неразделимы... За что же меня возненавидела Вика?.. А ни за что! Потому что жизнь — тот же театр со всеми его законами».

— Понял теперь, какую ты сделал глупость? — прервал его размышления Лева.

— Какую?

— Я бы тебя и так в нашу фирму устроил! И так! Ты бы получил аванс и не был бы никому должен! Понял?

— Какая разница, — отмахнулся Дима. — Все равно я попал к тебе, в «секретную режиссуру».

— Большая разница! — втолковывал ему Лева. — Если бы ты послушался меня, то был бы свободным человеком, зависел бы только от нас. А теперь ты в руках Игоря Яковлевича Штерна!

— Ну и что?

Лева наклонился к нему и сказал шепотом:

— Он опасный человек, Тим. Очень опасный.

Дима ему не поверил:

— Он вернулся к своей прежней профессии. Он снова доктор. Психолог-психоаналитик.

Лева поднял перед носом волосатый палец:

— Он «тайный советник»! Ты понял это, Тим? Понял?

— Он сказал, что это шутка... прикол... Он мне так сказал...

— И ты поверил? — сокрушался Лева. — Чудак... А чей он тайный советник? Этого он тебе не сказал?

— Чей?

Лева впился в руль и уставился на дорогу:

— Об этом лучше не говорить. Понял? Весь город в его руках. Весь город. Все. Завязали!

За Поклонной горой дорога стала шире, и Лева оторвался от руля.

— Слушай, а как же ты узнал?

— Что?

Лева покосился на Диму:

— Ну, что он живой. Что он теперь Штерн. Это же страшный секрет. Как ты его узнал? Он же изменился жутко. Совсем другой человек.

Дима с ним согласился:

— Я бы его никогда не узнал. Мне Тамара дала его визитку.

— Томочка? — соображал Лева. — А она-то как на него вышла? Ну-ка, расскажи!

Дима и сам не понимал, как на него «вышла» Тамара. И рассказывать ничего не хотел. Но Лева не отставал.

— Тим, говори, как на духу. Поверь, это очень важно! Как друг тебя прошу, Тим.

Диму покоробило от этих слов. Одного «друга» он совсем недавно уже выставил из своей квартиры. Лева тронул его за колено:

— Я же помочь тебе хочу, Тим. Честно, — Лева вдруг виновато улыбнулся. — Я же понимаю, кто ты... Ты с первого раза поступил. Случайно... Я помогу тебе, Тим. Если смогу... Честно.

Дима усмехнулся. Он не верил «секретному режиссеру». Но в разговоре с «тайным советником» для него осталось много загадок. Игорь Яковлевич сам их никогда не раскроет. И Дима решил рассказать Леве все, как он хотел рассказать Веничке. И про Тамарину расписку, и про свою, ничего не утаивая. На всякий случай он спросил:

— Нам далеко ехать?

— До Выборга. — Лева посмотрел на часы. — Еще часа полтора. Говори.

Дорога была дальняя. Дима вздохнул и начал свой рассказ с прощания с Тамарой, с ее отъезда в Америку. Лева слушал его очень внимательно, даже кассетник выключил. Это его внимание почему-то насторожило Диму, и он рассказал не все. Умолчал о главном. О расписках. О своей и Тамариной. Когда Дима закончил историей с антиалкогольным вонючим кофе, которым напоила его секретарша Клеопатра Антониевна, Лева задумчиво покачал головой.

— Да-а-а... Думаешь, это он отправил Томочку в Америку?

Дима даже растерялся:

— При чем тут он?

— Ну, как же, — объяснил Лева. — Он ведь сам только что к нам из Америки приехал.

— Что он там делал?

— Говорят, преподавал что-то, — задумался Лева. — А теперь, значит, Томочку вместо себя отправил... Да-а-а... Старая любовь не ржавеет.

— Какая еще любовь?! — возмутился Дима.

Лева не ответил, только головой покачал:

— Да-а-а... Залетел ты, Тим. Отнимет он у тебя Томочку!

Лева врубил кассетник, и они полетели по Выборгскому шоссе под бодрые звуки «Slayer». До самого Выборга они молчали...

На площади перед Круглой Башней выстроился целый автомобильный салон. Каких машин тут только не было. И американские, и японские, и, конечно же, неизменный русский народный автомобиль «мерседес». Были такие машины, которых в Европе еще и не видел никто. Самых новейших фасонов, самых ярких цветов. Их охраняли важные местные менты и частные охранники в черной форме.

— Что это за слет? — спросил Дима.

Лева припарковал свой, вдруг ставший жалким и скромным, «Вранглер» к самому краю стоянки и ответил небрежно.

— Это мои зрители, Тимуля. Они приехали на мою премьеру! Ни в одном театре такой шикарной публики не увидишь. Ни в одном самом лучшем театре! Вот так-то... Посиди, я сейчас.

Лева ушел куда-то. А Дима остался в машине. За старинную башню Выборгского замка закатывалось оранжевое солнце, через площадь в ресторан Круглой Башни со стоянки шли «шикарные зрители». Дамы в вечерних туалетах, мужчины в строгих смокингах. Сквозь лобовое стекло Дима смотрел на них и не мог понять, что привело их сюда, что за зрелище их ожидает? Зрелище, которое он обязан научиться ставить, чтобы расплатиться со своим долгом, чтобы спасти из рук «тайного советника» и себя, и Тамару...

С бульвара, визжа скатами, на площадь влетел забрызганный грязью джип «Паджеро», с трудом втиснулся на стоянку, как раз напротив Димы. Джип встал задом к Диме, за задним стеклом еще колыхались подвешенные под потолком пластиковые мешки с одеждой. Из водительской двери вышел белобрысый парень в камуфляже, распахнул заднюю дверь с запасным колесом и стал, не торопясь, раздеваться. Заходящее оранжевое солнце отливалось на его бронзовом, загорелом теле. Парень спокойно разделся до трусов и крикнул внутрь машины:

— Подъем! Мы приехали. Подъ-ем!

Мимо голого парня текла «шикарная публика» в вечерних туалетах. Некоторые здоровались с ним, не обращая на его вид никакого внимания. «Видно, очень крутой паренек. Его здесь все знают, — подумал Дима. — Чужого давно бы убрала охрана».

Рядом с голым парнем появилась девушка. Тоже в камуфляже. И тоже, не торопясь, разделась до синеньких узеньких трусиков. Даже не прикрыла груди, покрытые, как и все тело, ровным бронзовым загаром. Она повернулась к Диме упругой, бронзовой попкой. И на ее вид тоже никто не обращал внимания. Кроме Димы.... «Крутая парочка. Очень крутая, — решил про себя Дима. — Надо у Левы о них спросить».

Парочка расстегнула пластиковые мешки и, не спеша, начала одеваться у всех на виду. Паренек оделся в дежурный смокинг, а девушка через голову влезла в бирюзовое платье, обеими руками снизу вправила груди в лиф и, повернувшись к Диме лицом, что-то сказала, улыбнувшись, своему спутнику. Тот засмеялся, сидя на краю багажника и зашнуровывая лакированный ботинок. Девушка закурила и стала внимательно оглядывать автомобильный салон «Вранглера».

Дима вжал голову в плечи и начал сползать с сиденья на пол. Ему очень не хотелось, чтобы его сейчас узнала Виктория. А это была она! А ее загорелый спутник был тем самым бандитом, который ткнул холодным стволом Диму под подбородок. Холод этого ствола Дима чувствовал до сих пор...

До сих пор он чувствовал на себе взгляд ее черных глаз, видел ее улыбающийся рот с приподнятой верхней губой, слышал ее голос, сказавший как-то на репетиции:

— Тим, ты гений! Я люблю тебя, Тим...

Сердце у Димы сжалось от невосполнимой потери. Той девочки уже не было на свете.

«Театр! — сидя на полу усмехнулся Дима. — Театр по имени жизнь! Убойная комедия...»

5. Царевич

А разве вам не кажется иногда, что все происходящее на этом свете разыгрывается умелыми режиссерами по давно известному старому как мир сценарию? Разве вам, ссылаясь на Шекспира, не внушают на каждом углу, что жизнь — это театр, а люди в нем актеры?

Мол, жизнь — всего лишь игра, так веселись и развлекайся, «сникерсни», так сказать...

На старой Лондонской площади, над входом в деревянный барак, названный театром «Глобус», действительно висел когда-то этот самый девиз. Но Шекспир к нему не имеет никакого отношения. В его пьесе «Венецианский купец» есть один загадочный персонаж — Антонио. Он и есть — венецианский купец. Именно он, а не злодей Шейлок, чьим именем почему-то сейчас назвали эту замечательную пьесу.

Один из приятелей говорит Антонио:

— Брось ты грустить и так серьезно относиться к этому жалкому и ничтожному миру! Веселись!

На это Антонио ему отвечает:

— Для меня этот мир всего лишь театр, где у каждого есть своя роль. Моя, к сожалению, грустна.

То есть, пламенный христианин Антонио хочет сказать, что Божий мир превратился в гнусный театр, в котором умелые режиссеры заставляют каждого играть нужную им роль. Но его роль дана ему от Бога с рождения и никто не в праве ее изменить. Эта роль, как сказал другой поэт, «не читки требует с актера, а полной гибели всерьез»! Поэтому и грустна...

Как говорится, почувствуйте разницу...

Щелкнула дверца. В машину заглянул Лева.

— Тим, ты где?... — он увидел Диму, сидящего на полу. — Ты что там делаешь? Потерял что?

— Потерял, — буркнул Дима.

— Деньги?

Дима махнул рукой.

— Да ладно. Уже не вернешь.

Он приподнялся на локте и поглядел через лобовое стекло. Белобрысый бандит в смокинге вел Викторию под руку к ресторану. Из-под длинного бирюзового платья сверкали на солнце перламутровые каблучки. Дима спиной вжался в мягкое кожаное сиденье. Лева сел рядом.

— Если в машине потерял, нашел бы. Деньги бы отсюда никуда не делись.

— Да ладно, — опять махнул рукой Дима. — Снявши голову, по волосам не плачут.

Лева тут же подхватил:

— Понял, наконец, какую ты сморозил глупость? Понял!

— Какую? — насторожился Дима.

— Да то, что ты Штерну заложился! Тайному советнику! Я уже говорил с нашим генеральным...

— О чем?

— О тебе. Он покряхтел, конечно. Но обещал помочь.

— Как помочь?

Лева тяжело вздохнул:

— Отмазать тебя от Штерна.

— Как? — заинтересовался Дима.

— Отдать ему твой аванс. Десять тысяч... Сложно, конечно... Кто знает, какие у него планы? Но генеральный обещал поговорить с ним. Тогда ты будешь только на нас работать. Подпишешь с нами контракт на три года. Это был бы лучший для тебя вариант. И для Томочки.

Дима посмотрел на Леву.

— Лева, прости меня, пожалуйста.

— За что это? — удивился Лева.

— За все, — сказал Дима. — За все прости. Ты человек, Лева.

Лева засмеялся и хлопнул его по колену.

— Меня не сразу понимают. На курс с пятого раза приняли, — и оправдался зачем-то: — Просто я ненавижу этого Штерна...

— За что?

— А за то, что он Штерн! — громко захохотал Лева, но вдруг изменился в лице и нацепил на нос темные очки.

— В чем дело? — спросил его Дима.

— Гляди, — Лева подбородком мотнул в лобовое стекло.

По опустевшей площади от белого «линкольна» с серебряной собачкой на радиаторе к ресторану направлялась странная пара. Он, невысокий и стремительный, с седой хемингуэевской бородкой, она, высокая и величавая, в длинном черном платье и сиреневом тюрбане. Дима узнал Игоря Яковлевича и его секретаршу Клеопатру Антониевну.

— Он тоже здесь?

— Да ты что! Без него ни одна серьезная тусовка не обходится!

— Ему-то это зачем?

Лева развел руками:

— А вот этого не знает никто! Обо всем, что его касается, лучше не знать — дольше проживешь, — Лева проводил глазами пару до самых дверей ресторана. — Но тебя-то мы отмажем и чем скорей — тем лучше. Пока ты не запутался в его сетях… Окончательно.

Они вышли из машины и, пока Лева ставил ее на сигнализацию, Дима пошел к ресторану.

— Ты куда? — окликнул его Лева.

— Куда все, — дернул плечами Дима.

Лева засмеялся.

— Они — не «все», Тимуля. Они — элита. Это мы с тобой — «все остальные». Нас и близко не подпустят к этой башне. Иди за мной. И не дергайся.

Лева повесил на серый джемпер Димы пластиковую карту с надписью по-английски «Менеджер», а себе приколол на визитный карман пиджака другую табличку с цветной фотографией: «Директор», и они пошли через город к воротам Выборгской крепости.

Когда они подошли к мостику перед воротами, мимо них промчался открытый армейский «Хаммер», битком набитый мужиками в средневековых рыцарских доспехах, в белых плащах с красными лапчатыми крестами на спинах. Въезжая в ворота, «рыцари» подняли мечи и заорали пьяными голосами: «Боссеан! Боссеан!»

— Это что за карнавал? — спросил удивленно Дима.

Лева остановился:

— Это не карнавал, Тим. Это и есть ролевая игра. Сегодня они играют в рыцарей.

— Кто это «они»?

Лева ответил просто:

— Те, у кого есть деньги. Ведь один такой рыцарский доспех стоит тысяч десять баксов. Как твой долг. А для них — игрушка.

Дима посмотрел вслед скрывшемуся в воротах «Хаммеру».

— Они же все пьяные...

— Сегодня можно, — сказал Лева. — Сегодня ночью будет торжественный парад при факелах и грандиозное гулялово в замке, — Лева вздохнул, — а завтра мне придется поработать. С утра штурм крепости, а также рыцарский турнир на Замковой площади. Завтра мне придется покрутиться... Зато потом от души отдохнем, Тимуля.

— Подожди, — остановил его Дима. — На сколько дней рассчитано твое гулялово?

Лева засмеялся:

— А это кто как выдержит. Мы арендовали замок на неделю. Гости, конечно, раньше разъедутся. Наверное, утром после турнира. Но самые лихие останутся до конца. У нас еще соревнования лучников, выбор королевы турнира, общий бой тамплиеров с русскими витязями...

— Какие тамплиеры?! — возмутился Дима.

— Это которые с красными крестами на плащах, — спокойно объяснил Лева, — Рыцари Храма Господня. По-русски, храмовники...

— Подожди, — опять оборвал его Дима. — К черту этих храмовников! Мне домой нужно.

— Зачем?

— Тамара обещала позвонить, как устроится. И неделю не звонит. Сегодня ночью позвонит точно. Я должен к ночи дома быть.

Лева развел руками:

— Не выйдет. Я не могу тебя отпустить. Игорь Яковлевич велел тебя никуда от себя не отпускать. И я не отпущу. До самого финала. Извини, Тимуля.

Дима рассердился:

— Да на хрен мне сдались эти пьяные ублюдки! Мне Тамара будет звонить! Она мне все должна рассказать. Понимаешь, как это важно?

Лева вздохнул.

— Я-то понимаю. Но отпустить тебя не могу. Честное слово. И тебе уезжать не советую. Мой генеральный обещал о тебе поговорить с Игорем Яковлевичем. Вдруг они договорятся, а тебя нет? Штерн очень рассердится.

— Плевать, — сказал Дима. — Я пошел на электричку. Пока.

Лева схватил его за рукав:

— Стой!

Дима вырвал руку:

— Драться, что ли будешь?

Лева встряхнул его за плечи:

— Не валяй дурака, Тим. И меня не подводи. Я тебя не отпущу!

— Ты понимаешь, как мне важно поговорить сегодня с Тамарой?!

Лева его еще раз встряхнул:

— Это ты ему объясни. Поговори с ним лично. Может, он тебя и отпустит.

Дима задумался:

— Где он? В ресторане?

— Не вздумай соваться туда, — предостерег Лева. — К началу парада они все будут в замке.

— Я на электричку опоздаю.

— На служебной тебя отправлю, — успокоил его Лева. — Если он разрешит.

Взъерошенные и мрачные, они через мостик вошли в замок. На площади дымились костры. У одного костра вокруг металлических бочонков с пивом собрались храмовники с красными лапчатыми крестами на спинах и на левой стороне груди, у другого костра — витязи в кольчугах, плисовых разноцветных шароварах и сафьяновых сапогах. Весело и пьяно переругивались между собой. Взволнованно ржали, чувствуя предстоящую потеху, рыцарские кони, покрытые попонами. Оруженосцы в черном еле сдерживали их. Отдельной кучкой сидели лучники-йомены в зеленых кафтанах с длинными журавлиными перьями на шапочках. По всей площади сновали торговки, с перекинутыми через шею лотками, тоже одетые в средневековые платья. Продавали жареную птицу, вяленую рыбу и пирожки. Вся площадь шумела, бурлила, искрилась разными красками. Оранжевое солнце скрылось за лесом и небо стало малиново-красным, как от далекого пожара. Вокруг площади теснилась ошалелая, молчаливая толпа обывателей. Только еще не понимающие суровых законов времени, мальчишки с отчаянными криками рубились деревянными палками. Дима застыл, пораженный действительно необыкновенным, ни на что не похожим зрелищем. Будто попал в то гипотетическое информационное поле, окружающее землю, где слились воедино и прошлое, и будущее, и настоящее. Ни на одном спектакле Дима такого чувства не испытывал. Он даже забыл о Тамарином звонке. Время для него остановилось. Быстро сгущающиеся сумерки только усиливали это странное ощущение. В сумерках все стало казаться еще нереальней, и Дима ошалело затих, как и толпа вокруг.

Даже мальчишки присмирели и притихли, как птицы перед грозой.

— Тим, — окликнул его Лева, — идем. Мне надо кое о чем распорядиться.

Дима выбрался из толпы. Еще не придя в себя, признался обалдело:

— Ты гений, Лева!

— Я тут ни при чем, — скромно ответил Лева. — Это эффект ролевой игры. Не зря во всем мире люди тронулись на них. — Лева повел Диму вглубь парка. — Моя работа начнется завтра. Штурм крепости и рыцарский турнир. Идем!

— Подожди, — остановился Дима. — А храмовники-то здесь причем? Они же никогда не дрались с русскими. Насколько я знаю.

Лева тоже остановился:

— Формально ты прав. Орден тамплиеров уничтожен французским королем Филиппом Красивым в октябре 1307 года. А в марте 1314 года на Еврейском острове в Париже сожгли на костре Великого Магистра ордена Жака де Мале. Но тамплиеры не исчезли. Они влились в другие рыцарские ордена, ими же и организованные еще в Иерусалиме. В Мальтийский и в Тевтонский. А уж с тевтонами-то, согласись, нашим предкам пришлось повозиться. Вспомни Александра Невского и псов рыцарей. Ледовое побоище вспомни!

— Колоссально! — воскликнул Дима. — Откуда ты все это знаешь, профессор?

Лева скромно опустил глаза:

— Книги надо читать. Ролевые игры, Тим, очень серьезное дело. Все нужно изучить досконально... Идем-идем.

Они пошли по темному уже парку. Издали до них доносился мрачный латинский гимн тамплиеров. Пели они хрипловатыми, пьяными голосами.

— Зачем это им? — удивился Дима.

Лева остановился и огляделся вокруг:

— Это очень серьезная организация, Тим.

— Тамплиеры? — засмеялся Дима. — В наше время?

— Не смейся! — рассердился Лева. — У них очень большие деньги! Я же говорю, один их доспех стоит тысяч десять баксов. Это очень серьезная организация.

— Что-то я не слышал о такой серьезной организации.

Лева опять оглянулся:

— И не надо, Тим. Дольше проживешь.

— Откуда у них деньги?

Лева наклонился к самому уху Димы.

— Их спонсируют очень крутые люди. Но афишировать этого не любят. Понял?

— Зачем им эти игрушки?

Лева ответил многозначительно:

— Значит, нужно... На игрушки бы они таких денег не бросали. Загадка?

— Загадка, — согласился Дима.

Лева остановился и поднял палец к самому Диминому носу.

— Но разгадывать ее не пытайся! Дольше проживешь. Наше дело, Тим, поставить для них яркое зрелище. Конечно, изучив известную всем специалистам историческую атрибутику. И все! Их загадки нас не интересуют. Да они и не позволяют до них докопаться. Понял?

Дима кивнул, а Лева не успокоился и схватил его за руку:

— Дай слово, что ты не будешь соваться в их тайны. Дай слово.

Дима пожал плечами:

— А мне-то это зачем?

Лева жалобно вздохнул:

— Кто тебя знает?... Ты же у нас такой... бого-искатель... мало ли... Дай слово, Тим. Лучше дай слово.

Дима понял, что только ради этого Лева и зата-щил его в глубину парка. Опять, как в театральном кафе, он был взволнован и испуган.

— Успокойся. Не до них мне сейчас. Даю слово, если ты так хочешь.

Лева подхватил его под руку и потащил за собой по аллее.

— Правильно! Умница. Нам о другом нужно ду-мать.

— Сегодня она позвонит, — вспомнил Дима, — Сегодня у нее все узнаю. Слушай, который час?

— Ты обещал у него отпроситься, — забеспоко-ился Лева. — Я сам тебя на служебке отправлю, если он разрешит... Ты же обещал, Тим...

У Левы было такое взволнованное, растерянное лицо, что Дима тут же с ним согласился:

— Я обещал. Но где он? Где его найти?

Лева посмотрел на часы:

— Они уже кончают обед. Скоро все гости будут здесь, на трибуне. — Он хлопнул себя ладонью по лбу: — Слушай, мне же надо распорядиться о пара-де! Побежали!

И они побежали по аллее обратно к замку. От-свет пожара давно догорел в холодном, предосеннем небе. Высоко над замком мигали бледно-зеленые звезды. На площади у костров выстраивались две средневековые армии. Перед строем храмовников гарцевал на коне их Приор. Перед строем витязей возвышался на белой лошади бородатый воевода в кумачовой епанче.

Лева через кордоны охранников провел Диму на гранитные ступени замка, служившие открытой трибуной. На трибуне были пока только телеоператоры с камерами на плечах и тощие ребятки в наушниках с металлическими удочками в руках, с удочек, как диковинные рыбины, свисали разноцветные микрофоны.

Леву поймал какой-то неприметный человечек в сером костюме. Лева наклонился к нему, внимательно кивая и поддакивая, а потом повернулся к Диме:

— Вилен Петрович, познакомьтесь. Это Дима Тимашов, о котором мы говорили.

Человечек подошел к Диме, неожиданно крепко пожал его руку:

— Я попробую... Но не обещаю.

Дима понял, что это и есть генеральный директор «секретной фирмы», который должен поговорить о нем с «тайным советником».

— Зачем же вы сразу не послушались коллегу? — гендиректор показал на Леву. — Оградили бы себя от кучи неприятностей. Я бы вас взял без проблем. Я вас отлично знаю.

Гендиректор что-то сказал Леве и растворился в сумерках, будто его и не было.

— Он поговорит. Он обещал, — успокоил Диму Лева.

— Слушай, — спросил Дима. — Откуда он меня знает? Я его в первый раз вижу.

Лева многозначительно подмигнул:

— Он всех знает. Он в нашем КГБ курировал культуру. Ты тут стой. Без меня — никуда! Я сейчас...

И Лева тоже куда-то убежал.

Менты растолкали толпу зевак, окружавших площадь, потому что от ворот крепости к трибуне перед замком направлялась блестящая процессия в вечерних туалетах. Впереди шел милицейский полковник, покрикивая в мегафон:

— Быстро разошлись! Очистили проход! Живехонько! Не видите, люди идут! Живехонько!

Из высоких дверей замка на ступени вышли шестеро трубачей в красных накидках, затрубили встречный марш. У Димы заложило уши, как в самолете при посадке. Рыцари и воины заорали дружно. Одни «Босеан», другие «Ура». И толпа зашумела нестройно.

У Димы прошло первое сказочное и нереальное ощущение, вызванное этой ролевой игрой. Он думал теперь только о Тамарином звонке и искал глазами среди элитных гостей, уже расположившихся на ступенях, седую хэмингуеевскую бородку «тайного советника». Но не находил.

Он смутно видел, как мимо трибуны прошли разноцветные шеренги мальчишек-барабанщиков и мальчишек-трубачей, как вязко потянулись за ними тяжелые ряды витязей в кольчугах и шлемах, как с визгом пролетела мимо рыцарская конница в развевающихся белых плащах с красными лапчатыми крестами.

Дрожало пламя смоляных факелов, трещали на ветру флаги и вымпелы, на ступенях замка звонко трубили длинные медные трубы. Уже гости в смокингах кричали «Босеан!», а элитные дамы махали рыцарям шелковыми платками. Чья-то ломанная, длиная тень на фасаде замка дирижировала этой фантасмагорией, и Дима снова потерял ощущение реальности происходящего, начал снова погружаться то ли в сон, то ли в явь. И тут он увидел, наконец, Игоря.

Игорь стоял за колонной портика и, сгорбившись, защищаясь от ветра, закуривал сигарету. Этот прозаический жест мигом вернул Диму к реальности. Он пошел за колонны портика.

Игорь быстро и жадно затягивался.

— Спрятался, — объяснил он Диме, — чтобы не разрушать атмосферу. Ведь в средние века еще не курили. Рыцари не знали этой гадости. — Он кинул сигарету под ноги. — Надо бросать! Надо бросать, как ты бросил.

— Слушай, Гарик, — заторопился Дима.

Игорь удивленно на него посмотрел.

— Извини, — поправился Дима. — Извините, Игорь Яковлевич. Меня Лева предупредил. Извини...

Игорь спросил строго:

— Ты деньги своему «другу» отдал?.. Расписку с него взял?

Дима усмехнулся.

— Он с собой амбала привел. Бывшего мента. Он убивать меня пришел... Какая тут расписка?

Игорь улыбнулся:

— Мерзавец... Ну, как тебе зрелище? — Игорь показал на площадь.

— Нормально, — быстро ответил Дима.

— Согласен у них работать?

— Согласен, — кивнул Дима. — Только сегодня отпусти меня домой.

— Зачем это? — прищурился Игорь. — Завтра самое главное зрелище.

— Тамара должна позвонить. Она обещала позвонить, как устроится. И не звонит. Сегодня должна точно.

Игорь обнял его за плечо:

— Неужели ты до сих пор любишь Тамару?

— Она моя жена.

Игорь рассмеялся:

— Это не ответ. В тебе просто привычка собственника говорит. Правда?

Диме не хотелось рассуждать на эту тему:

— Отпусти меня, Игорь. Мне очень нужно с ней поговорить.

— О чем? Обо мне? — лукаво спросил Игорь.

Скрывать от него было глупо, и Дима признался:

— И о тебе тоже.

Игорь посмотрел ему в глаза:

— И думаешь она тебе скажет правду?

— Скажет, — упрямо кивнул Дима.

Игорь убрал свою руку с его плеча, хотел что-то сказать, но сказал только:

— Ну, ну...

— Так отпускаешь? Я могу уйти? — обрадовался Дима.

Игорь прислонился спиной к колонне:

— А зачем тебе ехать домой? — Игорь достал из кармана пиджака сотовый телефон. — Отсюда позвонишь. Все дела.

Дима ему объяснил:

— Я еще не знаю ее номера. Она мне должна позвонить... Сама...

— Ерунда, — перебил его Игорь. — Я знаю ее номер.

— Откуда? — поразился Дима. — Она же еще не устроилась.

— Так у нее тоже сотовый. Я знаю его номер. — Игорь посмотрел на часы. — Сейчас первый час. У них пятый. Она еще на репетиции. Встретимся в парке часика через два. Вместе и позвоним... Договорились?

На площади взорвались петарды. Небо озарилось огнями фейерверка. Дима почувствовал, что реальность снова ускользает от него.

— Да, чуть не забыл... Как тебе понравился мой кофе?

Дима молчал. Игорь виновато улыбнулся:

— Извини, я боялся, что ты заведешься... А тебе очень нужно быть в форме. Чтобы трезво дать свое согласие... Чтобы потом не сваливать на меня...

— Какое согласие? — не понял Дима.

— Впрочем, ты уже дал его, ты уже согласился. Сегодня же подпишешь с Виленом Петровичем контракт!

Дима сказал мрачно:

— Я хочу посоветоваться с Тамарой.

— Так она в курсе, — успокоил его Игорь. — Она все знает. Она согласна.

Игорь подошел к Диме, достал из верхнего кармана пиджака картонный пакетик:

— Это тебе.

— Что это?

— Растворишь порошок в минералке и выпьешь.

— Зачем?

— Этот порошок уничтожит действие моего кофе, — Игорь потрепал Диму по плечу. — Сегодня я хочу с тобой выпить. На курсе мы ведь так ни разу и не выпили с тобой. Поговоришь с Тамарой и выпьем на брудершафт... А? Давай сегодня нарежемся как следует? Договорились, Тим?

Грохнули петарды. В небе завис букет зеленых огней. Лицо Игоря и его седая борода стали зелеными, как у привидения. Ракеты дымным шлейфом устремились к земле, как падучие звезды. Растаяли над заливом. И Игорь растаял, будто его и не было.

Дима сжал в кулаке черный пакетик и направился к буфету. Передвижной буфет за колоннами, у самых дверей замка, он высмотрел давно и с завистью посматривал на подбегающих к нему гостей в смокингах. Теперь он тут же решил проверить действие черного пакетика.

— Что будем пить? — приветливо спросила Диму буфетчица в белом, накрахмаленном кокошнике.

— Стакан минеральной.

Буфетчица покосилась на его табличку на джемпере:

— Вы на работе? Понимаю, — и налила стакан.

Дима отвернулся от нее и высыпал из пакетика в стакан желтоватый порошок. Вода запенилась, забурлила, брызнула в лицо колючими, холодноватыми иголочками. Дима для верности встряхнул стакан и залпом выпил кислую, пахнущую лимоном жидкость.

— А теперь сто грамм водки, — обернулся он к буфетчице.

Буфетчица понимающе улыбнулась.

На площади кричали, смеялись и пели под звуки оркестра. Бойцы перед трибуной демонстрировали свои боевые уменья. Как серебряные молнии, сверкали над головами мечи. Пламя факелов играло на начищенных до блеска дорогих кирасах.

За колоннами мелькнула грузная фигура Левы Стрекачева. По его сердитому лицу Дима понял, что Лева ищет его и не может найти.

Дима вышел ему навстречу:

— Ты чего серьезный такой? Уже появились трупы?

— Какие трупы? — Лева остановился как вкопанный.

— Ты же сам сказал, что ваши игры на грани криминала. Я все жду, когда трупы появятся.

Лева смерил его угрюмым взглядом.

— Забудь. Мало-ли чего я по пьяни наболтал... Забудь.

— Я чувствую, добром этот праздник не кончится, — сказал Дима.

— Это не наши дела, — отмахнулся Лева. — Всякое по пьяни может случиться... Ты уже причастился, я вижу?

— Чуть-чуть, — признался Дима.

— И напрасно, — пожурил его Лева. — Начинать надо сразу со стакана. А уже потом добавлять чуть-чуть, по обстановке. Понял?

Они пошли к буфету:

— Ты же на работе, Лева. Можно? — предупредил его Дима.

— Моя работа закончена. Парад прошел отлично. Гуляй рванина на халяву! Но не забывайся. Завтра — главный день, — Лева подошел к низкой стойке на колесиках. — Заинька, мне как всегда для начала, — он показал на Диму. — А этому половину дозы. Пьяный он нехороший. Ругается матом и лезет драться с друзьями, которые ему же хотят помочь!

«Заинька», глядя на Диму, покачала осуждающе хорошенькой головкой в белом, накрахмаленном кокошнике.

— Ну, как тебе зрелище? — спросил Лева, когда они отошли со стаканами к колонне.

Дима хотел сказать, что парада он почти не видел, искал Игоря, а потом разговаривал с ним, но промолчал, сказал только:

— Потрясающе...

— Учись, пока я жив, — задумчиво произнес Лева. — Знаешь, сколько книг я прочитал перед этим?.. Голова пухнет и жить не хочется...

— Почему? — удивился Дима.

Лева ответить не успел. Бойцы на площади дружно грянули «Ура!» и «Босеан!» Толпа гостей расступилась. Открылись высокие двери замка. По ступеням в ногу поднимались приор Тамплиеров в белом плаще и воевода витязей в кумачовой епанче. Они на плечах несли в замок смущенного полноватого юношу восточного типа в голубой андреевской ленте поверх черного смокинга. Гости кричали здравицы, дамы махали платками, над заливом висели букеты фейерверка. Юноша, сидя боком на плечах у воинов, смущенно улыбался.

Процессия прошла совсем рядом от Димы и Левы. Лева вскинул руки и заорал «Ура!». Юноша ему устало и вымученно улыбнулся. Его внесли в замок. За ним, толкаясь, устремились гости. Завизжали женщины.

— Это кто? — спросил осторожно Дима.

Лева удивился:

— Неужели не узнал? Ты совсем того? Да?

— Кто это? — растерялся Дима.

— Ты даешь, старичок. Не ожидал от тебя.

— Ответишь ты или нет? — рассердился Дима.

Лева только руками развел:

— Это же наш Царевич!

— Какой царевич?

И Лева осуждающе, покачал головой.

— Это же наследник российского Престола! Никита Романов! Ты газет, что ли, не читаешь? Стыдно, старичок! Давай за Царевича!... Заинька!..

6. Коварство и любовь

Дима с Левой сидели со стаканами в руках на скамейке в парке, освещенном ярким светом замковых окон. У ног на земле стояла бутылка «Охты».

Окна замка светились, как в сказке. В парадном зале гремел духовой оркестр. Там царил торжественный банкет в честь Его императорского Высочества. Банкет был не для них. Для них были приготовлены постели в служебном автобусе. Завтра им предстоял трудный день. Но Лева к счастью, в автобус не спешил. А Дима ждал двух часов, чтобы встретить Игоря и по его телефону позвонить Тамаре. За окнами замка духовая музыка заиграла старинный вальс, закружились пары. И снова время для Димы сдвинулось. Прошлое, и будущее слились в одно. В реальности его держал только телефонный звонок. Но о нем с Левой говорить не хотелось. Времени до двух было много. И чтобы не потеряться в нем, Дима спросил:

— Слушай, а почему Царевича внесли в замок враги?

— Почему это враги? — не понял Лева.

— Ну, как же. Его внесли русский воевода и Приор тамплиеров.

— Какие они враги? — поморщился Лева. — И тот, и другой — крутые бизнесмены. Один — владелец банка, а другой нефтяной король. Рука руку моет...

— Подожди. Ты же сам говоришь, завтра они будут драться друг с другом. Стенка на стенку.

— Это же игра... Просто ролевая игра... И ничего больше... Не бери в голову. Пей лучше. Допьем флакон и спать завалимся.

По тому, как нехотя отвечал Лева, как неуклюже старался замять тему, Дима понял, что он что-то скрывает. Дима решил расколоть подвыпившего однокурсника, сыграть на его слабости. А слабость Левину он понял еще в театральном кафе. Недооцененный на курсе, Лева хотел, чтобы его считали теперь крутым и всезнающим. Но Лева его опередил:

— Вокруг наших игр, Тимуля, крутятся очень большие деньги и делается большая политика. Но нас это не должно интересовать. Ни в коем случае. Нам деньги платят за другое. Хорошие деньги, между прочим. И ты мне уже слово дал не соваться в чужие дела. Ты слово дал, между прочим!

Дима рассмеялся:

— Да брось ты мне морочить голову! Пьяный Лев, — вот ты кто! Неужели ты думаешь, я поверю твоим пьяным бредням?

Лева спросил мрачно:

— А чему ты не веришь?

Дима завелся:

— Неужели я поверю, что этот восточный отрок действительно наследник российского престола? Не могли кого-нибудь покруче найти, не такого забитого и испуганного?

Лева долил себе водки:

— Я бы на тебя посмотрел в его положении... Попасть из Оксфордского университета, из-под маменькиной юбки, из-под присмотра дворецких и мажордомов в нашу дикую страну! Попасть не туристом (поглядел, ужаснулся и слинял), а формальным **Хозяином** этих диких просторов, **Хозяином** этого отвязанного, пьяного сброда... Как бы ты почувствовал себя? А? Я бы с удовольствием на твою рожу посмотрел в его положении. На, выпей. И баинькать пора.

Дима взял стакан и сказал:

— Напрасно он так волнуется. Кто же ему позволит быть тут Хозяином? Тут уже есть Хозяева. И пока они друг друга не перемочат, царевичу не о чем волноваться.

Лева наклонился к нему вплотную, лицо в лицо:

— Да? На прошлой неделе царевича САМ президент принимал!

— Что-то я не слышал про это. Нигде я такого не читал.

Лева махнул пухлой рукой.

— А про что ты вообще слышал?.. Сейчас газеты не читать надо, а искать в них нужную информацию! Искать! И анализировать!

Дима улыбнулся — его уловка сработала четко:

— И что же ты там выискал?

Лева закинул руки на спинку скамьи и огляделся:

— А то... наши олигархи очень обеспокоены этой встречей. О самой встрече ни слова, заметь! Только мелкими буквами про их обеспокоенность. Кому надо поймет. Пугают они президента!

— А чего им его пугать? — подзадорил собеседника Дима. — Президент и так под ними.

— Да? — Лева снова наклонился к нему. — А мировая общественность?

— А при чем тут мировая общественность?

И Леву прорвало:

— Думаешь, им не надоел наш бардак? Наш нескончаемый беспредел не надоел? Хоть и ржавые, но еще живые ракеты в наших шахтах торчат. И чем ближе срок их списания, тем больше у кого-то руки чешутся шарахнуть ими напоследок! И шарахнут! Может, из чистого любопытства шарахнут! Поглядеть, что получится. Наша русская натура взыграет: никто не пробовал, а мы попробуем, пока их совсем не списали! Вот именно, речь как раз о натуре нашей идет. Ведь русский человек, когда его подопрет, на все способен! На любой эксперимент. Помнишь, у Андрея Платонова один мужичок утопился, чтобы узнать существует ли загробная жизнь?.. Помнишь? Сидел в лодке, рыбку ловил, рыбка не клевала, скучно стало мужичку, и он решился на эксперимент. Утопился не с пьяну, не с дури, он решил узнать — существует ли загробная жизнь. И наплевать ему, что об его эксперименте не узнает все мировое человечество. Личный опыт и личное знание для русского человека важнее всего... Такие эксперименты как раз в характере русской натуры... И ты думаешь не найдется молодца, который решит шарахнуть этими ракетами, просто ради эксперимента? Вселенского эксперимента! Чтобы посмотреть — а не врут ли священные книги про апокалипсис! Да обязательно найдется, и не один! Это и к гадалке ходить не надо! Ты думаешь, этого вся мировая общественность не понимает?.. Думаешь, не боятся они нашей непредсказуемой русской натуры?.. Ты себя на их место поставь!

Лева чиркнул зажигалкой, затянулся и хохотнул, кашляя дымом:

— Да, будь я ракетчиком, я бы обязательно шарахнул для интереса... Просто для интереса... Проверить священное писание!

— А Царевич-то при чем? — напомнил ему Дима.

— А ты разве не понял? — удивился Лева.

— Не понял пока.

— Да что же тут не понять? — насупился Лева. — Они там дошли, наконец, — единственное, что может их спасти, это не новейшие ПРО (противоракетные системы и комплексы), а восстановление в России монархии! Это единственный для них выход.

— А какая связь между ракетами и монархией? Что между ними общего? — заводил его Дима. — Не понимаю!

Лева поставил стакан на скамейку и скрестил на груди полные руки.

— Ты смеялся тогда. А я был прав все-таки...

— В чем ты был прав? — не понял Дима.

Лева снисходительно улыбнулся:

— Наш Мастер — смешной старикан. Ни хрена он не понимал в этой жизни. И ты такой же. Ни хрена в ней не понимаешь, гений хренов. Между ракетами и монархией существует самая прямая связь. Это — непредсказуемый и непонятный никому русский характер со своей загадочной идеей! Они нас ненавидят, и мы их ненавидим. Сколько ни корми нас подачками, демократическими реформами, разными свободами немыслимыми, — мы в лес смотрим. В страшный, заколдованный лес апокалипсиса. Потому что Россия и сотворена Богом для этого...

— Для чего? — тихо спросил Дима.

— Для последнего, кошмарного боя перед Страшным судом! Поэтому и нет у нас в душе ни Бога, ни Дьявола... Мы — смертники-камикадзе, которые должны взорвать этот мир, погрязший в разврате... Они дошли до этого, наконец. И чтобы отсрочить свою неминуемую гибель, решили возродить у нас монархию. Образумить русского человека может только царь! Только царя он послушает! И они откопали нам чистокровного Царевича Никиту Романова. Будущего русского православного царя... Вот так вот...

Дима подумал и усмехнулся:

— Говоришь, в Оксфорде его нашли?

— Он учится там, — кивнул Лева. — На кого, не знаю. Но не на царя же... На адвоката какого-нибудь, скорее всего...

— Как Ленин? — поддакнул Дима.

— Напрасно смеешься, — насупился Лева. — Ленин — дворняга. В нем столько кровей перемешано: и еврейская, и русская, и калмыцкая... И идеи у него как у дворняжки. Грабь награбленное. Гав-гав!

— А в этом?.. В Царевиче? — спросил Дима. — Чья кровь?

Лева важно затряс щеками:

— Что ты! В нем чистейшая королевская кровь! Святой Грааль, завещанный Христом! Сант — краль! Святая кровь Меровингов!

Дима даже растерялся:

— А при чем тут Меровинги? В русских царях никогда такой крови не было... Рюриковичи — варяги дикие, а... Романовы вообще неизвестно кто...

Лева в ответ снисходительно улыбался:

— А на немках они зачем женились?.. Все! Завязали!.. — Лева огляделся и вздохнул. — Это я так... К слову... Нас с тобой эти темы не интересуют. Не должны интересовать! Нам за другое деньги платят! Забудь про наш разговор — дольше проживешь.

Он поднял с земли бутылку и зевнул:

— Давай по последней. И баинькать. Два часа скоро.

Лева опять сменил тему. И все же Дима разговорил бы его, если бы Лева не упомянул о времени. Скоро в парк должен был выйти с телефоном Игорь.

— Ладно, — сказал Дима. — Давай по последней. В автобусе договорим.

Лева выкатил глаза:

— С ума сошел! Не вздумай! Автобус прослушивается!

— Кем?

— Кем надо. — Лева разлил по стаканам остатки водки. — Да! А что же ты домой не торопишься? Штерн не отпустил?

Дима взял свой стакан:

— Я отсюда позвоню. По сотовому. Игорь ее телефон знает! Твое здоровье, профессор!

Дима выпил, а Лева не донес свой стакан:

— Да-а... Ты ее телефона не знаешь, а он знает?.. Да-а... Странно... Я же говорю, это он ее в Америку подальше от тебя отправил! Тебе не кажется?

Теперь Дима его заторопил:

— Ты пей, пей. Сейчас я у нее сам все выясню. В два часа Игорь выйдет.

Лева засмеялся:

— Так он тебе и даст выяснить...

— Ты пей, пей.

— А она, думаешь, правду скажет?

— Да пей ты! Надоел!

Лева выпил и вытер ладонью мокрый рот.

— Да, залетел ты, Тимуля! Залетел! Я все сделаю, чтобы тебя отмазать. Веришь?

Дима проводил окосевшего Леву до автобуса. На прощание Лева прижал палец к губам и совсем трезво напомнил:

— В автобусе ни слова! Завтра договорим. Если успеем...

Дима вернулся в парк. Из замка в парк выходили стеклянные двери. Сейчас двери были настежь открыты. Видно, в зале гостям стало жарко. Перед дверьми насыпана высокая песчаная терраса, обложенная гранитными валунами. Из парка на террасу вели ступени. На верхней ступеньке стояла Виктория. Дима узнал ее по длинному бирюзовому платью. Виктория, сложив загорелые руки на груди, подняв от прохлады плечи, задумчиво курила.

Дима остановился за деревом. Он еще раз поразился, как она изменилась за это время. Она подстригла свои длинные черные волосы в модное французское каре, как у Мирей Матье. Черная, нахальная челка закрывала лоб. На шее сияло колье. Наверное, бриллиантовое. Из хрупкой угловатой девочки Виктория превратилась в самоуверенную, знающую себе цену, избалованную тусовочную самку. От той, прежней, которую Дима так часто вспоминал, не осталось и следа. Только Дима подумал, почему она здесь стоит одна, забытая всеми, чего ждет, как из раскрытых дверей вышел, пощипывая седую бородку, Игорь. Игорь подошел к Виктории и, улыбаясь, заговорил с ней. Она, нехотя, отвечала, глядя в темноту парка. Дима, напрягшись, стоял шагах в десяти от терассы, в тени уже пожелтевшего старого вяза. Игорь ее о чем-то спросил, она коротко ответила, выбросила сигарету и повернулась, чтобы уйти.

Но тут Игорь схватил ее за руку и громко крикнул в глубину парка:

— Тим! Ты где? Выходи, Тим!

Дима вздрогнул, дернулся, чтобы выйти из-за дерева, но уперся в ствол рукой и остался на месте.

— Тим, что за дела? — опять крикнул Игорь. — Выходи! Мы ждем тебя, Тим!

Эхо разнесло его крик по пустому, темному парку.

Виктория высвободила свою руку из руки Игоря. Тряхнула наглой челкой и пошла к двери зала, покачивая бедрами. Она была уверена, что Игорь смотрит ей вслед. Игорь, действительно, смотрел, но недолго. Он повернулся к парку и достал из кармана телефон, словно показывая его Диме. Но Дима, сам не зная почему, так и стоял, упершись рукой в шершавую кору вяза.

— Тим! Ты где? — еще раз крикнул Игорь.

Дима не ответил.

Игорь положил телефон в карман и повернулся к дверям. И когда он, не спеша, дошел по песчаной террасе почти до самых дверей, Дима вскрикнул, не узнавая своего голоса:

— Игорь!.. Игорь Яковлевич, я здесь!

Игорь засмеялся и пошел назад к ступеням. Дима вышел на свет из-за дерева.

— Поднимайся ко мне, — позвал с террасы Игорь.

Дима отрицательно помахал рукой:

— Лучше ты иди ко мне.

Игорь опять засмеялся и спустился в парк. Подошел к Диме.

— Я думал, грешным делом, что ты уже наклюкался без меня. А ты, как мальчик, не решился к ней подойти.

Дима пожал плечами:

— А зачем она мне нужна?

— Не нужна? — удивился Игорь. — Ладно... Она мне нужна, Тим. Скоро она мне очень пригодится. Очень скоро.

— Дело твое, — буркнул Дима.

— И твое, — обнял его за плечи Игорь. — Ты поможешь мне укротить эту упрямую сучку.

— Нет уж, — сказал Дима. — Уволь. С ней я не хочу иметь никаких дел.

— Да? — ласково улыбнулся Игорь. — А как же расписка?

— По работе! — напомнил ему Дима. — Я обязался выполнять твои требования по работе! Только по работе!

— А она мне и нужна по работе, — ласково объяснил Игорь. — А ты что подумал? А?.. Неужели приревновал меня к ней?

Дима сказал равнодушно:

— За кого ты меня принимаешь?.. Она теперь... совсем другой человек...

Игорь прищурился:

— Откуда ты знаешь?

— Вижу.

Игорь внимательно на него посмотрел:

— Она актриса. Хорошая актриса. Может, она играет такую сучку? А? Просто хорошо играет?

— А какая разница?

Игорь задумался:

— Большая... Очень большая... Скоро мы это узнаем. Расколоть ее должен ты!

Диме стал неприятен этот разговор, и он ушел от темы:

— Слушай, мне надо Тамаре позвонить. Ты обещал.

— Да-да-да, — заторопился Игорь и достал из кармана трубку. — Нет проблем. Пожалуйста! — и он застучал пальцем по клавишам.

Трубка жалобно запищала, набирая длинный номер.

— Я не помешаю? — вежливо осведомился Игорь. — Может мне уйти?

— Да ладно, — Дима отметил, что длинный Тамарин номер Игорь помнил наизусть.

Игорь послушал трубку:

— Занято. Она с кем-то разговаривает.

— Так поздно? Третий час ночи...

— Это у нас, — успокоил его Игорь. — У них только вечер начался. Может, она тебе и звонит сейчас. Подождем немного.

Они пошли по аллее в темноту, и Игорь сел на ту скамейку, где недавно Дима сидел с Левой. Дима присел рядом.

— Это ты тут сидел? — спросил Игорь.

— Откуда ты знаешь? Ты видел нас?

Игорь поднял с земли бутылку:

— С кем ты тут сидел?

Дима пожал плечами:

— С Левой... Ты же сам просил, чтобы он ввел меня в курс дела...

Игорь отбросил бутылку в траву:

— Я не водку имел в виду. Не пей с ним, Тим...

— А почему? — спросил раздраженно Дима. — Почему не выпить с однокурсником?

Игорь вдруг повторил уже знакомую фразу:

— Кто ты и кто он? Надо знать, с кем пить...

— А кто он? — спросил Дима.

— А ты не знаешь, почему его к нам на курс приняли? — удивился Игорь. — Он пять раз поступал и не поступил. А к нам приняли сразу. Не знаешь почему? Все знают, а ты не знаешь? .

— Почему?

Игорь, точно так же, как Лева, обернулся по сторонам и тихо постучал по скамейке:

— Он стукач. Сотрудник КГБ. Потому его и приняли. Будь очень осторожен с ним. И с его гендиректором, кстати.

Дима насупился. Только этого ему не хватало! Вместо настоящей серьезной работы он попал в какое-то странное сообщество «секретных фирм», «тайных советников», тамплиеров и сотрудников КГБ. Все друг друга опасаются, друг за другом следят, подслушивают друг друга... И он все это должен терпеть? Из-за несчастного долга?..

— Слушай, набери-ка номер еще раз.

— Конечно, — согласился Игорь и застучал по клавишам трубки. — Вот! Теперь свободно, — и он протянул трубку Диме. — Мне уйти?

Дима взял трубку:

— Сиди.

Трубка долго гудела, наконец, он услышал Тамарин голос:

— Алле... Гарик, ты?

Дима зло посмотрел на Игоря, тот вопросительно улыбнулся.

— Это я, — сказал в трубку Дима. — Привет. Как дела?

— Митя? — удивилась Тамара. — Откуда ты знаешь мой номер?

Дима сказал мрачно:

— Я все про тебя знаю.

— Что ты можешь знать? — засмеялась Тамара. — Дурачок!

— Все! Я все знаю! — упрямо твердил Дима.

После паузы Тамара сказала:

— Кончай истерику, Тимашов. Это тебе не идет. Мой номер дал тебе Гарик. Так?

Дима посмотрел на Игоря:

— А откуда он знает этот номер?

— Как это откуда? — возмутилась Тамара. — Он и купил мне трубку.

— И в Америку он тебя отправил?

— Кончай истерику, Тимашов. Ты ему за это спасибо должен сказать. Он помог нам...

— Нам?!

— А кому же? Из-за кого нам навесили этот идиотский долг?! Вместо того, чтобы содержать жену, ты свои долги на меня повесил!

— Ты-то причем?

— А кто орал на меня? Думаешь, я забыла? Я все помню, сволочь! На свою любимую артистку ты так не кричал... И то она от тебя сбежала, сволочь!

Дима покосился на Игоря:

— Томочка, как тебе не стыдно через одиннадцать тысяч километров такую чушь пороть? Как тебе не стыдно, Томочка, засорять околоземное пространство?

— А тебе не стыдно на жену орать? — не унималась Тамара. — Ведь когда ты орал, я уже расписку Гарику оставила! Заложилась за тебя.

— Зачем ты это сделала?! — сокрушенно спросил Дима.

— А у тебя другой выход был? Был?

Дима помолчал и спросил с надеждой:

— Слушай, а ты там сможешь заработать? Я тебе... Я тебе отдам!

— С ума сошел! — вскрикнула Тамара. — Да никогда мне столько не заработать! Даже если навсегда с едой завяжу!

— Зачем же ты давала расписку?!

Тамара сказала тихо:

— А чтобы проверить тебя, сволочь. Посмотреть, как ты любишь свою жену. Я знаю, на себя тебе наплевать. Я знаю твою идиотскую натуру. Лучше себя под пулю Венички подставишь, чем пойдешь работать на Игоря. А вот теперь я посмотрю, как ты меня спасать будешь. Посмотрю и подумаю.

— О чем?

Тамара сказала твердо:

— А продолжать нам эту комедию или нет. Ты был у Гарика, если телефон знаешь. Что ты решил? Будешь работать у него?

Дима посмотрел на Игоря:

— Я уже работаю, Томочка...

— Смотри, Митя, — вздохнула Тамара. — Я надеюсь... Это твой последний шанс. И скажи спасибо, за то что я дала тебе этот шанс. Привет Гарику.

Она повесила трубку, а Дима все сидел, слушал резкие, короткие гудки.

Игорь показал Диме на циферблат часов и постучал по нему пальцем.

— Уже все, — Дима отдал Игорю трубку.

— Ну как? — спросил Игорь. — Успокоился?

— Да я и не волновался, — ответил Дима.

На освещенную террасу перед замком из зала высыпали гости. Официанты в красных, шелковых русских рубахах до колен расставляли по кругу легкие столики, накрывали их снедью и выпивкой. Банкет из душного зала перемещался на свежий воздух, в парк. Мужчины дружно курили, женщины, собравшись в кружок, обсуждали кого-то. Проследив за их взглядами, Дима увидел в затененном углу террасы пару. Она в длинном бирюзовом платье, он в бело-голубой андреевской ленте через плечо. Виктория, обмахиваясь веером, разговаривала с возбужденным Царевичем. От изнеженного восточного отрока, от его виноватой улыбки не осталось и следа. Он коршуном навис над Викторией. Дима посмотрел на Игоря. Игорь довольно улыбался:

— Смотри, какой успех! А ты говоришь, все прошло... Все только начинается, Тимуля... Смотри, какая артистка! — Игорь засмеялся. — Смотри, как она веером работает. Кармен! Вылитая Кармен. Но мы ей другую роль приготовили. Совсем из другой оперы, — он повернулся к Диме: — А ты поставишь ей эту роль! Договорились?

— Подожди! — перебил его Дима. — Ты же меня отправил на ролевые игры. Чтобы я в курс дела входил.

Игорь пощипал седую бороденку:

— Тебе же они не понравились?

— Почему? — не согласился Дима. — Платят хорошо. А это главное. Сам говоришь, до Рождества я долг смогу отдать. Долг для меня сейчас самое главное!

В дверях парадного зала появилась высокая дама в черном платье и сиреневом тюрбане. Дима узнал Клеопатру Антониевну. За ней, как за командором, на террасу вышли Приор тамплиеров в белом и Воевода в кумачовом плаще. Рассекая гостей, они направились в угол террасы. Клеопатра с достоинством присела в реверансе перед Царевичем. Воины сняли перед ним боевые шлемы. На лице Царевича снова появилась виноватая улыбка. Он что-то сказал Виктории и пошел в залу, сопровождаемый рыцарями.

— Дурдом! — засмеялся Дима. — Старшая сестра психушки в роли придворной дамы!

Игорь ответил небрежно:

— Ее фамилия Оболенская. Ее предки русские князья. Она — член Императорского совета.

В зале оркестр заиграл туш. Гости с террасы устремились туда. Виктория осталась одна. Она дошла до лестницы, ведущей в парк, и остановилась наверху, вглядываясь в темноту, словно ожидая кого-то. Игорь насторожился. Виктория недовольно тряхнула челкой, подобрала длинное платье почти до колен, спустилась по лестнице и исчезла за углом замка. Игорь понимающе улыбнулся. Глядя ей вслед, он сказал Диме:

— За нее я тоже тебе хорошо заплачу.

— Лучше не надо, — сказал Дима. — Лучше уж я тамплиерами займусь. Спокойнее будет.

— Кому? — прищурился Игорь.

— Всем!

Игорь тихо засмеялся:

— Пожалел ее? Пожалел?

Дима молчал. Игорь наклонился к Диме:

— А она тебя пожалела?! Она погубила твой спектакль. Она сломала твою жизнь!

— Она-то при чем? — отмахнулся Дима.

— Как это при чем? — с удовольствием выговаривал Игорь. — Если бы она не бросила тебя, твой спектакль уже знала бы Москва, да что Москва — Европа! Ты был бы сейчас самым известным режиссером России! А кто ты сейчас?

— Бомж? — усмехнулся Тим.

— Не иронизируй! — рассердился Игорь. — Я спас тебя! Как бы ты долг вернул? А? Если бы не я, ты бы сейчас квартиру продал! И стал бы настоящим бомжом!

Дима опустил голову, — Игорь знал о нем чересчур много.

— А ты не догадываешься, почему Тамара уехала в Америку? Почему просила меня ей помочь?

Дима вздрогнул:

— Почему?

Игорь вздохнул и откинулся на спинку скамейки:

— Она сказала: «Я ему больше не нужна». Еще она сказала: «Он (это ты) рано потерял мать. Я была для него и матерью, и любовницей. Только это держало меня. Только это заставляло меня жить с неудачником...»

Дима усмехнулся:

— Она так и сказала? С неудачником?!

Игорь развел тонкие ладони:

— Разве она не права? Давай посмотрим на вещи объективно. У тебя есть все — талант, энергия, злость! И кто ты? Кто? Из-за этой самовлюбленной молоденькой дурочки ты потерял все! И жену, и работу! И себя!

Теперь рассердился Дима:

— Да ни при чем она! Не влюблялся я в нее. Я в своих артисток не влюбляюсь!

Игорь вежливо улыбнулся:

— А теперь выслушай профессионального психоаналитика.

— Не хочу я никого выслушивать! Кто знает обо мне лучше, чем я сам?

— Я знаю, — спокойно сказал Игорь.

Дима махнул рукой:

— Да что ты знаешь?!

— Вс-с-с-ё, — свистящим шепотом произнес Игорь. — Это моя профессия.

Диме стало неприятно от его шепота.

— Давай лучше выпьем. Ты же обещал нарезаться, когда Тамаре позвоню...

Игорь покачал головой:

— Нет. Сначала давай закончим наш сеанс.

— Какой еще сеанс?

— Сеанс психоанализа, — сказал Игорь строго.

И Дима замолчал, опустив голову.

— Тим, послушай меня внимательно, — задумчиво сказал Игорь.

— Да слушаю я, — буркнул Дима.

— Тим, я мог бы тебя заставить работать со мной. В моем арсенале есть такие средства. Я могу сделать тебя своим рабом, биороботом, как ты говоришь...

Дима недоверчиво усмехнулся.

— Не смейся, Тим, — предупредил его Игорь. — Посмотри на меня.

Дима поднял голову и посмотрел в строгие, карие глаза Игоря, хотел засмеяться, но не смог... Игорь сказал:

— Я мог бы внушить тебе все, что мне нужно. Я мог бы закодировать тебя на любую цель... Но я не хочу этого, Тим. Раб мне не нужен. Мне нужен единомышленник, друг. Я хочу, чтобы ты совершенно сознательно выполнял мои требования...

Диму стал раздражать его менторский тон:

— Не надо меня агитировать, Гарик. Кончай свой психоанализ.

Игорь подсел к нему поближе:

— Сеанс еще и не начинался.

— Ах, вот как!

— Ответь мне, пожалуйста, только на один вопрос.

— Да хоть на сто. — Дима положил ногу на ногу.

— Почему ты не взял на ее роль другую артистку?

— Потому что получился бы совсем другой спектакль. Она — единственный чистый человек во всей пьесе...

Игорь расхохотался:

— Она бросила твой театр ради бандита с деньгами! Ради медового месяца на Кипре!

Дима насупился:

— Совсем не из-за этого!

— Ага! — поднял тонкий палец Игорь. — Она сделала это потому, что ты не ответил на ее любовь? Ты знал, что она влюбилась в тебя! Знал! Ты сам был влюблен в нее! Признайся!

— Нет, — жестко сказал Дима. — Это для меня «табу». Я режиссер, она — артистка! Безнравственно влюбляться в человека, который от тебя зависит!

— Вот! — произнес Игорь значительно. — Вот мы и дошли до самого главного. Конечно, она для тебя «табу». Ты старше ее лет на пятнадцать. У тебя жена, которая тебе и мать, и любовница одновременно. Ты режиссер, наконец, а она твоя артистка. Но при чем же тут нравственность?! А?! «Табу» у тебя чисто рациональное. А рациональное — совсем не значит — нравственное! Умом ты отверг ее, но заноза-то осталась в твоем подсознании... Это болезнь, Тим. Очень опасная болезнь... Тебе лечиться надо.

— Как? — само вырвалось у Димы.

Игорь улыбался довольный:

— А как вылечилась твоя «героиня»? Ведь она знает, что ты тоже влюблен в нее. Но сделать ничего не можешь... Боишься за свою «нравственность»... И она в один момент разрубила узел, наплевала на тебя, но зато вылечила себя! Теперь она твой враг! Она тебя ненавидит.

— Откуда ты знаешь? — растерялся Дима.

— Так она мне это сама сказала! Когда ты за деревом прятался, — Игорь засмеялся. — Я хотел вас помирить. А она говорит: «Оставьте! Я его ненавижу!»

— Так и сказала? — не поверил Дима. — За что?.. Что я ей сделал?

— Она и тебе бы это сказала, если бы ты к нам вышел... Я специально попросил ее выйти на террасу...

Дима помолчал и спросил вдруг:

— Ты думаешь, она вылечилась?

Игорь даже удивился:

— А ты разве не понял? Она мне сама сказала... Ты разве не видишь, как она тебе мстит с Царевичем? Она же знает, что ты здесь!

Дима долго молчал, а потом посмотрел прямо в глаза Игорю:

— А как мне вылечиться, Гарик?

Игорь, глядя в его глаза, ответил твердо:

— А тем же способом! На него ты, кстати, имеешь больше прав, чем она. Она предала тебя... Она поссорила тебя с женой!

— Она предала меня, — повторил про себя Дима.

— Она отняла у тебя и театр, и жену! Нужно вырвать эту занозу!

— Нужно ее наказать, — сурово решил Дима.

Игорь встал:

— Вот теперь мы выпьем. Выпьем за твое скорое излечение. Ты должен испить эту чашу до дна!

— Какую чашу? — спросил Дима.

— Не в моих силах пронести эту чашу мимо тебя! Не в моих силах! Жди меня здесь! Я сейчас...

Игорь ушел. А Дима остался ждать свою «чашу». На что намекал Игорь, Дима не понял и спросить не успел.

В парадном зале замка играл оркестр, танцевали гости. В темной аллее мелькнуло бирюзовое платье. Викторию догонял высокий человек в белом костюме.. А Дима думал о своем. Ему давно казалось, что с ним что-то не так, что он, наверное, чем-то болен.

В этой болезни Дима боялся признаться даже себе самому. Дима видел облегающее платье цвета морской волны, загорелую руку с сигаретой, наглую челку, а под челкой черные презрительные глаза, слышал ее капризный голос: «Оставьте! Я его ненавижу!»

«Тварь! — подумал про себя Дима. — Ты ответишь за все! Тварь!»

7. Рыцарский турнир

В ту ночь Диме Тимашову приснился очень странный сон. Возможно, в служебном автобусе было душно, а, может быть, так подействовала на него рыцарская ролевая игра?.. Приснилось ему, что он в каком-то жалком рубище, обливаясь потом, тащится по каменистой, обожженной солнцем пустыне. Рубище прилипает к телу, на лицо садятся колючие, зеленые мухи. Тугой, неподвижный воздух наполнен их мерзким жужжанием. Горло пересохло до боли, ужасно хочется пить. Но вокруг только горячие камни, а над головой раскаленной сковородой висит безжалостное солнце.

Он бредет по каменистой дороге, пропадающей в дрожащем мареве где-то далеко за горизонтом.

«Только бы не упасть... Только бы дойти...» — шепчут его сухие губы в кровавых струпьях. Но куда он спешит и зачем, он не знает. На горизонте дрожащим миражом начинают расти две башни. Две высокие башни-близнецы. И он понимает вдруг, что это воротные башни города. Того самого города, куда он идет. И узнав эти башни, он понимает, зачем он идет туда. Там ждет его она. Она в руках врагов. Он должен ее спасти. Он видит ее лицо. Она презрительно улыбается из-под черной нахальной челки. Он не понимает, почему у нее лицо той, другой. Но все равно идет, спотыкаясь...

Чем ближе он подходит к городу, тем явственней видит на бледно-голубом выгоревшем небе высокую оранжевую городскую стену и две башни над закрытыми воротами, обитыми сверкающей на солнце медью. На высоких каменных башнях он уже различает под парусиновыми навесами стражников в белых плащах. Сверкают на солнце их острые копья... Он вдруг понимает, что в этот город его никогда не пропустят. Но все-таки подходит к воротам и хрипло кричит пересохшим ртом: «Пустите!»

Стражники перевешиваются через парапет башни и орут ему сверху какую-то пакость по-английски, и глумливо хохочут. Он, собрав последние силы, опять кричит им, запрокинув лицо: «Мне не нужен ваш город! Пустите меня к ней. Мне нужна она!» И стражники, гогоча, выливают на него сверху жбан теплой, вонючей мочи.

Он вытирает рукавом лицо и, совсем обессиленный, отходит в тень. В жалкую рваную тень кривого и низкого дерева. Он прислоняется спиной к шершавому стволу и решает ждать ночи. Когда погаснет в небе раскаленная сковорода, когда ночная прохлада даст ему новые силы, когда сытые стражники уйдут с башен в город утолять свою жажду и похоть... Он все равно попадет за эти высокие оранжевые стены, он не имеет права туда не попасть!

Заволновались вдруг стражники на высоких башнях, тыкая в горизонт остриями копий, показывая друг другу на что-то... И он с трудом повернул опозоренную голову и поглядел в дрожащее марево...

Два смерча, два песчаных столба приближаются к стенам города... Осели перед воротами два черных арабских скакуна. На дыбы их подняли всадники, закутанные до глаз в белые платки.

Стражники, увидев их, окаменели в испуге, опустили копья, ожидая непоправимого...

Всадники натянули луки и, гортанно вскрикнув, пустили в башни свистящие стрелы, обмотанные зажженной паклей. Одна горящая стрела врезалась в верхушку одной башни, другая ярким пламенем насквозь пронзила вторую.

А он, как зачарованный, смотрел на разом вспыхнувшие башни, удивляясь тому, что камни тоже могут гореть.

Всадники завизжали, вскинув руки. И вдруг обе башни, как будто пораженные неведомой силой, одновременно взорвались. Столбы дыма и пепла взметнулись в небо и стали оседать на проклятый город.

Всадники исчезли. Вместо неприступных ворот дымилась груда щебня.

А он сидел, осыпанный горячим пеплом, под низким кривым деревом, вмиг потерявшем свою скудную листву, и тихо смеялся. Дорога была свободна. Он был уверен, что сегодня же увидит Ее и спасет...

Дима проснулся от смеха. От своего хриплого, злого смеха. И тут же вспомнил, почему он смеялся. И весь свой сон вспомнил, что с ним редко случалось в последнее время. Он просыпался только с одной мыслью — где достать деньги? И снов своих, похожих на цветные фильмы, больше не помнил. А сны свои он очень ценил и никому не рассказывал, стараясь угадать в них только ему одному предназначенные предчувствия.

В этом сне никаких предчувствий он не обнаружил. После вчерашнего горло было как наждачная бумага, ужасно хотелось пить. В занавешенные окна служебного автобуса, гневно жужжа, бился мушиный рой. Мокрая футболка противно прилипала к телу. Все ощущения, испытанные им во сне, на поверку оказались грубой реальностью... Кроме одного... Дима не мог понять, почему он увидел во сне Тамару с лицом Виктории?.. Ведь шел он спасать Тамару. Шел в неизвестный ему город с двумя высокими башнями. В город, затерянный посреди каменистой пустыни, в город, занятый наглыми храмовниками. Он шел спасать Тамару от них... Но во сне Тамара вдруг оказалась Викторией, которую он вчера ночью проклял и поклялся наказать... Если это и было каким-то загадочным предчувствием, то Дима его не понимал. Оно его только раздражало. Игорь был прав. Какое-то скрытое, неподвластное Диме чувство, уже давно жило в нем, как бы он ни хотел его скрыть. Оно прорывалось неожиданно, еле заметно, но Тамара вдруг скептически поднимала губы и многозначительно улыбалась кончиками рта. Тогда он не придавал этим ее улыбкам никакого значения. Он даже не догадывался, что она прекрасно видит болезнь, о которой он даже не догадывался, пока Игорь не поставил вчера ночью свой суровый диагноз. Теперь, чтобы вернуть Тамару, надо не только возвратить долг, но и вылечиться! И чем скорее, тем лучше! Вылечиться ее же методом — отомстить. И вытащить эту проклятую занозу, из-за которой рухнула вся его жизнь. Эта «заноза» оказалась пострашнее денежного долга...

Жалко, Игоря он так и недождался ночью. Игорь ушел, сказав: «Я сейчас», — и пропал. Дима долго ждал и ушел, когда стало светать. Игорь бросил его, закрутился среди своих элитных пациентов, забыл, что обещал нарезаться с однокурсником. Дима на него не сердился. Время еще было, чтобы узнать у него, как получше отомстить ей.

Когда на рассвете Дима шел к служебному автобусу, он слышал ее смех, видел бирюзовое платье, мелькнувшее за деревьями, и незнакомого человека в белом костюме рядом с ней...

Нужно срочно найти Игоря!

Дима сбросил с себя легкое одеяло и опустил босые ноги на горячий резиновый коврик под сиденьем. В автобусе никого не было, только осатаневшие мухи бились о стекла. На Левином сиденье стояла голубая банка джина. Лева оставил Диме лекарство, но не разбудил, пожалел. Солнце стояло высоко. Ролевая игра была, наверное, в самом разгаре. Дима оделся, вырвал из банки, как из гранаты, кольцо и хлебнул теплый, пахнущий лекарством, целебный напиток. Потом отжал заднюю дверь, боком протиснулся в нее и пошел через парк к замку, искать Игоря. Ему уже было не до рыцарской игры. Он хотел узнать, кто был тот, в белом костюме, который смешил ее в пустом парке на рассвете...

Проходя мимо заросшего тиной пруда, Дима услышал тихие голоса. Он машинально остановился и замер. Было что-то в этих голосах, что заставило его укрыться за деревом. На грубой скамейке у самой воды спинами к нему сидели двое. Пожилой, в белом летнем костюме, и молодой, в черной футболке и спортивных брюках с лампасами. Говорил в основном пожилой, молодой изредка поддакивал, потряхивая длинными, распущенными по плечам, черными волосами. Увидев человека в белом костюме, Дима насторожился — неужели тот самый юморист?..

Но расслабленная посадка пожилого, его редкая седая шевелюра и розовая плешь на макушке, успокоили Диму. Ночной юморист был гораздо моложе и бодрей. Дима хотел идти дальше, но тихие слова пожилого заставили его остаться на месте.

— То, что он действительно Романов, еще доказать надо... Семья не принимает его, считает самозванцем...

— Как это доказать? — спросил молодой.

Пожилой вздохнул, достал пластинку лекарства, выдавил таблетку и бросил ее под язык.

— Документами... Неопровержимыми документами... А они есть! Мои люди уже ищут в архивах... Но сам Царевич... — пожилой зачмокал языком, рассасывая таблетку, — он считает, что документы спрятаны в их фамильном особняке. Он и приехал-то в Питер за этими документами.

— Что за дела? — засмеялся молодой. — Скажите адрес. Мы купим ему этот особняк. Пусть ищет.

— В том-то и дело, — вздохнул пожилой, — что их особняк, кажется, не сохранился. С конца восемнадцатого века город сто раз перестраивался...

— Но документы не могли же пропасть! — убежденно сказал молодой.

— Царевич в этом просто уверен, — подтвердил пожилой. — В этих документах слава и будущность их семьи... И лично самого Царевича...

— Так где же они?

— По их семейным преданиям его прабабка спрятала грамоты за какую-то икону в стенной нише...

— Где эта икона?

— В их фамильном особняке.

— А где особняк?! — рассердился вдруг молодой. — Не сохранился?.. Не кажется ли вам, Валерий Васильевич, что Царевич водит нас за нос?

— Исключено! — твердо отрезал пожилой. — Царевич привез старинный план их усадьбы, сделанный самим архитектором Фельтоном. Но...

— Что «но»?

Пожилой опять вздохнул:

— Огромная усадьба не привязана к другим ориентирам... Только речка за усадьбой обозначена... Речка Кривуша.

— Где такая речка в городе?

— И речки такой уже нет, — тихо посмеялся пожилой.

— И усадьбы нет? — насторожился молодой. — Это вы хотите сказать?

— Усадьба-то вряд ли... — сказал пожилой. — Но дом сохраниться должен. Царевич говорит, что прабабка его жила в нем до самой революции.

— Так где же он, черт возьми! — не выдержал молодой.

— Ищем, Антоша, ищем, — успокоил его пожилой. — А кто ищет, как нас учили с детства, тот всегда найдет...

Они замолчали. Дима решил уходить — судьба изнеженного отрока, называемого Царевичем, его не интересовала. Но то, что он услышал дальше, заставило его замереть.

— Но дело в том, Антоша, что ищем не только мы... Они тоже ищут...

— Откуда вы знаете? — не поверил молодой.

Пожилой тихо посмеялся:

— Вчера пришлось тряхнуть стариной... До рассвета обхаживал в парке их черноглазую ведьмочку. На скамейке под самыми окнами завалил ее и чуть не трахнул. Честное слово. Но она выскользнула из рук с задранной юбкой... Выскользнула, как змея. — Пожилой схватился за сердце. — Признаюсь, Антоша, отвык я от таких похождений. Я привык получать этот товар прямо с доставкой на дом. Уже, так сказать, готовым к употреблению... Но эта стервочка завела меня... Не на шутку меня завела, Антоша... Помолодел я лет на двадцать! Честное слово. Трахну ее обязательно! Или мужчиной себя считать перестану!

Молодой тряхнул черной гривой:

— Короче, где документы? Что вы узнали про документы?

Пожилой распрямился, сложил руки на груди:

— Купил я ведьмочку! Ку-пил!

— За сколько? — деловито осведомился молодой.

Пожилой засмеялся довольно:

— Да не в этом смысле. Пока... не в этом. Я ее по другому купил. Сделал вид, что приревновал ее к Царевичу. Видел, как она с ним вчера уединилась в темном уголке?.. Так вот... Я спросил ее, не метит ли она в наши Императрицы? А она, как захохочет. Да так звонко. Я испугался, не услышал бы кто... Честное слово, испугался как мальчик.

— Ближе к делу, Валерий Васильевич, — нетерпеливо попросил молодой. — Ближе к делу.

Пожилой сказал недовольно:

— Когда дойдет до «ближе к телу», я тебе Антоша особо расскажу. Договорились?

— Короче, Валерий Васильевич, — уже мягче просил молодой.

— А если короче, она его Царевичем не считает. Называет самозванцем. Гришкой Отрепьевым. Я говорю, это еще доказать надо! А она в ответ: «Подождите. Скоро докажем!» И смеется, смеется, ведьмочка! Ты бы слышал, как она смеется... Как девочка... Стерва!

— То есть, — соображал молодой, — если они документы раньше нас найдут, они их просто уничтожат.

Пожилой обнял молодого за плечи:

— Если мы его не уничтожим раньше!

— Кого? — не понял молодой.

— А законного муженька этой ведьмочки, — разъяснил ему пожилой.

— Он-то причем?

— А ты не понял? — рассердился пожилой. — Откуда она знает, что Царевич — самозванец? Почему уверена, что они скоро докажут это? От кого, если не от своего бандита?

Они помолчали. Наконец, молодой сказал:

— Красиво! Ловко вы его пристегнули, Валерий Васильевич. Хотите с дороги соперника убрать?

— И это тоже, — откровенно признался пожилой. — Завелся я на нее, Антоша, как молодой изюбрь. Так что на тебя вся надежда. Пособи родственнику. Не забуду твою услугу. Ты меня знаешь. Проси что хочешь.

Молодой ответил тут же:

— Машину вашу хочу.

— Какую? «Вольво»? «Ауди»? — предложил на выбор пожилой.

— «Мерс», — сказал молодой, — «Геленваген».

— Круто, — покачал плешью пожилой. — Девяносто тонн за какого-то бандита?

— Не за бандита, а за ведьмочку! — напомнил ему молодой. — Разве ваша сучка «мерса» не стоит?

Пожилой засмеялся:

— Стоит. Она дороже стоит. Сегодня же получишь ключи.

Они встали и пожали друг другу руки. Дима присел у дерева и прислонился спиной к шершавой коре. Услышанное с трудом укладывалось в его больной голове. Он понял пока только одно — он стал свидетелем заказа на убийство Викиного мужа.

Того самого бандита, чей холодный ствол он до сих пор чувствовал на своей шее. Мимо него по аллее прошел молодец в черной футболке. Дима разглядел его красивое загорелое лицо, черные усы, сросшиеся с холеной бородкой, мощные бицепсы, играющие под короткими рукавами футболки. И Дима пожалел Викиного бандита. Сначала он захотел тут же предупредить Вику, но потом задумался, стоит ли вмешиваться в чужие разборки? Ради чего?.. Ради кого?.. Вчера он сам решил ее наказать, отомстить ей за все... А сегодня жалеет? Дима вспомнил сон, где Тамара вдруг оказалась Викторией. Попытался понять его смысл, но опять ничего не понял. Ужасно хотелось выпить...

По аллее от замка спешил запыхавшийся Лева Стрекачев. Дима вышел на аллею.

— Ты что тут делаешь?! — остановился, как вкопанный, Лева.

— Выпить ищу, — признался Дима. — Нехорошо мне, Лева.

— Я же тебе оставил лекарство.

— Не помогло. Слабое у тебя лекарство.

— Идем! — заторопил его Лева. — Тебя Игорь Яковлевич зовет. Бежим скорей.

И они побежали по аллее к замку. Но все равно опоздали.

Вход на замковую площадь был перекрыт милицейским кордоном. Лева начал доказывать ментам, что он постановщик турнира, тыкал в табличку на своем пиджаке с надписью «Директор», ругался матом. Но менты остались равнодушны к его истеричной демонстрации.

Дима стоял в стороне и через головы ментов старался разглядеть в толпе гостей бирюзовое платье Виктории. Но не смог. По хорошей погоде гости переоделись в летнее. Трибуна перед замком переливалась всеми цветами радуги. Различить в этом калейдоскопе бирюзовое платье было невозможно. На площади оркестр играл попурри из советских маршей.

— Совсем оборзели менты! Губернатор приехал, видишь ли... А я — постановщик! Самого постановщика не пускают! Звери!

— А чего ты волнуешься? — успокоил его Дима. — Ты свое дело уже сделал. Во время спектакля место режиссера в буфете. Идем хоть пива найдем.

Но Лева успокаиваться не хотел:

— А все из-за тебя! Охламон несчастный! Пожалел его будить, видишь ли... Где ты до утра болтался?

— Я Игоря ждал.

— Зачем же он опять тебя зовет? — удивился Лева. — Покорешились?

— Вчера я не дождался его. Он так и не пришел.

Лицо у Левы вытянулось:

— Так и не пришел, говоришь?

— Не пришел. Забыл. Закрутился, наверное.

— Та-ак, — ехидно улыбнулся Лева. — Знаю, с кем он закрутился. Идем.

— Куда? — обрадовался Дима. — В буфет?

Лева ему ехидно подмигнул:

— Я тебя в замок проведу. Мы турнир из окна посмотрим. Идем!

Он схватил Диму за руку, но тот высвободил руку:

— Да, не хочу я твои игры смотреть. Извини. Лева, я умру без пива.

— Алкаш! — возмутился Лева. — Мне приказано тебе все показать. Ввести тебя в курс дела! Ты не гулять сюда приехал! Ты на работе, между прочим! Ты же контракт сегодня подпишешь!

И он потащил Диму за угол. С обратной стороны замка на террасе перед стеклянными дверями тоже топтались менты в летних рубашках.

— Звери! — пробурчал Лева и юркнул в подвальную дверь. — Спускайся сюда, Тим.

Через сырой, пахнувший склепом, подвал они прошли на лестницу.

— Звери безголовые, — все возмущался ментами Лева. — Губернатора они охраняют! Видишь ли... Да если я захочу губернатора пристрелить, кто мне помешает? Я бы и через кордон прошел, только денег на них жалко.

— А зачем тебе в губернатора стрелять? — спросил Дима.

Лева остановился:

— Ты чего, Тим... Вообще?.. Я же для примера... Идем.

По черной лестнице они поднялись на второй этаж, прошли узким коридором, и Лева своим ключом открыл маленькую светлую комнату. В углу стоял старинный музейный шкаф, у окна советский канцелярский стол с колченогим стулом, над столом послевоенный плакат. На плакате суровый мужчина в белой рубашке с засученными рукавами, выжимал мощными руками водочную бутылку как половую тряпку. Над головой мужчины краснели строгие буквы: «Завязал!»

Первым делом Лева приник к стеклу и облегченно вздохнул:

— Успели. Парад участников кончился. Все впереди! Учись, пока я жив!

Дима подошел к окну. Окно было тусклое, давно не мытое, и Дима взялся за шпингалет. Лева схватил его за руку:

— Оборзел! Ты чего...

— Я хочу окно открыть, — объяснил Дима. — Чтобы лучше видеть.

— Жить надоело? — прошипел Лева. — Вокруг снайперы! Откроешь окно — враз уберут!

— Зачем снайперы? — не понял Дима.

— Как зачем?! — возмутился Лева. — Я же говорю, губернатор здесь!

— А-а, — протянул Дима. — Значит, понимает, что есть за что в него стрелять... Да?

Лева сделал вид, что его не услышал, прошелся по комнате, раскинув руки:

— Ну, как тебе моя каморка?

— Твоя? — удивился Дима.

— На время. Пока я ставил, — Лева показал на плакат. — А наглядная агитация как?

Дима покосился на сурового мужчину:

— К сожалению, не актуально... Устарела твоя агитация. Это после войны о мужиках беспокоились. Сейчас наоборот — гуляй, рванина!

Лева засмеялся:

— Этого мужика я везде с собой вожу. Для отвода глаз, между прочим.

Лева приоткрыл музейный шкаф, пошуршал бумагами и извлек с самого дна бутылку «Охты».

— Поправляйся, несчастный!

В музейном шкафу за конторскими книгами и грудой пожелтевших бумаг скрывался целый подпольный бар. Они выпили по немногу и сели на широкий подоконник, прикрывшись на всякий случай шторами от снайперов.

Площадь перед замком была как на ладони. На другой ее стороне, напротив замка, был раскинут шатер. У шатра стояли одетые в рыцарские доспехи храмовники. Под самыми окнами на широком подъезде к замку была устроена гостевая трибуна. Гости сидели в несколько рядов. Сверху были видны их летние шляпы, бейсболки, панамы, цветные платки. Перед рядами в удобных креслах расположились «патриции». Дима узнал высокую фигуру губернатора в летней рубашке, рядом с ним сидел Царевич в голубой майке Оксфордского университета. Они о чем-то вежливо разговаривали. Справа от губернатора сидел крепкий мужчина с пушистыми усами, отвернувшись, внимательно прислушивался к разговору. Зато сосед Царевича слева, не стесняясь, вмешивался в разговор, шутил, смеялся показывая крупные, наверное, вставные, зубы. Дима узнал в нем пожилого человека в белом костюме, сидевшего с киллером у пруда.

— Кто это? — спросил он у Лёвы.

Лёва внимательно на него посмотрел:

— Который? Кто тебя интересует?

Дима взял себя в руки и осторожно сказал:

— Ну эти, в креслах... Рядом с Царевичем...

Лёва закурил и прищурился:

— О-о-о... Это два замечательных человека. Одного из них зовут Борис Сергеевич Кротов. Это тот, который с усами, тебе что-нибудь говорит это имя?

— Нет.

— Ну, да, — сказал Лёва. — Ты же в другом жанре. Ты же не от мира сего. Богоискатель. Борис Сергеевич Кротов когда-то возглавлял одну из самых мощных преступных группировок города...

Дима с интересом посмотрел на усатого:

— Он — бандит, что ли?

— Я же сказал «когда-то», — напомнил Лёва. — Когда-то Борис Сергеевич действительно был бандитом по кличке Крот. Но время изменилось! И теперь он — бизнесмен, деловой человек... Сегодня с уверенность можно сказать, что Борис Сергеевич контролирует чуть ли не половину всех финансовых потоков города. Понимаешь?

Дима кивнул:

— А вторую половину контролирует тот, в белом костюме?

Лёва похвалил его:

— Ты — профи, Тим! Моментально врубаешься в ситуацию.

— Этот тоже бандит?

— Да ты что! Этот вполне респектабельный господин, — из бывших партократов. Когда-то, подчеркиваю, когда-то он был вторым секретарем не то в райкоме партии, не то в райисполкоме, — Лёва сделал в воздухе изящный вольт пухлой ладонью. — Но время изменилось. И теперь, как ты сам догадался, Валерий Васильевич Широков является одним из самых крутых бизнесменов города.

Дима посмотрел на демонстративно усевшегося спиной к Кротову господина в белом костюме:

— Они конкуренты?

Лева, улыбнувшись, развел руками:

— Поляна-то давно поделена между ними. Но Царевича им не поделить!

— Почему? — не понял Дима. — Зачем им делить Царевича?

Лева затушил о подоконник сигарету.

— Потому что Борис Сергеевич, так сказать, славянофил... Он спонсирует наших витязей. А Валерий Васильевич — западник. Он спонсирует храмовников. Оба обхаживают Царевича. — Лева засмеялся. — Кто победит? Как ты думаешь? Чем закончится мой турнир? В моей игре на карту поставлена судьба России.

Дима покачал головой:

— Круто...

Лева ответил важно:

— Вот такие масштабы у нас, мой друг! А ты говоришь «театр!..» Театр — дерьмо, Тимуля. Глупая игра для кретинов! Согласен?

— Так кто же победит? — спросил Дима.

— Увидишь, — хитро улыбнулся Лёва.

Перед трибуной выстроились девчонки-барабанщицы в коротких юбочках и белых сапожках, подняли палочки высоко над головами. Смолкла площадь, окруженная со всех сторон народом. Народ был уже не вчерашний, тупо-ошалелый. Народ оценил Левино зрелище, люди пришли нарядные, веселые, с детьми, пришли, как приходили когда-то на первомайский праздник... А Дима все искал глазами в рядах гостей Викторию и не находил.

Девчонки ударили в барабаны, затрубили фанфары оркестра, и на площадь, подбоченясь, въехал герольд на белом коне. Герольд остановился впереди барабанщиц и вытянул руку к трибуне:

— Храбрые рыцари! Прекрасные дамы! Уважаемые господа! Сегодня вас ждет незабываемое зрелище! Смерть противнику! Честь великодушному! Слава храброму! Вот наш девиз...

— Кретин! — вскрикнул Лева и заколотил ладонью в стекло. — Что ты несешь?!

— Ты поосторожней, — остановил его Дима. — Там же снайперы!

Лева спрятался за штору:

— Кретин! Какая смерть?! Идиот! Это ж игра! Что он несет?!

Слава богу, Леву никто не слышал. Только Дима заволновался.

Герольд приподнялся в стременах, снял шляпу в разноцветных длинных перьях и обратился к Царевичу:

— Ваше высочество, по условию турнира вам предоставлено право избрать из присутствующих дам Королеву любви и красоты! Которая наградит сегодня победителя турнира! Укажите нам вашу избранницу, ваше высочество!

Царевич встал и смущенно посмотрел на губернатора. И губернатор встал, улыбаясь, зааплодировал Царевичу. Царевич смутился еще больше и обернулся к трибуне гостей. Дамы на трибуне замерли. Царевич поискал в рядах глазами и, не найдя, что-то сказал губернатору.

Тут же вскочил со своего места Широков и стал энергично возражать Царевичу. И Кротов встал, и тоже отрицательно покачал головой. Но они опоздали. Клеопатра Антониевна в сиреневом тюрбане вывела к креслам перед трибуной Викторию. Она была в белом коротком платьице, почти целиком открывавшем ее длинные, загорелые ноги.

Царевич подошел к ней, поцеловал руку и представил ее герольду. На трибуне гостей возмущенно затопали. Надо сказать, что там было много достойных красавиц. Но народ, собравшийся вокруг площади, дружно поддержал Королеву, заорал, замахал флажками. И триколорами, и красными, и андреевскими. Народу было не до элитных разборок. Они отдыхали. Они не задумывались, почему какой-то полный, восточного типа, паренек в голубой майке, которого всадник назвал «ваше высочество», избирал им Королеву и кто он вообще такой... Главное, девчонка была своя, современная, длинноногая и загорелая, разбитная и веселая. И бесплатного пива было навалом!

Гарольд передал Царевичу маленькую золотую корону, и Царевич торжественно, под пение фанфар, водрузил ее на голову Виктории. Народ радостно взвыл, а Виктория помахала им рукой, как кинозвезда на фестивале.

Два воина, витязь и храмовник, внесли на трибуну высокое кресло, обозначающее трон, и поставили его между креслами Царевича и Губернатора. Царевич усадил Викторию на трон. Оркестр почему-то грянул «Калинку».

— Идиоты! — рассердился Лева, но в стекло уже не колотил.

Девчонки-барабанщицы, покачивая короткими юбочками, сделали по площади круг. Зрители, накачанные бесплатным пивом, дружно хлопали в такт барабанам.

— Да, — сказал Дима. — Похоже на День физкультурника, а не на рыцарский турнир.

— Все из-за него! — возмущался Лева.

— Из-за кого?

— Губернатор, видишь ли! Из-за него пришлось военный оркестр пригласить. А что они могут? Пердят что умеют. Смесь бульдога с носорогом...

Барабанщицы ушли. Смолк оркестр, и храмовники у шатра запели свой мрачный латинский гимн. Зрители удивленно замолкли. На середину площади выехал рыцарь на черном коне, с копьем, украшенным флажком с красным лапчатым крестом. В другой руке рыцарь держал щит с гербом: на белом поле двое рыцарей на одной лошади. Лицо рыцаря закрывал шлем, сверкающий на солнце.

Лева схватил Диму за руку:

— Вот! Гляди! Сейчас такое будет!

— Что? — спросил Дима. — Трупы?

— Какие трупы? — опешил Лева. — Что ты несешь? Это же игра!

Герольд на белой лошади подъехал к рыцарю, затрубил в рог и провозгласил на всю площадь:

— Великий Приор тамплиеров вызывает на бой любого, кто мечтает получить приз из рук Королевы любви и красоты!

Приор подъехал к трибуне и опустил копье перед Викторией. Виктория встала и что-то крикнула рыцарю. Тот повесил копье на крюк, приделанный к латам, и снял перед ней шлем. Длинные черные волосы рассыпались по плечам рыцаря. Его яркие губы обрамляли усы, сросшиеся с модной короткой бородкой. Рыцарь поклонился Виктории. Трибуны зааплодировали.

Дима смотрел на Широкова. Тот, улыбаясь, помахал рыцарю рукой. Из его пальцев на цепочке свисали автомобильные ключи, весело искрились на солнце. Рыцарь широко улыбнулся Широкову, натянул повод, и черный конь, крутя башкой, задом вернулся на середину площади. Рыцарь не спеша надел шлем.

Герольд опять протрубил в рог и закричал:

— Ну, где же вы, храбрые витязи?! Прежде чем получить поцелуй Королевы, докажите свое мужество! Кто первый?

И слева на площадь выехал витязь в красной епанче. Лицо его закрывало забрало в виде большой золотой полумаски. Витязь подъехал к тамплиеру и ударил острием копья в его щит. Что, очевидно, означало вызов. Потом он поднял золотую маску и что-то крикнул зло тамплиеру. Дима узнал в нем Виктора. Воины разъехались в разные концы площади. Герольд отъехал к шатру. Зрители напряженно молчали.

Дима дернулся от окна, Лева его удержал.

— Ты куда, Тим?

— Мне надо туда!

— Ты чего, вообще? Кто тебя пустит? — успокаивал его Лева.

— Все, — сказал Дима, — опоздал... Я не виноват...

Лева не успел спросить, куда он опоздал. Герольд затрубил в рог, и соперники ринулись друг на друга, целя копьями в щиты друг другу. Раздался гулкий удар, зрители вскрикнули. Кони на середине площади взвились на дыбы. Оба воина усидели в седлах, но их копья были поломаны по самую рукоять. Дима облегченно вздохнул. И зрители на площади тоже одновременно вздохнули.

— Живы... Слава Богу... Все? — спросил Дима.

— Ничья, — сказал Лева. — Сейчас будет вторая схватка.

— Зачем вторая?

— Кто-то должен победить. А ты чего так волнуешься?

Дима вздохнул:

— Чувствую, будут трупы...

Лева засмеялся:

— Типун тебе на язык! Это же игра! Все оговорено.

— Я об этом и говорю, — усмехнулся Дима. — Все·уже оговорено...

Воины отбросили обломки копий и снова разъехались. Со своего места вдруг вскочил Кротов и что-то крикнул вслед Викиному бандиту. И Виктория встала, но ее ласково усадил на место Царевич.

— Что он кричал? — спросил Дима.

— Черт его знает. Не слышно, — ответил Лева. — Идем еще по чуть-чуть, пока они копья меняют.

Они отошли к музейному шкафу. Лева разлил по стаканам «Охту», разломил пополам шоколад.

— Слушай, — спросил его Дима, — почему Кротов нервничает?

Лева заставил его выпить, закусить шоколадом, и только потом объяснил:

— Я ж тебе говорю, Кротов курирует витязей. Это его команда. А уж в своем Витюне Крот просто души не чает...

— В каком Витюне?

— Ну, в этом, который сейчас с Антошей бился. С племяшом Широкова. С Приором храмовников.

Дима задумался:

— А почему Крот в нем души не чает?

Лёва закурил:

— Видишь ли, в чем дело... У Бориса Сергеевича когда-то был единственный сын. Горячо любимый сын. Лет шесть назад он погиб в какой-то разборке... А этот Витюня, говорят, очень похож на сына Бориса Сергеевича... Бандиты тоже люди, Тим. Ничто человеческое им не чуждо... Борис Сергеевич приблизил этого Витюню к себе... Говорят, он его даже своим наследником хочет сделать... А Витюня привел в их Семью Викторию... Это которая Королева! Хотя ты ее и без меня знаешь... — Лёва хмыкнул: — Во сюжет-то! А? Ни один Шекспир не придумает... Да? Давай еще по чуть-чуть!

Лева разлил. Дима поднял стакан:

— Слушай, откуда ты все знаешь?

Лева тихо посмеялся и пожал плечами:

— Профессия такая...

— А какая у тебя профессия? — ехидно спросил Дима. — Признайся, Лева.

Лева сделал вид, что не понял.

— А вот подпишешь сегодня контракт, и ты много знать будешь. Наша профессия... — Лева обнял Диму, — секретная режиссура, коллега! И все, что я тебе рассказал — об этом лучше молчать. Дольше — проживешь. Ты меня понял? Я тебе это рассказал, как своему будущему коллеге! Так сказать, «тет на тет»...

А Дима думал о другом. О случайно подслушанном разговоре у пруда. Племянник Широкова — красавец Антоша был Приором храмовников и прекрасно знал, что против него выйдет сегодня биться Виктор. И Широков это знал, потому и сделал свой заказ. И ключами от машины он помахивал не случайно. Напомнил родственничку их уговор. С первого раза убийства не вышло. Значит, получится со второго... Обязательно...

Дима выпил водку и надкусил горькую пластину шоколада:

— И я тебе скажу «тет на тет» кое-что... Хочешь?

— Давай, — насторожился Лева. — Как коллега коллеге?

— Спорим, что сегодня будет труп!

Лева даже дышать перестал, выдохнул:

— Тебе Игорь сказал?

— Игоря я не видел.

Лева дернул шеей:

— И кого?.. Знаешь?!

Дима сам налил себе немного водки:

— А этого... В котором Кротов души не чает...

Дима не ожидал, что его слова произведут на Леву такое впечатление:

— Да ты что?! — заметался по комнате Лева. — Нельзя! Так не договаривались! Мы же специально устроили игру, чтобы их помирить!..

— Кого помирить? — не понял Дима.

— Крота и Широкова! — остановился Лева. — Витязей и храмовников! Славянофилов и западников! Мы решили их помирить перед лицом Царевича!

— Кто это «мы»? — спросил Дима.

Лева ладонью вытер мокрое лицо, ответил гордо:

— Патриоты России!

Дима усмехнулся:

— И много вас?.. Таких?

Лева не ответил, подошел к Диме, заглянул в глаза:

— Откуда у тебя такая информация?

Дима пожал плечами:

— Случайно услышал.

— От кого?!

Дима помедлил и признался:

— Я не знал его... А ты назвал его Широковым.

Лева нахмурился:

— Это серьезно! Идем! Сам все расскажешь...

— Кому?

На площади громко затрубил рог геральда.

— Идем! — Лева потащил Диму к двери.

— Опоздали, — остановил его Дима. — Поздно. Схватка начинается.

Они бросились к окну. Гости на трибунах встали. Толпа замерла.

Всадники уже летели друг на друга. Кони выбивали искры из старой брусчатки. Всадники вытянув перед собой копья, висели на шеях лошадей, подставив под удар щиты. Зрители ахнули. Копья одновременно вонзились в щиты и разлетелись вдребезги. Виктор покачнулся в седле, отбросил пробитый насквозь щит, упал с коня, загремев о брусчатку доспехами. Стон толпы повис над площадью.

— Все, — сказал Дима. — Я же говорил.

Но он ошибся. Это было еще не все. Приор тамплиеров соскочил с коня и, звеня шпорами, пошел к поверженному противнику, на ходу вынимая из ножен меч. В толпе заорали: «Не честно! Э, мужик, угомонись! Хорош!» Но Приор, не слыша их, подошел к лежащему и поднял меч обеими руками, острием вниз.

В толпе замолчали, как загипнотизированные. Приор опустил меч... Но Виктор перевернулся на бок, поднялся на ноги, отбросил с шеи красную епанчу и встал в стойку, выхватив свой меч.

Звуки мощных ударов, будто в рельсу колотили, обрушились на площадь. От схлестнувшихся в воздухе мечей сыпались голубые искры. Лева не отрывался от окна, кусал на пальцах ногти.

А Дима загадочно улыбался. Вчерашнее ощущение нереальности от увиденного здесь пропало. Все уже не казалось ему какой-то волшебной смесью прошлого, настоящего и будущего. Сейчас все было свежо, первозданно... Он с затаенным волнением ожидал конца схватки.

Зазвенел о брусчатку короткий меч, выпавший из рук Виктора. Племянник скинул шлем, тряхнул мокрыми кудрями и, оскалившись, пошел добивать врага. Площадь напряженно молчала.

Виктор отступал, безоружный. Племянник, хрипло вскрикнув, поднял обеими руками меч, как топор. И когда меч повис над головой Виктора этот корпусом ушел в сторону. Племянник дико застонал, стараясь на лету повернуть тяжелый меч на него. Но не справился. Меч, задрожав, воткнулся в брусчатку. Племянник отбросил его и вынул кинжал. Теперь бойцы мало напоминали средневековых рыцарей. Пригнувшись, выставив перед собой кинжалы, они кружили по центру площади, грозно оскалясь. Они напоминали участников бандитской разборки.

Лева дернул шпингалет окна:

— Оборзели! Это надо прекратить!

Дима схватил его за руки:

— Не трогай! Пусть...

— Что пусть?! — заорал Лева. — нельзя же! Мы так не договаривались! Это же война! Это же крах!.. Пойми!

И они сами принялись бороться у окна, а когда расцепились тяжело дыша, увидели в окно, как Виктор, сидя верхом на лежащем, раскинув руки, племяннике, вытирает о его белый тамплиерский плащ окровавленный кинжал... Со всех сторон к ним бежали менты, на ходу расстегивая кобуры табельного оружия.

И площадь взорвалась диким криком. На арену высыпали и вступили в схватку друг сдругом тамплиеры и витязи, их пытались растащить подвыпившие мужики, визжали придавленные бабы. Свистели милицейские свистки. Сверкали мечи, взлетали кулаки, началось всеобщее побоище...

— «Скорую»! Где скорая?! — надрывно орала баба. — «Скорую»! Да что же это?...

Лева схватился руками за голову:

— Кошмар! Что будет?.. Что будет?.. На глазах у самого губернатора! А кто виноват? Я! Я — директор во всем виноват! Я!

Дима, как мог, его успокаивал:

— Они виноваты... Они тебя не пустили... Ты бы...

— Что я? — перебил его Лева. — Я же ничего не знал! Это ты все знал и ничего не сказал! Это ты виноват! Ты! Ты!

Лева больно ткнул Диму пальцем в солнечное сплетение.

— Я-то причем, — сказал Дима, — его Широков заказал, а не я.

— Широкова не тронь! — завизжал Лева. — Широков неприкасаемый!

По краю обезумевшей площади двое ментов уводили в воронок закованного в наручники Виктора. Он через плечо оборачивался в сторону трибун. Но трибуны были пусты, перед рядами валялись опрокинутые кресла... Менты затолкали Виктора в воронок и захлопнули забранную решеткой дверь.

Лева стоял, упершись в подоконник, набычив голову, наконец, сказал:

— Ты молчал, потому что хотел, чтобы его убили...

Дима вздрогнул, засмеялся зло:

— Мне-то это зачем?

Лева сел на подоконник и сложил руки на груди.

— Виктория у тебя играла... Ты сделал ее артисткой... Это все говорят.

— Ну и что? Она ушла от меня...

Лева нехорошо улыбнулся:

— И ты решил ей отомстить... отомстить руками Широкова...

— Ложь, — тихо сказал Дима. — Это случай. Простая случайность.

На площади заревела сирена. Рассекая толпу, к центру площади пробивалась машина скорой помощи...

8. Флигилек

А ты, дорогой читатель, задумывался когда-нибудь, что такое «случай»? Владимир Иванович Даль в своем словаре на этот счет говорит так — «все нежданное, непредвиденное, внезапное, нечаянное». Бывают случайные встречи и случайные расставания, случайные выигрыши и случайные поражения, случайные рождения и случайные смерти... По-всякому бывает. Даже в строго размеренной, предельно ограниченной жизни: армейской, тюремной или же в четком распорядке дня прагматичного делового человека, случаются иногда такие неожиданности и нечаянности, что в пору руками развести. От случая не уйти, не защититься, не спрятаться. Случай напоминает сильным, что не все они могут предвидеть, случай улыбается слабым внезапной удачей. Да что говорить, как пресна и тосклива стала бы жизнь, если бы не было случая. Потому что случай — это и есть настоящая жизнь!

Случай проявляет себя и в нечаянных выигрышах, и во внезапных смертях, в ураганах, в наводнениях, в землетрясениях, которые никто предвидеть до сих пор не может и которые поэтому тоже являются всего лишь игрой случая. Эта непредвиденность и внезапность очень смущает и современных ученых, и всесильных людей. Им, конечно, обидно, что не все в этом мире они могут объяснить и поставить себе на службу, т. е. купить, проще говоря.

Недавно в одной газете я прочел, что «в Америке появился новый тип услуг — организация „случайных" встреч. Стоимость не маленькая — самый крупный гонорар, полученный фирмой „Сотворение совпадений", составил 78 тысяч долларов. За эти деньги, к примеру, женщина вашей мечты может „случайно" встретиться вам в надолго застрявшем лифте»...

Извините, за длинную цитату, но меня эта заметка, признаюсь, просто потрясла. И стоимость услуги тоже, между прочим. Но газета дальше подробно объяснила, за что же «творцы» из фирмы «Сотворение» берут деньги. Все подсчитано досконально.

«Для начала агенты устанавливают личность понравившейся клиенту девушки. Затем узнают о ней все в мельчайших подробностях: что она любит, какую музыку слушает, о ком или о чем мечтает. Под благовидным предлогом выведываются тайны девушки у ее подруг, бывших бойфрендов, бабушек и дедушек. Затем наступает самая главная фаза — подстраивание случайной встречи в месте, выбранным своим клиентом. К моменту встречи вы будете прекрасно осведомлены о самых сокровенных тайнах своей возлюбленной. Так что познакомиться с ней будет гораздо проще, чем при нормальных обстоятельствах».

Клянусь, я это не придумал. Просто из газеты переписал. Подробно комментировать отказываюсь — нет слов. Но вот на что внимание обращу. Это же поразительно, как некоторых людей раздражает и бесит само существование СЛУЧАЯ. И таких людей много, иначе бы и успешную фирму с красивым названием не создали. Но кое-чего они не учли...

Допустим, идет себе наш клиент, «осведомленный о самых сокровенных тайнах своей возлюбленной», на свидание, в точно рассчитанный фирмой момент, когда девушка с работы возвращается. Встречаются они у лифта. Одни. Потому что агенты фирмы просто за руки в подъезде держат жильцов, желающих к себе домой попасть. Садится наша парочка в лифт, он нажимает кнопку, едут, молчат... И вдруг (т. е. за большие деньги) лифт останавливается. Девушка от испуга громко вскрикивает... Или даже визжит истошно... А наш клиент хватается за сердце, оседает на пол... И умирает... «Почему?» — спросите вы. Да потому, что человек, как говорится, «внезапно смертен». И эту «сокровенную» тайну у бойфрендов не купишь ни за какие деньги. Неужели такую простую вещь не могут понять ни клиенты, ни владельцы фирмы? Не понимают. На что-то надеются. А на что же?.. Вот об этом как раз и задумался Дима, лежа у себя на диване под торшером, в комнате на Петроградской стороне самого неожиданного на свете города Санкт-Петербурга, выстроенного по архитектурной линейке...

Который день Дима размышлял над словами, сказанными ему однокурсником Левой Стрекачевым:

«Ты решил ей отомстить руками Широкова!»

Другой бы плюнул на глупые слова, не обратил бы на них никакого внимания. Но, как я уже говорил, Дима был не таким человеком. Его совсем не волновало, что мог подумать о нем какой-то бездарный стукач. Он разбирался в самом себе. Неужели он мог позволить, даже в мыслях, воспользоваться заказом Широкова? И чем больше он думал, тем больше приходил к убеждению, что он ни в чем не виноват. Во всем виноват слепой случай. Совершенно случайно он услышал у пруда о заказе Широкова. И сразу же решил предупредить об этом Вику. Совершенно случайно на турнир приехал губернатор и площадь оцепили менты. Увидеть ее он не смог. Совершенно случайно, глядя из окна замка, он понял, что Приор тамплиеров — это и есть киллер, а его соперник на турнире — жертва. И он бросился на площадь, чтобы остановить поединок. Но не успел... Дальше он уже ничего сделать не мог. Дальше всем распоряжался случай. И распорядился он очень хитро, не сразу поймешь — в чью пользу? Племянника Широкова увезли в больницу на «скорой», а Виктора арестовали менты... Слепой случай оказался не таким уж слепцом...

Лева не зря орал у окна: «Это крах! Это война!»

Рыцарская ролевая игра провалилась. Первым укатил из Выборга губернатор. За ним разъехались элитные гости. В городе остались только Широков и Кротов. Широков, чтобы перевезти раненого племянника в Питер к знакомым хирургам, а Кротов, чтобы отмазать от чужих ментов Виктора. Оба своего добились. Широков увез племянника в Военно-медицинскую Академию, а Виктора под охраной «своих» ментов перевезли в Питерский СИЗО, именуемый в народе «Кресты».

Всю ночь тихий приграничный городок оглашали пьяные крики и рев мощных моторов. По городу до утра носились на «Хондах» и «Харлеях» пьяные витязи и тамплиеры. На рыночной площади они сошлись в кровавой драке уже без доспехов.

Первыми проигравшими от игры слепого случая оказались те, кого Лева назвал «патриотами». Помирить перед лицом Царевича «западников» и «славянофилов» не удалось. Впрочем, а когда же это удавалось? Витязи и Тамплиеры объявили друг другу кровавую войну! Если учесть, что и за теми и за другими стояли могучие финансовые структуры, эта война не сулила ничего хорошего ни в чем не повинным гражданам.

Самого Царевича на белом «Линкольне» увезли Игорь Яковлевич Штерн и Клеопатра Антониевна Оболенская. Дима хотел извиниться перед Игорем, что не успел прийти на его зов, но Игорь вдруг сам перед ним извинился:

— За что? — удивился Дима.

Игорь сокрушенно покачал головой:

— Так и не нарезались с тобой. Не вышло. А так хотелось…

— За чем же дело стало? — тут же откликнулся Дима. Ему очень хотелось узнать, что Игорь имел в виду, когда говорил про чашу, которую нельзя пронести мимо.

Игорь развел руками:

— Срочное дело. Я тебе позвоню послезавтра. Будь дома.

— А где же я могу быть?

Тут к «Линкольну» подошли Клеопатра Антониевна в сиреневом тюрбане и невысокий худой мужчина с лицом спившегося старого клоуна, между ними шел Царевич. Он все оглядывался на джип «Паджеро», в который садилась Виктория с охранником. Наверное, торопилась в ментовку к арестованному мужу. Клеопатра Антониевна усадила Царевича в «Линкольн», странный мужчина почему-то по-приятельски подмигнул Диме, а Игорь уже открыв дверь машины повторил:

— Будь дома. Обязательно. Послезавтра...

Вот Дима и лежал на диване у телефона, ожидая звонка «тайного советника». И размышлял о превратностях случая.

Ведь случай-то может быть не только счастливым. Гораздо чаще он оказывается несчастным...

И если, как нас учили в очень средних советских школах, вся жизнь на Земле возникла в результате случайного подбора каких-то аминокислот в первородном мировом океане, был ли тот случай счастливым?.. Вы не задумывались над этим?

Неужели и все мироздание — это тоже только игра несчастного случая? Этой крамольной мысли Дима, конечно же, не мог допустить! Он верил, что человек появился на Земле не случайно. Человека создал Бог. Как и всю Вселенную.

Бог — есть добро. А значит и Вселенная, и человечество созданы для добра. Для чего же тогда существует случай? Который неожиданно может повернуться любой стороной? И чаще всего несчастной, недоброй...

Неужели случай тоже от Бога?

Вот тогда-то Дима и вскочил с дивана, и схватил с полки словарь Даля. И прочел в нем:

«Случайность — безотчетное и беспричинное начало, в которое веруют отвергающие провидение»...

Провидение — это промысел Божий. А что же тогда такое — «безотчетное и беспричинное начало»?

Что это за непонятное начало, которое распоряжается случаем?.. И кто же в него верит? Верит, отвергая Бога!..

Дима так задумался, что не сразу услышал звонок. Он раздраженно взял трубку и услышал четкий голос Игоря:

— Тим, ты мне нужен. Срочно ко мне.

Дима не привык, чтобы им так командовали:

— Я сейчас занят.

— Бросай все. И ко мне. Через сколько ты будешь?

Дима посмотрел на часы:

— Ну... через час где-то...

— Поздно! — отрезал Игорь. — Через десять минут выходи к подъезду. Я за тобой сам заеду, — и повесил трубку.

Дима сначала рассердился, что перебили его важную мысль, а потом понял, что Игорь теперь имеет право им распоряжаться, потому что он подписал суровый контракт. И что, наверное, у Игоря очень срочное дело.

Ровно через десять минут Дима спустился к подъезду. Его уже ждала неприметная серая машина, то ли «восьмерка», то ли старенькая иномарка. За рулем сидел Игорь Яковлевич Штерн в темных очках.

Они выехали на Пушкарскую, повернули направо и по Каменноостровскому направились через Неву в центр города.

Игорь всю дорогу молчал. Тогда Дима спросил:

— Куда мы едем?

Игорь ответил не сразу:

— Хочу посмотреть на флигилек...

— На какой флигилек? — не понял Дима.

— Где ты репетировал свой замечательный спектакль, — усмехнулся Игорь.

— Это еще зачем? — удивился Дима.

— Купить его хочу, — засмеялся Штерн. — А ты думал зачем?

— Я думал, ты нарезаться хочешь. Как обещал, — ответил Дима.

— Это мы всегда успеем.

Они остановились на Большой Конюшенной напротив ДЛТ. Малая Конюшенная стала пешеходной, и въезд постороннего транспорта на нее был запрещен. Через проходной двор они вышли к немецкой кирхе. За кирхой находилась одна из самых старых школ Петербурга, всем известная Петер-Шулле, ставшая дорогой гимназией. Во дворе, по случаю перемены, шумно «отдыхали» нарядные элитные дети. Дима поразился, что не заметил, как наступил сентябрь. Еще совсем недавно с началом сентября у него по привычке связывалась пора новых надежд. Как школьник, перебирающий новенькие учебники и чистенькие тетради, решивший твердо, что уж в этом-то году он обязательно станет отличником, Дима каждый сентябрь, в начале нового театрального сезона, надеялся поставить свой самый лучший спектакль...

А в этом году он даже не заметил наступления нового сезона надежд. Наверное потому, что надеяться ему было не на что и ненакого. Он слишком зависел от Игоря. Его любимое детище, театр «КС», что значит «Космическое Сознание», лопнул. И никогда уже не воскреснет...

В маленьком сквере у кирхи Игорь покупал сигареты, а Дима остановился у театрального киоска. Его внимание привлекла афиша «Лебединого озера». На ярко-красном фоне, сомкнув длинные, сильные ножки, на пуантах стояла балерина в черной пачке. Левая рука отведена в строну, правая поднята над головой, украшенной длинным, черным страусовым пером. Дима подошел ближе. Из-за спины черной балерины выплывала белая. В белой пачке, с белыми лебедиными крылышками вокруг головы. Лица у обеих балерин были одинаковые. Тот же остренький носик, те же большие серые глаза под узкими бровями. Из-за страстной Отиллии робко выплывала нежная Одетта...

Дима смотрел на красивую афишу и думал: «Неправда. Так не бывает. Если она превратилась в тварь, ей уже не вернуться обратно... Виктории уже никогда не стать прежней. Той наивной и робкой девочки больше нет! Она уже никогда не вернется. Она умерла... При жизни». Но тут Дима вспомнил свой сон: Тамару с лицом Виктории. И опять не успел понять его значения...

— Нравится? — спросил подходя Игорь.

— Кто это? — вздрогнул Дима, словно Игорь подслушал его мысль.

— Прима, — небрежно бросил Игорь. — Восходящая звезда. Наталья Климова. Хочешь познакомлю?

— Ты ее знаешь?

Игорь хитро подмигнул:

— Я ее поклонник, как бы... На старости лет балетоманом стал. Так хочешь познакомлю?

Дима не ответил.

Они повернули на Малую Конюшенную.

Улицу Дима не узнал.

Еще недавно это была и не улица даже, а широкий и тихий тенистый бульвар, заросший высокими, до крыш, тополями. Тут, в двух шагах от Невского, царила какая-то щемящая провинциальность. На бульваре судачили на скамейках старушки в белых платочках, играли в «классики» дети, деловито пробегали бродячие собаки. Основной контингент обитателей улицы составляли жильцы угрюмых коммуналок, веселые ученики детской музыкальной школы и нетрезвые выздоравливающие в тапочках из больницы имени Софьи Перовской. Все друг друга знали, здоровались, провожали взглядами незнакомцев. А вечерами в густой тени кустарников целовались на скамейках влюбленные.

Теперь все было по-другому. Высокие тополя безжалостно вырубили. Всю улицу замостили плиткой, как площадь. Вместо тенистой аллеи насадили двумя цепочками низкие хилые деревца. И ни одной скамейки не поставили. Да и сидеть теперь здесь было некому. Коммуналки расселили. В первых этажах открыли модные кафе и дорогие бутики. А в глубине хилой аллейки поставили бронзовый памятник. Неизвестно кому. Этот «кто-то» манерно прятал длинный нос в бронзовый воротник.

— Узнаешь? — показал на памятник Игорь.

— Мы с ним не знакомы.

— Ну, как же! Певец Невского проспекта и автор бессмертной комедии «Ревизор». Николай Васильевич Гоголь-Яновский.

— Не может быть!

— Вот что значит — деньги не в тех руках! — сокрушался Игорь. — Ведь кучу денег угробили на это чучело! Кучу! Разве нормального человека убедишь: что этот бронзовый урод, нюхающий свою подмышку, как в рекламе средства от пота, бессмертный классик русской литературы? Толстосумы поставили памятник своему безвкусию и жлобству... Слава Богу, не надолго. — Игорь отступил на шаг. — Ты на деревца перед памятником посмотри. Ведь они когда-нибудь вырастут, чего же им еще делать, они вырастут и навсегда закроют этого урода. Вот что значит — не уметь распоряжаться своими деньгами. Их надо учить, Тим. Жестоко и больно учить!

Дима удивился, услышав от Игоря такую резкую филиппику в адрес своих элитных клиентов, но ничего не сказал.

Они свернули под арку старинного дома.

В глубине двора, за чахлыми кустами скверика, умирал желтенький, двухэтажный флигелек, с ржавой разодранной крышей, с забитыми досками окнами и настежь распахнутой дверью парадной.

— Мерзавец! — сказал Игорь.

— Кто? — не понял Игорь.

— Да твой директор. Веничка. Довел флигелек. До ручки довел. На его ремонт никаких денег не хватит.

— Он-то при чем?

— Как это при чем? — рассердился Игорь. — Он же владелец этого флигеля. Ты представляешь, что это такое в наше время быть владельцем целого дома в самом центре города?.. А ты не знал этого, что ли?

Дима вспомнил, как перед самой премьерой румяный Веничка носился с бумагами. Заставлял и его подписывать какие-то ордера и ведомости. Вспомнил его разговоры про замечательную подругу из КУГИ.

— Мерзавец! — повторил задумчиво Игорь. — Превратил роскошный флигель в ночлежный дом для бомжей и наркоманов. Даже охрану не выставил...

Только он это произнес, как из настежь распахнутых дверей флигелька выкатилась черно-серая лохматая собачонка и залилась истерическим лаем. Игорь брезгливо поморщился:

— Терпеть не могу маленьких шмакодявок.

Они пошли к дому, а собачонка, семеня короткими ножками, виляя пушистым хвостом, визгливо лая, побежала за ними следом. Из дверей флигеля раздался хриплый бас:

— Тим, ко мне! Тим, вернись! Ко мне, тебе сказано! Тим!

Игорь остановился и удивленно поглядел на собаку:

— Эта шмакодявка твоя тезка, кажется.

Дима сел на корточки и протянул собаке руку:

— Иди ко мне, тезка, — и взял собаку на руки.

Собачонка лизнула Диму в щеку и уютно устроилась у него на руках.

— Не трогай собаку! — рявкнул хриплый бас от флигеля. — Стрелять буду!

Дима с собакой на руках встал и увидел на пороге флигеля худую фигуру в камуфляже, с взъерошенной гривой седых волос.

— Отпусти собаку! — Седой приложил к плечу короткую палку с раструбом на конце, как у старинного пистолета. — Стрелять буду!

— Не бойся, — тут же среагировал Игорь. — Он целится в тебя из кларнета. Кларнеты не стреляют. Держи собаку.

— Считаю до трех! — не унимался седой камуфляжник.

— Раз! Два! Три! — сосчитал Игорь. — Стреляй!

— Отдайте собаку! — вдруг жалобно попросил камуфляжник.

— За что? — ехидно спросил Игорь. — Что ты предлагаешь взамен?

— Вод-ку! — хрипло крикнул камуфляжник.

Игорь прищурился:

— Он нам нужен. Идем.

Дима пошел к флигелю следом за Игорем. Собачонка внимательно глядела на него блестящими черными бусинками из-под лохматой челки. Седой протянул к ней руки.

— Тимушка! Иди ко мне, Тимушка.

— Подожди, — хлопнул его по рукам Игорь. — Сначала откат!

— Я сейчас, — заволновался камуфляжник. — Только у меня пузырь уже начатый... Я сейчас...

— С утра мы водку не пьем, — осадил его Игорь.

— А у меня больше ничего нет, — расстроился тот.

— Нам от тебя ничего и не надо, — успокоил его Игорь. — Ты получишь собаку, когда ответишь на несколько наших вопросов. Идет?

Камуфляжник, сморщившись, смотрел на собаку:

— Идет...

Игорь оглядел двор и скомандовал:

— Веди нас в свои чертоги.

Подойдя к двери, Дима увидел на стене флигелька чугунную доску: «Комитет по культуре мэрии Санкт-Петербурга. Театр „КС"». У Димы даже дыхание захватило. А Игорь подмигнул ему заговорщицки.

Они прошли в маленькую комнатку под лестницей. В комнатке пахло водкой и супом из кубиков. Громко стучали ходики. Со стены на них пристально глядел круглоголовый, как сытый кот, славный маршал Климент Ефремович Ворошилов. У трамвайной электропечки, поставленной на два кирпича, стоял продавленный дермантиновый диван. У грязной занавески в углу громоздился письменный стол с довоенным еще, тяжелым телефонным аппаратом.

— И с нами Ворошилов, первый красный офицер, — пропел Игорь, входя. — Да здесь у тебя штаб! Штаб революции?

— Дежурка, — хрипло поправил его камуфляжник.

— А ты, значит, охранник?

— Типа, — кивнул седой и положил кларнет на диван.

— А кларнет тебе вместо ружья выдали? — осведомился Игорь.

— Кларнет мой собственный, — сказал охранник. — Я музыкант по профессии. Лабух. Сюда по блату устроился. Теперь мужикам после пятидесяти работу вообще не найти. Хоть стреляйся...

— Из кларнета?

— Вот именно, — вздохнул седой охранник. — Выделили бы старикам хоть какой-нибудь остров, что ли. Типа Валаама... И делали бы с Россией что хотят... А то работу не найти, жрать нечего и сердце кровью обливается, когда глядишь на их делишки...

— Деньги не в тех руках! — строго подытожил Игорь.

— Что деньги, — махнул рукой охранник. — Жизнь не в тех руках. Жизнь.

— Не правда, — не согласился Игорь. — Ты сам — кузнец своего счастья. Оно в твоих руках. Куй!

Дима сидел на продавленном диване с собакой на руках. Охранник печально глядел на собаку:

— Ну, задавайте свои вопросы. У меня еще собака не кормлена.

— Сам-то уже похмелился, — укорил его Игорь. — А собака не кормлена.

— Тимушка тоже принял, — улыбнулся беззубым ртом охранник. — Только еще не закусил.

— Что он принял? — не понял Игорь.

— Водочки, — расплылся охранник.

— И пес алкоголик, — поморщился Игорь.

— Он лечится, — объяснил охранник. — Сыро тут очень. Тимушка кашлять стал. Так я его лечу. Столовую ложку перед едой.

— Водки?

— Водочки, — уточнил охранник. — Задавайте вопросы. Он кушать хочет.

Дима засмеялся и потрепал собаку за ухо. Игорь строго на него поглядел и выставил стул на середину комнаты.

— Садись, — приказал он охраннику.

Охранник, не спуская с собаки глаз, присел на стул.

— Клянись, что будешь говорить правду и ничего, кроме правды! — встал над ним Игорь.

— Да ладно...

— Клянись!

— Ну, клянусь, — жалобно пообещал охранник. Игорь, потирая руки, заходил по дежурке.

— Итак. Вопрос номер один. Кто твое начальство?

— Вениамин Михалыч... А фамилию не знаю. Игорь посмотрел на Диму:

— Так. Значит, некий Вениамин Михайлович является директором театра «КС»?

— Да какого театра? — махнул рукой охранник. — Вывеска одна...

— А под вывеской что?

Охранник опять махнул рукой:

— Барыги. Торгуют чем попало. И американским спиртом, и продуктами просроченными, и вонючим секондхэндом... Вот какой тут театр «КС». «Купи и Сплавь»! Спекулянты. Раньше бы всех под статью подвели. А теперь — хозяева жизни...

— Стоп! — перебил его Игорь. — Торговать у нас пока никто не запретил... Только зачем же им под вывеску театра прятаться?

Охранник поглядел на Игоря, как на малого ребенка:

— Как это зачем? По документам — они учреждение культуры! Во-первых, налог другой. Во-вторых, дотация от города... А в-третьих, руина эта им принадлежит. В центре города... Им на торговлю разрешение дали...

— Стоп! — опять перебил его Игорь. — Насколько я понимаю, им разрешили заниматься коммерческой деятельностью, чтобы на выручку они отремонтировали флигель. Так?

Охранник развел руками:

— Сами видите, какой тут ремонт...

Игорь взял другой стул и подсел к охраннику:

— А чего же они не ремонтируют? Денег нет, что ли?

Охранник отвернулся:

— Видели бы вы, на каких машинах они ездят...

— Так, — заинтересовался Игорь. — Уточни, пожалуйста, кто это «они»?

— Вениамин Михалыч...

— Так! — победно поглядел на Диму Игорь и наклонился к охраннику. — Как вас зовут, уважаемый лабух?

— Диваныч, — не поворачиваясь, ответил охранник.

— Простите? — не понял Игорь.

— Дмитрий Иванович, — объяснил охранник. — А сокращенно — Диваныч... Можете так меня называть.

— Понятно, — кивнул Игорь. — Меня зовут — Игорь Яковлевич, а сокращенно — Гарик. Вы тоже можете так меня называть. Скажи мне, Диваныч, любимец богов...

— Гарик, — жалобно взмолился Диваныч, — не могу больше.

— В чем дело?

— Перенервничал из-за собаки. Не могу...

— Собака здесь. В надежных руках. Не надо нервничать.

— Гарик, разреши стопочку. Дрожит все внутри.

Игорь милостиво ему разрешил. Диваныч рысью побежал за стол и присел на корточки. Грохнула дверца тумбочки, что-то звякнуло и раздалось смачное кряканье... Из-за стола Диваныч появился спокойный и важный, вытер рот и с деловым видом уселся на стул рядом с Игорем.

— Давай твои вопросы, Гарик.

Игорь спросил:

— Вот у меня какой вопрос к тебе, Диваныч... Если они, то есть Вениамин Михайлович, флигель не ремонтирует, не хочет ли он его кому-нибудь продать?.. А?

Диваныч посмотрел хитро на Игоря:

— А ты его купить собираешься?

— Положим, — прищурился Игорь.

— Напрасный труд, — резко махнул рукой Диваныч. — Недавно приезжали на джипах одни. Походили по дому, побазарили. Не договорились. Они не дураки...

— «Они» — это Вениамин Михайлович?

— Ну. Какой им смысл продавать?

Игорь обнял Диваныча за плечо:

— Объясни-ка поподробней, Диваныч.

Диваныч важно пригладил седые лохмы.

— Ты представляешь, что такое дом в центре города? Исторический памятник. Архитектор Фельтон. Им на ремонт город колоссальную сумму выделил. В долларах. В рамках программы восстановления исторического центра! Слыхал про такой проект?

— Слыхал, — кивнул Игорь. — А кому до революции этот флигель принадлежал, не знаешь случайно?

Пьяненький Диваныч вдруг хитро сверкнул на Игоря глазами:

— Случайно знаю.

— Ну да? — удивился радушно Игорь. — Откуда ты все знаешь? А? Не секрет?

Диваныч поскреб грязной клешней лохматую шевелюру:

— Книжки читаю... Этот домик принадлежал Нелидовым... что ли... — он опять хитро покосился на Игоря. — Ну, в общем, тем, чья дочка была у царя любовницей...

Игорь спросил его ласково:

— У какого царя?

Диваныч улыбнулся беззубым ртом:

— Да у этого... Которого табакеркой в висок в Михайловском замке... Давно это было...

Игорь медленно встал:

— Ну-ка, покажи нам, Диваныч, твой исторический памятник.

— Не имею права, — посерьезнел Диваныч. — Охраняемый объект.

Игорь рассердился:

— Собаку унесем! Показывай!

Диваныч тяжело вздохнул:

— Да что там смотреть? Руина сплошная.

Игорь за шиворот поднял старика со стула:

— Показывай!

Они вышли в коридор. И Дима пошел за ними. Диваныч не хотел показывать флигель, не видя рядом своей собаки.

Дима был поражен, как изгадили и раскурочили бедный флигелек со дня его премьеры. Коридоры полны бумажного мусора и кирпичного лома, временные переборки между кабинетами бывшего ЖЭКа взломаны ломом, старинные голландские печи зияли цементными дырами от отбитого кафеля. Игорь смотрел на эту разруху довольно улыбаясь.

— Нашли? — спросил он Диваныча.

— Чего? — сделал вид, что не понял, тот.

— А что искали? — засмеялся Игорь.

— Это до меня еще, — махнул рукой Диваныч, — Меня и поставили стеречь.

— Ну-ну, — улыбнулся Игорь.

На втором этаже в конце коридора мелькнула чья-то тень.

— Стой! — заорал Игорь и бросился по коридору.

— Не трогай! — побежал за ним следом Диваныч. — Гарик, это свой! Не трогай!

Игорь за шкирку подтащил к окну, к свету, маленького чуть живого человечка. Лысый человечек весь, как цыпленок, порос редкими седыми перьями. Он испуганно глядел на Игоря. А Игорь глядел на него, теребя свою хэмингуэевскую бородку.

— Кто это? — строго спросил Диваныча Игорь.

— Мой друг. Саныч. Оставь его, Гарик. Он пьяненький.

Игорь отпустил человечка и брезгливо обмахнул ладони.

— Тоже здесь живет?

— Ну, — кивнул Диваныч. — На чердаке прячу. Ему жить негде.

Лысый человек вдруг встрепенулся и указал пальцем на Игоря:

— Масон! Нюхом масонов чую, милостивые государи! Нюхом!

Игорь наклонился к нему:

— Что?!.. Что ты сказал?! Повтори!

Диваныч отпихнул старика от Игоря.

— Не обращай внимания, Гарик. Он пьяненький. Иди на чердак, Саныч! Отдыхай!

Собака на Диминых руках залилась звонким, истерическим лаем.

— Вот и Тимушка просит его не трогать. Любит беднягу. Идемте. Нечего тут больше смотреть.

По шаткой скрипучей лестнице они спустились в каморку Диваныча. Игорь дорогой все оглядывался. Диваныч закрыл за собой дверь:

— Мне Вениамин Михайлович велел теперь близко к флигелю никого не подпускать. Если что, говорит, звони прямо ко мне.

— У тебя телефон его есть? — заинтересовался Игорь.

— А как же!

Игорь протянул руку:

— Ну-ка, дай-ка мне его сюда! Быстро!

Диваныч замотал головой:

— Не имею права. Они категорически запретили их телефон давать...

Игорь подошел к Диме и схватил взвизгнувшую собаку за шкирку:

— Давай телефон! Или сейчас твоей шмакодявке голову отверну!

Диваныч испуганно залепетал:

— Да, ты что!.. Не имею права! Не подводи меня, Гарик! Уволят!

Игорь отпустил собаку на колени Диме.

— Ладно... Звони сам, — Игорь прищурился. — Скажи ему, что ломятся во флигель какие-то крутые. С какой-то бумагой... Срочно директора для разговора требуют! Понял?

Диваныч подумал и сказал:

— Только собаку отдайте.

— Отдай ему собаку, — обернулся к Диме Игорь.

Дима опустил собаку на пол. Та обиженно посмотрела на него и ушла в угол дежурки.

— Звони!

Диваныч подошел к столу:

— Только вы Вениамину Михайлычу ничего про Саныча не говорите. Ладно?

— Ладно, — прищурился Игорь, — я с этим Санычем сам поговорю, когда он отрезвеет.

Диваныч снял трубку:

— Только вы из дежурки уйдите. Не имею я права вас в дежурку пускать. Уволят... А другую работу мне не найти.

Игорь засмеялся:

— Когда позвонишь, уйдем. Звони!

Дима смотрел на «тайного советника», и ему почему-то было не до смеха...

9. Status quo

Чтобы не подводить охранника, они решили подождать Веничку во дворе. Они сидели на сломанной скамейке за чахлыми кустиками. Игорь курил, не спуская глаз с желтенького флигелька. А Дима пытался вспомнить случайно подслушанный разговор в Выборгском парке у пруда. Широков говорил тогда племяннику о каком-то доме, который они никак не могут найти. О доме, в котором спрятаны за иконой какие-то документы... Дима с большим трудом восстановил в памяти этот разговор, потому что считал, что эти слова к нему совершенно не относятся. Тогда его интересовала только Виктория и «заказ» Широковым ее мужа. Диму так взволновал этот «заказ», что он не обратил никакого внимания на слова о документах и доме, который невозможно теперь найти. Но вот нашли ведь. И уже искали в нем что-то. Зачем же Игорь собирается его покупать? Дима посмотрел на Игоря. Тот сосредоточенно курил, глядя на флигелек.

— Слушай, — наконец спросил Игорь, — а ты какие-нибудь бумаги с ним подписывал?

— Какие бумаги? — не понял Дима. — С кем?

— Ну, когда вы театр решили делать? Вы с этим Веничкой соглашение подписали?

— Да, что-то я подписывал... Я уж и не помню, что...

— Ну, да, — ехидно сказал Игорь. — Ты же религиозным делом занимался. Тебе не до этого было. Не до таких мелочей...

Игорь докурил сигарету и щелчком отшвырнул ее в лужу.

— Как вы с ним договорились изначально?

— Ну... — начал вспоминать Дима. — Мы договорились вместе делать театр «КС»...

— Что такое «КС»? — заинтересовался Игорь. — «Константин Сергеевич», что ли? Как Станиславского звали его дрессированные ученики?

— Да нет... Просто «Камерная сцена»... — Дальше Дима не хотел расшифровывать и замолчал.

— Ну и назвали бы «Камерная сцена». А почему же «КС»?

Дима молчал. Он не хотел выдавать второе, тайное название своего театра

— Ладно, — согласился Игорь. — Допустим, так. На каких условиях вы договаривались?

— Да ни на каких, — пожал плечами Дима.

— Как это так? — рассвирепел вдруг Игорь. — Ты что, совсем идиот?

Дима обиделся:

— Какие тут условия? Я делаю свое дело. Он свое. Вот и все условия.

Игорь покачал головой:

— Свое дело он сделал. Он получил исторический особняк в центре города. А что сделал ты? Ты стал бомжом!

— Я же отказался работать над спектаклем... Он обиделся...

— Кого это колышет! — бушевал Игорь. — Он не поставил здесь ни одного спектакля. Он превратил особняк в засранную и зассанную руину! Но это дерьмо скоро превратится в золото! Он же специально его не ремонтирует. Чем больше дерьма — тем больше денег дадут на ремонт. Тем больше золота! И он его получит благодаря тебе!

Во двор влетел черный джип. Из него выскочил взволнованный Веничка. Он огляделся и бросился к флигельку, заколотил кулаком в уже закрытую дверь. Залаяла собака. Открылась дверь и Веничка тут же исчез за ней. А Игорь продолжал сидеть на сломанной скамейке за чахлыми кустами. Дима посмотрел на него удивленно. Они же специально ждали Веничку.

— Нравится? — показал на джип Игорь. — На этом «Мурзике» мог бы ездить ты, а не он... между прочим.

— Почему это? — не понял Дима.

Игорь вздохнул:

— Слышал историю про знаменитого французского маэстро Шарля Гуно?

— Это который «Фауста» написал?

— Вот именно, — кивнул Игорь. — Партитуру оперы у него за копейки купил известный парижский издатель. Распечатал ее огромным тиражом. И опера «Фауст» начала свое триумфальное шествие по сценам мира. Даже у нас в Питере была поставлена. Но все деньги за нее получил этот самый издатель... по фамилии Кры-са...

— Почему? — удивился Дима.

— А потому что Шарль Гуно тоже занимался религиозным делом. Как ты. И его не интересовали такие мелочи... Однажды эта Крыса пригласила Шарля на какой-то званый музыкальный вечер. Он заехал за композитором на шикарном ландо, в шикарной бобровой шубе. Бедный Шарль спустился к нему со своей убогой мансардочки в потертом пальтишке с облезлым бархатным воротничком... Увидев дорогущую шубу, Шарль спросил у Крысы: «Мсье, мне кажется, вы получили новую шубу в подарок от Мефистофеля?» — Игорь зло засмеялся. — Шарль-то это понял, наконец. А ты до сих пор понять не можешь?..

Распахнулись двери флигелька, на порог вышел уже успокоенный раскрасневшийся Веничка, за ним испуганно семенил Диваныч.

— Ну и где они? — оглядел двор Веничка. — Где твои «крутые» с бумагой? Пьянь!

— Сам видел! — Диваныч прижал руки к груди. — Клянусь.

Веничка зло сплюнул.

— Допился до галлюцинаций! Пьянь! Уволю!

Диваныч осмелел:

— А где вы найдете такого, чтобы работал, считай, только за жратву?

Веничка сморщился:

— Пьянь... Не звони мне больше по пустякам! Понял?

Диваныч перекрестился.

— Я их сам видел! Вот этими глазами! Клянусь!

— И по галлюцинациям не звони! — взвился Веничка. — Понял?!

Веничка еще раз сплюнул, повернулся к джипу, сделал несколько шагов, но раздумал, огляделся вокруг, зашел за угол флигелька, сгорбился и расстегнул ширинку.

— Во! — Встал Игорь. — Самое время. Пошли.

Они подошли к Веничке со спины.

— Здравствуйте, Вениамин Михайлович, — вежливо поздоровался Игорь. — А мы к вам по делу.

Веничка вздрогнул, посмотрел на них через плечо и засуетился с ширинкой:

— По какому делу?

— По малому делу, — успокоил его Игорь. — Зассали вы исторический флигель, Вениамин Михайлович.

Изумленный Веничка повернулся к ним лицом, так и не справившись с ширинкой:

— Я зассал?..

— А кто же? — строго сказал Игорь. — Факт, как говорится, налицо!

— Я... Да я... — начал было Веничка, но вдруг увидел Диму и успокоился. — А кто вы, собственно, такой? Что за шутки дурацкие?

Ничего удивительного, что Веничка не узнал Диминого однокурсника. Мы уже знаем как изменился Игорь за это время.

Игорь протянул ему свою визитку. Веничка ее прочитал.

— «Тайный советник»? Вы из органов, что ли? Игорь обернулся к Диме:

— Дмитрий Николаевич, объясните, пожалуйста, вашему бывшему директору, кто я такой.

Дима сказал сурово:

— Веня, этот человек дал мне деньги, из-за которых ты меня чуть не убил.

Веничка совсем успокоился и нагло застегнул ширинку:

— Ну, это ваши проблемы.

— Ошибаетесь, — не согласился с ним Игорь.

— Это ваши дела, — заторопился Веничка. — Я-то причем?

Он уже хотел уйти, но Игорь преградил ему дорогу.

— Дело в том, что я пришел получить свои деньги назад.

— С меня?! — деланно засмеялся Веничка. — Я их у вас не брал.

— Мои деньги вам передал Дмитрий Николаевич. Мои деньги!

— С него и спрашивайте.

— Как же я могу с него спрашивать, если он их вам передал?

Веничка обнаглел:

— А у вас моя расписка есть?

Игорь подступил к нему ближе и перешел на «ты».

— Ты отнял у него мои деньги, как бандит! Под пистолетом! Разве бандиты дают расписки?

Веничка на секунду замешкался.

— Отнял. Потому что он был мне должен!

— Вы хотите сказать, что когда-то Дмитрий Николаевич взял у вас в долг точно такую же сумму? — Игорь повернулся к Диме. — Дмитрий Николаевич, вы брали у него такие деньги?

— Никогда, — твердо ответил Дима.

Игорь довольно улыбнулся:

— Выходит, вы отняли мои деньги «за так»?.. Я не согласен. Я бы их хотел вернуть, Вениамин Михайлович.

Веничка покраснел:

— Не «за так»! Денег он у меня, действительно, не брал. Но он мне должен! Все равно должен!

Игорь нахмурился:

— За что? У вас имеются на руках его долговые расписки?

Веничка замахал руками:

— Бросьте мне морочить голову! Он мне должен, и все!

— За что? — спросил теперь Дима. — За что я тебе должен?

— За спектакль! — взвизгнул Веничка. — За твой спектакль!

— Ах, за то, что Дмитрий Николаевич поставил замечательный спектакль, он вам еще остался должен? Это вы хотите сказать?

— А костюмы?!.. А декорации?! — не унимался Веничка.

— Костюм мы брали из подбора, — вспомнил Дима. — А декорации готовили собственными руками. Они тебе не стоили ни копейки.

— За что же он вам должен? — пытался понять Игорь.

Веничка устало вытер потный лоб:

— Вы знаете, сколько я заплатил, чтобы получить этот флигель в аренду? Сколько на одни взятки чиновникам ушло?.. Да что говорить... — Веничка махнул рукой. — Неужели ты не помнишь, Тим, сколько мы с тобой бумаг подписали?..

— Это вы про учредительные документы? — «понял» наконец Игорь.

— А знаете, сколько стоит подпись чиновника на этой бумаге?!.. Знаете?..

Игорь его перебил:

— Так вы хотите сказать, что Дмитрий Николаевич остался вам должен за учредительные документы? Которые вы оформляли на двоих. Так я вас понял?

Веничка вздохнул:

— Та-ак...

Игорь грубо взял его за лацканы пиджака и встряхнул:

— Так почему же директором театра, который придумал Дмитрий Николаевич, и владельцем особняка в центре города являешься ты, крыса, а не он?! Объясни, почему?! Ну?!

Они были одного роста. Пухлое, испуганное лицо Венички застыло на уровне сурового лица «тайного советника». Игорь встряхнул его за лацканы еще раз, и Веничка вытянулся и обреченно откинул голову назад, уходя от пронзительного взгляда.

— От-ве-чай! — шепотом потребовал Игорь.

Веничка обмяк и опустил голову.

— Смотри мне в глаза, — скомандовал Игорь, — и отвечай!

Веничка посмотрел ему в глаза и тихо всхлипнул:

— Поймите меня... Вы только поймите! У нас же было все! Спектакль! Здание! В перспективе гастроли в Европе!.. И вдруг... В один момент — ничего! Из-за какой-то маленькой бляди он бросил все! Я умолял его... я просил... я требовал... Он отказался ставить спектакль с другой актрисой. Разве так поступают деловые люди? О нашем театре уже говорили... Меня поздравляли... И вдруг — ничего... Вы понимаете, что я пережил? Так мог же я требовать с него хотя бы за мои страдания? За мой моральный ущерб?.. Мог?!

Игорь рывком приблизил лицо Венички к себе:

— А ты подумал, кры-са, что переживает художник, когда рушится его замысел? Ты хоть раз в жизни пережил подобную катастрофу? Пигмей! Ты когда-нибудь чувствовал, как над твоей головой раскалывается мироздание и умирает Бог?!

Веничка испуганно хлопал влажными глазами.

— Чтобы требовать возмещения за моральный ущерб, нужно иметь хоть какое-то понятие о морали, — Игорь оттолкнул его от себя. — Ничтожество. Верни мои деньги. Немедленно!

Веничка встряхнулся:

— Хорошо. Поехали к моему адвокату.

Игорь криво улыбнулся:

— Верни мои деньги сейчас же! Или поедем к моим бандитам.

Веничка попытался улыбнуться:

— Это несерьезно. Мы же серьезные люди.

— Очень, — подтвердил Игорь. — Сейчас же верни мои деньги. Или я заставлю тебя страдать так, как ты еще никогда не страдал.

Веничка задумался.

— Хорошо... Поехали ко мне в офис.

— Сейчас же! — настаивал Игорь. — Здесь и сейчас! Здесь! И сейчас!

Веничка развел пухлыми руками:

— У меня нет с собой такой суммы.

— Здесь и сейчас! — не унимался Игорь.

Веничка растерялся:

— Но у меня таких денег с собой, действительно, нет... Кто же возит с собой такие большие деньги?.. Правда? — он улыбнулся. — Ведь правда?..

Игорь достал из пачки сигарету и закурил. Дима вздохнул с облегчением. Он уже начал жалеть бедного Веничку. Но «тайный советник» сказал:

— Чем грязнее твоя совесть, тем больше денег нужно с собой возить! Повторяю! Мы должны рассчитаться здесь и сейчас!

— Но как?.. — опять испугался Веничка. — Что вы имеете в виду?.. Как рассчитаться?..

— Восстановить статус кво! — отчеканил Игорь.

— Не понимаю... какой статус?.. Чей статус?..

— Статус Дмитрия Николаевича, — показал на Диму Игорь. — Он изначально является художественным руководителем театра «КС».

— У нас такой должности нет!.. Художественный руководитель... Просто нет.

— Куда же она делась? Ах да! Вашей спекулятивной конторе и не нужен художественный руководитель! Так?

Веничка замялся:

— Тим... То есть, Дмитрий Николаевич сам ушел от нас... Пропал... Исчез...

— «Ушел от нас», — засмеялся Игорь. — Рано вы его похоронили. Рано.

Дима поймал на себе взгляд Венички, быстрый, ненавидящий взгляд, и понял, что напрасно жалел его.

— Слушайте, — примирительно сказал Веничка Игорю, — давайте я вам лучше напишу доверенность на мой джип. Видите, вон там за кустами стоит. Новьё. Три тысячи на спидометре. Давайте? Он стоит гораздо больше ваших десяти тысяч.

Игорь хитро посмотрел на Диму:

— Что выберем, Дмитрий Николаевич? Новенький «Мерседес» или разрушенный и засранный флигелек?

— Совершенное новьё, — затараторил Веничка. — Три тысячи на спидометре.

Игорь рявкнул на него:

— Не делай из нас идиотов, кры-са! Какая доверенность? Ты мне сейчас расписку напишешь! Распис-ку!

— Какую еще расписку? — не понял Веничка.

Игорь прищурился:

— Какую доктор Фауст Мефистофелю написал!

— Не понимаю...

Игорь подошел к нему вплотную:

— Поскольку души у тебя нет, ты нам вс-с-сё отдашь! Вс-с-сё... Есть у тебя чистая бумага?

— В машине, — выдохнул Веничка.

Со двора черный джип выезжал медленно, как похоронный катафалк. В машине Веничка написал Игорю расписку, в которой обязался, в счет взятого у Игоря Яковлевича Штерна долга, срочно исправить уставные документы и восстановить Тимашова Дмитрия Николаевича в должности художественного руководителя театра «КС» и совладельца флигеля на Малой Конюшенной улице. Когда он уже хотел ставить подпись, Игорь остановил его:

— Секунду!

Он достал из кармана пиджака знакомую Диме красную ручку:

— Допишите своей ручкой, что вы обязуетесь также выплатить Дмитрию Николаевичу всю часть причитающейся ему прибыли от коммерческой деятельности театра «КС» за то время, что он отсутствовал не по своей вине.

Веничка густо покраснел и дописал требуемое.

— А теперь, — взял его ручку Игорь и протянул ему свою, — моей ручкой напишите следующий текст, — и он продиктовал раздельно: — А кроме того обязуюсь беспрекословно выполнять любое требование господина Штерна И. Я. Точка.

Венина рука дрогнула, не дописав красивую красную строчку:

— Это почему же?.. Почему я должен выполнять любое ваше требование?

«Тайный советник» прищурился:

— А потому, что у тебя души нет. Ты животное. А животное обязано подчиняться человеку! Подпиши и поставь число! Ну, что смотришь на меня коровьими глазами? На меня опасно так смотреть. Подписывай и катись!

Проводив взглядом черный джип, Игорь спрятал бумагу в карман и уселся на сломанную скамейку за чахлыми кустиками. Дима сел рядом. Игорь закурил.

— Поздравляю, господин совладелец, — устало сказал Игорь. — Теперь вы человек с положением. А не спивающийся петроградский бомж... Поздравляю.

Дима счастливо улыбнулся, у него родилась замечательная идея.

— Слушай, поехали к нотариусу! — сказал он, потирая руки.

Игорь насторожился:

— Это еще зачем?

Дима засмеялся:

— Я напишу тебе доверенность на свои права. Я верну тебе долг! Десять тысяч долларов... ха-ха! А ты вернешь мне расписки! Мою и Тамарину! Поехали!

Дима хотел встать, но Игорь дернул его за штанину и Дима упал на сломанную скамейку.

— Это какой же долг ты вернешь? — с угрозой спросил Игорь.

Дима ему объяснил:

— Веня оценил мои права в десять тысяч долларов. Так? Я их тебе возвращаю. Так?

Игорь рассвирепел:

— Идиот! Мне не нужны твои дохлые права! Мне нужны живые деньги! Ты мне вернешь деньги! Ровно столько, сколько я тебе дал! Ты меня понял?!

Дима заскучал:

— Как я их верну? Ты обещал работу...

— Я дам тебе работу! Дам!

— Ролевые игры провалились... Со мной даже контракт не подписали...

Игорь отбросил окурок в лужу и успокоился.

— Ты ничего не понял, Тимуля. Сегодня мы завязали потрясающий финал нашей убойной комедии! Впереди — куча трупов! Как у Шекспира.

Игорь засмеялся, а Дима помрачнел.

— К черту трупы! Меня интересует долг. Я хочу вернуть тебе деньги. Только и всего! Как мне это сделать? Ты обещал помочь!

Игорь ласково улыбнулся:

— Сиди дома и жди. Очень скоро ты мне опять понадобишься.

10. Сон наяву

Что говорить, стать должником в наше время очень просто, но освободиться из долговой кабалы удается далеко не каждому. Печальных примеров достаточно. Приводить их я не буду — слишком грустный список...

Дима долго сердился на Игоря. Он не мог понять, почему тот отказался от такой выгодной (как казалось Диме) сделки?

Передав Игорю свои права на флигилек, он обретал, наконец, свободу от измучившего его долга, а Игорь становился вполне законным хозяином флигеля в центре города. Какие это сулит финансовые возможности. Игорь великолепно понимал, но все равно раздраженно отказался от сделки. Он почти крикнул: «Мне не нужны твои дохлые права, мне нужны живые деньги!» Но Дима ему не поверил.

Почти неделю он просидел в своей комнате на Петроградской, ожидая звонка от Игоря, но так и не дождался. Зато за это время Дима понял, что Игорю нужны совсем не деньги, что самое главное в их долговом контракте — строчка, написанная красными чернилами: «Обязуюсь беспрекословно выполнять любые требования»...

Что это будут за требования, Диме уже было наплевать. Тупо сидя у телефона, он понял, что стал полным рабом «тайного советника». А этого Дима допустить никак не мог! Он решил бороться. Размышлял он так: если дело не в деньгах, то и освобождение из кабалы нужно искать в другом, не в деньгах. А в чем же?

Первое, что приходило на ум — самое простое — нанять какого-нибудь отморозка и убрать Игоря.

Но, как себя не распалял Дима воспоминаниями их давней, еще студенческой вражды, он понимал, что на такой поступок не способен. Он никогда себе не позволит распорядиться чужой человеческой жизнью! Это предел, за который нормальный человек не сможет переступить никогда! Так он считал...

Дима вспомнил слово Венички про «удовольствие», которое он получит, убрав своего должника, и решил, что тот просто от злости так неудачно пошутил. И бывшего мента к нему привел тоже от злости, только чтобы попугать. Не мог же Веничка всерьез думать об этом, не мог же он сам присутствовать при убийстве?..

Второй вариант решения вопроса Диме нравился больше. Нужно попытаться узнать об Игоре все. Ведь он стал совсем другим человеком, он даже фамилию свою изменил. А Дима по-прежнему относится к нему, как к своему однокурснику. Это — главная ошибка! Нужно срочно узнать, кто он теперь, чем занимается, какие преследует цели, ради чего он затеял с Димой свою игру, чего он хочет от Димы?! Только узнав все это, можно выстраивать свои дальнейшие действия. Только разгадав его секреты, можно строить свою контригру. Возможно, какой-нибудь раскрытый секрет «тайного советника» стоит всего Диминого долга и, прижатый к стене, Игорь будет вынужден вернуть долговые расписки. Это был самый лучший вариант!

Дима тут же достал из письменного стола чистую тетрадь и написал на первой странице: «Игорь Яковлевич Горелин (Штерн) — досье». На следующей странице он написал известные ему вехи карьеры «тайного советника»:

1) мединститут — (какой?)

2) закрытая психушка — (какая?)

3) театральная академия.

4) Сибирский театр — (какой?)

5) «тайный советник» — (чей?)

Более или менее известной Диме была только учеба Игоря в Театральной академии. Вся остальная его жизнь была сплошным белым пятном. Где же добывать нужные сведения? Как же разгадывать его загадку? О себе Игорь и на курсе почти ничего не рассказывал, а сейчас, заведя с ним откровенный разговор за бутылкой, можно только вызвать у него подозрение и навсегда закрыть единственный вариант спасения. И тут Дима вспомнил о Леве. Они не виделись со дня провала рыцарской игры. Дима в тот же вечер уехал в город на электричке, а Леву задержали в Выборге менты, как одного из главных свидетелей преступления. Расставаясь, Лева сунул Диме свою визитку с телефоном. Дима кинулся ее искать, перерыл все бумаги на столе, но так и не нашел...

Зазвонил телефон. Дима решил сначала не брать трубку. Телефон все звонил. Дима хотел уже выдернуть шнур из розетки, но вспомнил, что могла звонить и Тамара из Америки. А ее можно попросить написать подробное письмо об Игоре! И Дима снял трубку.

— Тим, ты? Ты телевизор смотришь?

Дима узнал голос Левы и удивился его волнению:

— А в чем дело, Лева?

— Включи телевизор! Быстро! Включи телевизор!

Дима положил трубку на журнальный столик у дивана и включил «ящик». Взволнованный голос дикторши говорил о каком-то кошмарном теракте, в котором по предварительным данным погибло около пятидесяти тысяч человек. Потом ожил экран и Дима увидел, как на фоне голубого неба в высокие, стройные башни небоскребов-близнецов врезаются пассажирские лайнеры. Сначала один, а потом другой. Башни вспыхнули, окутались дымом и стали медленно оседать, как раздавленные куличики из песка. Голубое небо стало серым от пепла и гари. Что-то взволнованно тараторила дикторша.

Сначала Дима подумал, что это кадр из очередного голливудского боевика, которыми все лето пичкало россиян «общественное» телевидение. Отец на даче в Васкелово тут же выключал телевизор, ворча: «Раньше общественные туалеты были, а теперь в каждом доме свою парашу общественную поставили».

Надо признаться, кадры получились захватывающими, и что-то уже виденное они Диме напоминали. Но он не мог вспомнить, где, в каком фильме он уже это видел.

На журнальном столике трещала трубка, Дима поднял ее.

— Видел? — орал в трубку Лева. — Видел, какой класс?!

— Что это за кино? — спросил его Дима.

Лева расхохотался:

— Это не кино! Это покруче будет!

— А что это?

— Вот как надо ставить ролевые игры, Тим! Ты понял? Вот как работают настоящие профессионалы! Снимаю шляпу!

Дима сообразил, что Лева «уже на взводе», и решил, что так даже лучше для их разговора.

— Слушай, Лев, я с тобою поговорить хотел.

— Так в чем же дело? — обрадовался Лева. — Приезжай. Это кино сегодня целый вечер крутить будут. Приезжай, посмеемся.

Дима записал Левин адрес и решил привести себя в порядок перед визитом. Бреясь в ванной, он вспомнил, что рушащиеся башни-близнецы видел во сне.

Когда шел в какой-то незнакомый город спасать Тамару. Дима попытался связать сон с только что виденной по телевизору картиной и понять его пророческий смысл. Но не успел... В комнате опять раздался звонок. Дима пошел обратно, но тут опять позвонили. Дима остановился с полотенцем в руках.

Позвонили в дверь. Дима, нехотя, подошел, спросил: «Кто там?»

Ему ответил мужской голос:

— Вам телеграмма.

— Из Америки? — обрадовался Дима.

— Ну, — сказал мужской голос за дверью.

Дима открыл дверь. На него навалились двое. Скрутили руки, втащили в прихожую. Один поставил его лицом к стене, ударом ботинка широко расставил ноги и ткнул в затылок ствол пистолета. Другой с пистолетом пошел по квартире. Обшарил Димину комнату, вышел и рванул Тамарину дверь.

— Там закрыто, — сказал Дима. — Это комната жены. Она в Америке. Она ключ с собой взяла.

— Заткнись! — пистолет больно уперся в его затылок.

Второй плечом вышиб дверь и обшарил Тамарину комнату. Потом осмотрел кухню, ванную и туалет.

— Чисто, — сказал он разочарованно.

Тогда первый, держа ствол у затылка, левой рукой обшарил Диму. Неприятно провел ладонью по ляжкам и вдруг крепко сжал Димину мошонку. Дима охнул.

— Смотри не балуй, — в ухо ему сказал первый. — А то яйца оторву. Понял?

Он отпустил Диму и открыл дверь на лестницу.

— Все чисто. Заходите, Виктория Валерьевна.

И в прихожую вошла она. В пушистой песцовой шубе. Ошарашенного, униженного Диму больше всего поразила эта пушистая шуба. Стоял сентябрь, но на улице было еще совсем тепло. Дима смотрел на нее, как на привидение.

— Здравствуйте, Дмитрий Николаевич, — сказала она своим капризным детским голосом. — Я пришла извиниться перед вами.

— За что? — оторопел Дима.

Она сказал охранникам:

— Спасибо, мальчики. Подождите меня в машине. Я скоро.

Они по-борцовски качнули стрижеными головами и вышли. Виктория улыбнулась Диме и положила сумочку у зеркала:

— Сначала я извинюсь за охрану. У мужа небольшие проблемы. Так что приходится все время быть на стрёме... — она засмеялась. — Вы как клоун. Весь в мыле.

Дима вытер полотенцем щеки.

— Меня грозили похитить, — объяснила она, — так что приходится соблюдать осторожность... Что же вы стоите? Что же вы не приглашаете меня пройти?

Дима стоял посреди прихожей, опустив голову, сморщившись — болела прижатая мошонка.

— Раздеться-то хотя бы можно? — спросила она с вызовом.

— Ах, да, — спохватился Дима. — Конечно. Раздевайтесь.

Виктория повела плечами и вышла из просторной шубы, как из комнаты. Шуба мягко упала на пол. Дима машинально ее поднял. Шуба была невесома, как облако, от нее пахло дорогими духами. Осторожно, как живую, Дима водрузил шубу на вешалку.

Виктория, щелкая каблучками, прошла в Димину комнату. Она была в прозрачном черном коротком платьице с голыми плечами. А ее стройные ноги в светлых колготках были похожи на те ножки с театральной афиши «Лебединого озера». «Явилась черным лебедем», — усмехнулся про себя Дима. Она подошла к нему:

— А я ведь так себе и представляла вашу комнату.

— Как? — не понял Дима. — Как вы ее себе представляли?

— Уйма книг, — улыбнулась она. — И жуткий бардак.

— У меня не всегда бардак, — сказал Дима. — Просто жена уехала.

— Куда? — вежливо поинтересовалась она.

— В Америку.

— Надолго?

Дима развел руками:

— Она уехала преподавать в актерской школе...

— Значит, надолго, — решила она.

— Как получится, — не согласился Дима.

Вика подошла к Тамариной двери.

— А там что?

— Ее комната.

Вика, отставив нижнюю губу, по-мальчишески дунула под наглую челку:

— Можно туда?

Дима вздрогнул. Кошмарный сон становился реальностью. Падающие башни и она в Тамариной комнате... Тамара с ее лицом...

— Так можно? — опять спросила Вика.

— Нельзя! — резко ответил он.

Она посмотрела на него из-под челки черными сверкающими глазами:

— Ну, нельзя так нельзя...

Заверещал, как сверчок, телефон. Дима дернулся в комнату.

— Это меня, — сказала Вика.

Она открыла свою сумочку у зеркала, достала трубку:

— Я задерживаюсь. У меня серьезный разговор. Когда буду выходить, позвоню. Все!

Подошла к Диме, нагло покачивая бедрами.

— Кто это? — спросил Дима.

— Хранители тела, — она провела языком по губам. — Беспокоятся за мою нравственность. Спрашивают, не пристаете ли вы ко мне. Ревнуют к вам, Дмитрий Николаевич...

Дима решил прекратить эту комедию:

— Слушай, а почему ты меня называешь на «вы»?

Она подошла совсем близко. Носки ее туфелек уткнулись в Димины тапки. Она посмотрела снизу в его глаза.

— Да потому что я виновата перед вами...

За дверью зашумел лифт. Она тряхнула челкой.

— Дмитрий Николаевич, у вас есть что-нибудь выпить?

— Выпить? — удивился он.

Она улыбнулась:

— Хочу выпить с вами «мировую»... Если нету, я могу охране позвонить. У меня в машине есть. Но не хочется их беспокоить... Так что? — она улыбнулась.

Дима молчал. Она огладила на бедрах черное платьице:

— Вы не хотите, Дмитрий Николаевич? Вы не прощаете меня?

— Нет, — твердо посмотрел на нее Дима.

Она удивилась, спросила капризным детским голосом:

— Это па-чи-му?

И Дима ей хладнокровно объяснил:

— Ты погубила мой спектакль. Ты погубила мой театр... Из-за тебя уехала жена... Из-за тебя я стал должником, живым рабом! Из-за тебя!.. Тварь!

Дима осекся. А она захохотала откинув голову:

— Тварь?.. Это я тварь?.. Это вы так меня?..

Дима молчал. Она хохотала так, что у нее выступили на глазах слезы. Ногтем указательного пальца она скинула слезинки с ресниц.

— Спасибо, Дмитрий Николаевич... Большое вам спасибо... Я могу идти?

— Иди, — хрипло ответил Дима.

Вика покачалась на каблуках, резко повернулась, надела шубу и взяла сумочку:

— Я рада, Тим... Я рада, что доставила тебе удовольствие.

— Какое удовольствие? — не понял Дима.

Она задержалась в дверях:

— Игорь Яковлевич сказал мне в Выборге, что ты меня ненавидишь. Я не поверила. Он сказал, что ты мне хочешь отомстить... И ты мне отомстил. Ты доволен? Ты счастлив?

Дима оторопел:

— Он так сказал?..

Вика открыла дверь:

— Будь счастлив, Тим. Всего тебе самого лучшего. Прощай.

Дверь за ней хлопнула. На вешалке у зеркала остался лежать ее сотовый телефон. Дима хотел догнать ее, но раздумал.

Дима походил по комнате и решил сам позвонить Игорю. За те дни, что он ждал звонка, ему несколько раз хотелось самому позвонить. Но Дима сердито бросал трубку. Навязываться своему кредитору он считал для себя унизительным. Теперь был повод для серьезного разговора с «тайным советником».

Трубку сняла Клеопатра Антониевна и холодным голосом доложила: «Игорь Яковлевич очень занят. Перезвоните на той неделе».

Дима рассердился, он чуть не разбил трубку. «Тайный советник» был занят своими интригами, а Дима как проклятый, всю неделю ждал его звонка! Мог бы предупредить, мог бы освободить от дежурства у телефона. Ему это и в голову не пришло! Он всерьез считает своего должника рабом, своей собственностью! Да кто он такой, черт возьми? Кто ему позволил так обращаться с однокурсником?!

В общем, Дима отправился к Леве полным решимости вывести «тайного советника» на чистую воду.

Лева жил на Комендантском аэродроме. От метро «Пионерская» Дима доехал на маршрутке до огромного, во весь квартал, девятиэтажного дома, прошел под высокую арку во двор. Лева жил в третьем корпусе. Но все корпуса во дворе не имели номеров и были похожи друг на друга. Дима поскитался по пустынному двору, пока не увидел у дальнего подъезда одного из корпусов знакомый новенький «Вранглер». По джипу Дима и определил Левин корпус и его парадную. У парадной на скамеечке сидел какой-то старый ханыга. Между ног у него стоял мятый пластмассовый пакет, в каких ханыги носят сдавать найденные в урнах бутылки. Дима подошел к джипу. Новенький красный «Вранглер» был самой последней модели — четырехлитровая «Сахара». Джип превосходил Димину мечту!

— Твоя машина? — спросил вдруг ханыга скрипучим голосом.

— К сожалению, не моя, — ответил Дима.

— А чья, не знаешь?

— Моего друга, — буркнул Дима, подходя к подъезду.

Ханыга, зажав пальцем нос, высморкался на газон.

— Хорошая машина. Новая...

— Тебе-то что?

— Охранять ее надо, — ханыга вытер ладонь о штанину. — Скажи другу, если будет платить в день полтинник, я берусь ее охранять. Так и скажи. Не забудь. Понял?

Дима остановился:

— Ты мне поручение, что ли, даешь?

— Вот именно! — важно сказал ханыга. — Поручаю. Не забудь. Понял?

— Слушай, ты, старый пень, — рассердился Дима, — пошел ты со своими поручениями!

Ханыга гордо отвернулся от Димы:

— Смотри. Была бы честь предложена.

Дима завелся:

— Ты угрожаешь мне, что ли? Ты... персонаж сраный!

Дима сам не знал, почему назвал бомжа «персонажем». Уже позднее он вспомнил, что было в ханыге что-то странное, не соответствующее бомжовскому облику.

Ханыга смерил Диму колючим взглядом:

— Иди отсюда, фраер. А то счас Колю Чугуна крикну. Хочешь?

Разборки с местными бомжами совсем не входили в Димины планы. Его интересовала подноготная «тайного советника», и Дима, сердито сплюнув, вошел в парадную.

Лева уже ждал его у своих дверей на площадке у лифта:

— Где тебя носит, Тим?! Третий раз это кино показывают!

Лева отдыхал по полной программе. Жена с малыми детьми еще не приехала с дачи, и Лева блаженствовал в отремонтированной за лето просторной квартире. В столовой к Диминому приходу Лева накрыл шикарный ужин, усадил гостя напротив телевизора и разлил по фужерам заграничную хохлятскую «Перцовку».

Лева был уже, как говорится, на хорошей кочерге, поэтому разговор получился сумбурный. Постараюсь передать его осмысленную часть как можно более прилично.

11. Исповедь

Для начала, как водится, Лева разлил заграничную «Перцовку» по фужерам. На его руке у самого запястья синел глубокий шрам. Дима никогда не видел у однокурсника этого шрама и, конечно же, поинтересовался, откуда тот появился. Лева небрежно махнул рукой:

— А-а, старая песня. Когда меня в четвертый раз в Театральную академию не приняли, решил счеты с жизнью свести. — Лева громко заржал. — Как Сергей Есенин. «Вижу взрезанной рукой, помешкав, собственных костей качаете мешок...» Помешкав — мешок. Молодец, Владимир Владимирович. А? Поэт, ничего не скажешь. Обо мне бы так никто не написал.

Это его признание для Димы было полной неожиданностью. Вечно довольный собой, несмотря ни на что самоуверенный, Лева оказывается пытался покончить жизнь самоубийством.

— Не смотри на меня с упреком, — балагурил Лева. — Я эту глупость больше никогда в жизни не повторю! Молодой был... — он грустно улыбнулся. — Как говорится, мал и глуп, не видел больших залуп! Жизни себе без театра не представлял. А теперь я понял, что театр — это детская игра! В жизни настоящие люди такие убойные комедии ставят — закачаешься! Видел это шоу с небоскребами? Как поставлено! А? Какой размах! Какая мощь! Вселенский масштаб! Ведь после такого шоу весь мир содрогнуться должен! Вот это режиссура! Снимаю шляпу!

Дима не хотел говорить про небоскребы. Они ему напомнили неприятный сон. И политики он не хотел касаться. Его волновали только долг и кабала, в которую он незаметно попал. Но Лева не мог остановиться.

— Погоди. В девять опять этот блокбастер покажут. Полюбуешься на настоящую режиссуру! Вот за что премию Оскара надо давать. Премьера космического масштаба! А им этой пошлой славы и не нужно. Всколыхнули земной шарик и отдыхают где-нибудь на Багамских островах. Придумывают новый спектакль. Теперь астероид какой-нибудь на Землю направят. Вот смеху-то будет! А?

С большим трудом Диме удалось перевести разговор на другую тему. Он поинтересовался Левиными делами, спросил, как и чем закончилась разборка после ролевой игры в Выборге.

— Да все путем! — отмахнулся Лева.

— Как раненый? Что с племянником?

— Труп! — поморщился Лева. — Ты же сам все ждал, когда трупы будут. Дождался.

— Убит?! — задумался Дима. — А... Виктор как же?

— А Витек сидит в «Крестах». Но, говорят, скоро отпустят под подписку. Наш Игорь Яковлевич Штерн большие связи в прокуратуре имеет. — Лева наклонился к Диме. — Самому Кроту отказали! Представляешь? Самому Кроту! Который полгорода в руке держит. А Игорь Яковлевич в Москву съездил и добился освобождения Витюши под подписку. Остались чисто технические вопросы.

— Значит, суд будет, — задумался Дима. — А ты говоришь все путем. Суд может навсегда прикрыть ваши ролевые игры.

Лева смачно хлопнул ладонью по посогнутой в локте руке и показал Диме неприличную фигуру.

— Вот им! По самые помидоры! Ролевые игры будут жить, пока живо человечество! Нашу песню не задушишь, не убьешь, нашу песню распевает молодежь! Ролевые игры скоро заменят людям и спорт, и искусство и религию!

Про ролевые игры Дима слушать тоже не хотел. Он резко перешел к главному, пока Лева совсем не сломался.

— Слушай, Лев, я ведь к тебе по делу.

Лева тут же поставил фужер, облокотился о стол и сделал серьезное лицо:

— Что случилось? Выкладывай.

Хмель с Левы как рукой сняло. Дима посмотрел в его строгие, внимательные глаза:

— Объясни мне, пожалуйста, кто такой этот... Игорь Яковлевич Штерн?

Лева чуть улыбнулся:

— Он твой однокурсник, Тимуля.

— Нет, — не согласился Дима. — И фамилия у него другая, и сам он не тот...

— Ну, с фамилией-то просто, — успокоил его Лева. — Офиздинел ему таежный театр. Выше головы офиздинел. И решил Игорек валить. А у него за границей родственники по матери. Прислали ему приглашение. Это еще до катастройки было. Вот Игорек и сменил фамилию, чтобы спокойно к родственникам уехать.

— Оставив вещи на берегу?

Лева засмеялся:

— Вся труппа решила, что он утопился. А он в это время уже в самолете к Америке подлетал. Это был первый спектакль, поставленный им в новом театре.

— Каком театре? — заинтересовался Дима.

Лева в лучах заходящего солнца широко раскинул руки:

— В театре по имени жизнь!

Дима насторожился, услышав знакомую фразу. Еще раньше, когда Лева упомянул про «убойную комедию», Дима решил, что это просто случайное совпадение. Теперь он задумчиво взглянул на Леву.

— Не смотри на меня с упреком! — предупредил Лева. — Расскажи-ка лучше, на каких условиях Игорь Яковлевич Штерн одолжил тебе некую сумму?

И Дима, подумав, рассказал ему все начистоту. И про Тамарину расписку, и про странную приписку в договоре об обязательстве «беспрекословно выполнять любые требования».

Лева задумался:

— В старину так в кабаках вербовали пьяных матросов на пиратские шкуны.

— Не понял, — сказал Дима.

— А чего тут понимать. Завербовал он тебя.

— Ку-да? — весь напрягся Дима.

— В свои актеры, — сурово сказал Лева. — Теперь жди, какую роль тебе предложат сыграть. Хорошо бы не сильно страшную и не очень смешную. Давай-ка выпьем.

Они выпили заграничной перцовки, закусили «сопливенькими» маринованными грибочками.

— Не повезло тебе, Тим, — покачал головой Лева. — Хотел я тебя отмазать — не вышло! Твою расписку он теперь ни за какие деньги не вернет. Он с потрохами тебя купил за десять тонн зеленых.

Это для Димы не являлось открытием. Это он и сам понимал. Он не открыл Леве придуманный план спасения. Он решил собрать нужную информацию незаметно, за разговором.

Но Лева на серьезные разговоры не шел. Пил и молол всякую чушь про жену, про детей, про свою «свежерубленную» дачу или рассказывал анекдоты про «новых русских», размахивая перед Диминым носом своей искалеченной рукой. Диме, наконец, надоело, и он спросил собутыльника в лоб.

— Игорь — разведчик. На кого он работает?

Лева с минуту смотрел на него протрезвевшим взглядом и сказал:

— Офиздинел? Какой он разведчик?

— Брось! — рассердился Дима. — Хватит меня за полного лоха держать. Ты же сам мне советовал быть с ним очень осторожным! Сам! Скажешь, нет?

— Ну, предупреждал, — согласился Лева. — Потому что тебя расколоть хотел.

— Меня? Расколоть? — поразился Дима. — В чем меня колоть?

Лева выпил, закурил и, не торопясь, объяснил:

— Я догадывался, на каких условиях Игорь дал тебе деньги. Мы решили, что он тебя в нашу контору устроил как своего агента. И решили тебя расколоть. Мы еще до Выборга не доехали, как я понял, Тимуля, что ты полный лох. Вёисишь на крючке и мечтаешь, чтобы тебя кто-нибудь снял. Я и решил помочь. Поговорить с генеральным. Но теперь — все. Игорь тебя не отдаст. Ни за какие деньги.

Дима заволновался:

— Подожди — подожди... Если вы решили, что я агент... Значит... — Дима с трудом подобрал слова. — Игорь меня тоже предупреждал насчет тебя... Игорь сказал, что ты сам агент КГБ!

Лева от души рассмеялся:

— А ты что, не знал, что ли?

— Откуда мне это знать?!

Лева разлил по фужерам перцовку:

— Я же всех ребят на курсе предупредил, чтобы со мной вели себя осторожно. Потому что я — агент КГБ! Ты не слышал, что ли?

— Не слышал, — улыбнулся Дима.

Лева поднял фужер:

— Чаще надо было на курсе бывать. А не прогуливать занятия нашего великого мастера!

Они опять выпили и закусили на этот раз миногой в горчичном соусе.

— Зачем же мне Игорь так сказал? — задумался Дима. — Если это треп?

— Почему это треп? — обиделся Лева. — Я настоящий кагэбэшник!

Диме показалось, что он набрался уже больше, чем Лева. Он раздраженно махнул рукой:

— Кончай трепаться...

Лева снова разлил по фужерам:

— Да это не треп! Клянусь! Хочешь расскажу, как меня завербовали?

Вместо ответа Дима хлобыснул свой фужер.

— Слушай сюда! — приказал ему Лева, закурил и с удовольствием начал свою исповедь.

— Как ты знаешь, я поступал в нашу гребаную Академию пять раз. После четвертого раза решил счеты с жизнью свести, — Лева пальцами с сигаретой провел по синему шраму, сигаретный дымок, как лезвие, навис над рукой. — Был, как говорится, мал и глуп, не видел больших залуп. Так вот. Решил поступать в последний раз! А по пятому разу все вернулось на круги своя. В приемной комиссии опять те же люди, к которым по первости поступал. «А-а-а! — встречают меня, как родного. — Знакомые все лица! Опять вы, молодой человек. Не пропало, значит, желание стать жрецом Мельпомены? Упорный вы юноша! Но искусство, чтобы вам было известно, не столько упорных любит, сколько талантливых. А с талантиком-то у вас как? Неужели за это время вы и талантом обзавелись? Где же вы его прикупили, если не секрет? Ась?»

Дима, как в живую, увидел хищное лицо Мастера, услышал его хриплый, иронический голос.

— Ну, вот, — потушил сигарету Лева. — Понял я, Тимуля, что это финал моей трагикомедии. Непредсказуемая девка с наглыми глазами, именуемая Мельпоменой, и в этот раз засучит свою юбчонку перед каким-то «гулякой праздным», но никак не передо мной... Иду это я по темному коридору в канцелярию, документы свои забирать, и вдруг меня кто-то плечиком, осторожненько так. «Извините, — говорит, — ради Бога, можно вас на пару ласковых слов?»

Вышли мы с незнакомцем на Моховую. Вокруг нарядные абитуриенты суетятся, волнуются. Мой незнакомец мне и говорит: «Вам-то теперь волноваться нечего. С вами уже все ясно, правда?» «Сущая правда», — я ему отвечаю. Он распахивает передо мной дверцу черной «Волги». «А если так, — говорит, — то времени у вас навалом. Поехали, покатаемся». И поехали мы, Тимуля, кататься. И приехали в хорошо известный всем дом, по адресу Литейный, 4.

А там в строгом кабинете ждет меня очень озабоченный чем-то человек в сером костюме. Незнакомец, который меня привез, объяснил ему что-то на ухо. Человек в сером костюме стал еще серьезней и озабоченней.

— Какая несправедливость! — возмущается он. — Такого упорного парня в пятый раз не принять! Да что они там все, офиздинели?! Фарцовщиков и пьяниц каких-нибудь опять наберут или проституток валютных, а нам потом с этими талантами морока сплошная!

Не согласен! — говорит. — В таланте все должно быть прекрасно — и помыслы, и упорство, и чистота ногтей. Вы мне подходите, юноша. Я вас беру. Нам такие упорные нужны.

— Куда это? — раскрываю я варежку. — Куда это вы меня берете?

— А куда хотите. Хотите режиссером, хотите артистом, хотите кукольником? Или театроведом в штатском?

Я, конечно, думаю, что надо мной смеются, издеваются. Но вид у этого озабоченного вполне серьезный. Он протягивает мне бумагу и объясняет, что как только я ее подпишу, он тут же снимает трубку и я могу считать себя принятым без всяких экзаменов на курс гениального Мастера по специальной квоте! Ты представляешь, Тимуля? Мое состояние ты чувствуешь?!..

Лева задумчиво закурил.

— Тимуля, должна же быть на свете справедливость... Иначе и жить зачем? Справедливость явилась мне ввиде строгого человека в сером костюме... Да будь он, Тимуля, в кожаной куртке с маузером... или в черной эсэсовской форме... Какая разница?! Мое стремление, мое упорство впервые оценили! Впервые со мной, Тимуля, разговаривали по-человечески! Так разве буду я обращать внимание на цвет его формы?! Справедливость, Тимуля, останется справедливостью, в какие бы одежды ее ни рядили. Она не Мельпомена, наглая девка с бесстыжими глазами, задирающая юбку перед талантами! А что есть такое Талант, Тимуля? Ответь мне, гений! Молчишь! Потому что понимаешь, что талант — это такая неопределенная, такая бессмысленная штука, что ее и объяснить-то словами нельзя. Вчера ты был любовником Мельпомены. Еще вчера все завидовали тебе, а сегодня она трахается с каким-то гнусным, картавым мерзавцем. Кто ты теперь, Тимуля, бывший любовник Мельпомены?! Молчишь?.. А справедливость, девица строгая со стальными глазами, и одежды у нее строгие... И сбросит она стыдливо свои строгие одежды только перед самым упорным, перед самым обиженным...

Лева провел ладонью по страшному синему шраму и поднял фужер:

— Давай, Тимуля, выпьем за самую чистую, самую строгую, самую нежную любовницу на свете. Давай выпьем за Справедливость!

— Подожди! — перебил его Дима. — Тебя же приняли не просто так? Они же с тебя потребовали за это что-то? Правда?

Лева поставил фужер на стол и усмехнулся:

— Не смотри на меня с упреком!

— Что-то ты ведь должен был за это сделать? — сурово спрашивал Дима.

— А что? Как ты считаешь? — нехорошо усмехнулся Лева. — Человека убить? Заложить подпольную антисоветскую организацию? Посадить в застенки честнейшего диссидента доктора Айболита? Отравить кофе нашего гениального мастера?.. Ну, что ты думаешь они с меня потребовали? Что?!

Дима пожал плечами:

— Откуда я знаю?

Лева наклонился через стол:

— А не знаешь, так не физди! Понял?

Дима рассердился:

— Хочешь сказать, что тебя приняли просто так?

Лева хватил ладонью по столу; фужеры испуганно вздрогнули.

— Я этого не говорил! Я сам, по собственному желанию, слышишь? По своей собственной воле согласился быть в нашей Академии недреманным оком моей любимой девицы по имени Справедливость! Сам! По собственной воле! Разве я мог поступить иначе? Ведь она столько для меня сделала! — Лева резко откинулся на спинку стула. — Но, к сожалению, я ей мало помог. Слишком мало. Полковник оказался прав. Опять в Академию набрали фарцовщиков, пьяниц и валютных проституток. Или уж совсем чокнутых на театре, вроде тебя, гений. Информации минимум. Так что остался я в неоплатном долгу перед моей любимой девицей…

Дима поднял фужер и улыбнулся:

— Поэтому ты и признался на курсе, что ты агент КГБ? Да?

Лева вдруг помрачнел.

— Ошибаешься. Мне пришлось так сделать, потому что меня уже вычислили. Мне пришлось все обратить в треп. Пришлось.

Дима удивленно поставил фужер.

— Вычислили?.. В нашей Академии?.. Кто?

— Представь себе, — мрачно кивнул Лева.

— И кто же это был?

Лева нехорошо улыбнулся:

— Наш однокурсник, Игорь Яковлевич Горелин, который теперь называется Штерном, что на некоторых иностранных языках значит — Звезда!

— Я же говорю! — встрепенулся Дима. — Я же говорю — он разведчик!

Лева ласково взял его за руку:

— Это ты говоришь. Я этого не говорю.

— А что же ты говоришь? — не понял Дима.

— Я сказал только, — напомнил ему Лева, — что он меня вычислил. И мне пришлось раскрыться. Вот что я говорю.

Они помолчали. И Дима спросил, оставляя Леве надежду, достойно, как он считал, закончить неприятный разговор.

— Ты раскрылся, и на этом закончилась твоя деятельность? Да?

Лева засмеялся:

— Совсем за идиота меня держишь? Я раскрылся потому, что у меня уже напарник был. Суперагент, вычислить которого никто никогда бы не смог! Никто и никогда!

— Кто же это? — с интересом спросил Дима.

Лева, откинувшись на стуле, абсолютно трезво смотрел в его глаза.

— Вот этого я тебе не скажу. Не имею права. Понимаешь?

— Понимаю, — кивнул Дима. — Это твоя работа... Только...

— Что только?

Дима пожал плечами:

— Только я не, понимаю на кого вы сейчас работаете? С кем вы?

Лева развел руки в темно-красном луче заходящего солнца.

— А мы не левые и не правые... Потому что мы валенки... на любую ногу...

Дима смотрел на него удивленно.

— Не смотри на меня с упреком! — засмеялся Лева и поднял фужер. — Мы так и не выпили за мою любимую девицу! Вперед!

Они выпили, и Дима понял, что на этом их серьезный разговор на сегодня закончен. Об Игоре Лева не скажет ему больше ни слова, как и о своем загадочном супер-агенте.

Тут как раз началась программа «Время». Лева сделал погромче звук и впился в экран. Опять на голубом небе торчали, как рога библейского зверя, две высокие башни, и в них вонзались, как в фильме ужасов, сверкающие на солнце самолеты. Лева опять шумно восхищался гениальной режиссурой этой

Премьеры космического масштаба! Ведь такую грандиозную вспышку и столб дыма, окутавший весь Манхэттен, можно было видеть даже с других планет!

Потом показали испуганных, мечущихся по развалинам людей. Дима жалел их и не мог согласиться с Левой. О какой режиссуре можно говорить, видя людские страдания?! Несомненно, это просто тонко задуманный, безжалостный террористический акт озверевших религиозных фанатиков. А Лева хохотал, хлопал в ладоши и требовал немедленно присудить этому зрелищу премию Оскара.

— Все равно в этом году, вы, америкосы, достойнее ничего не увидите! Андестенд?

Потом они опять пили. Лева принес с кухни запеченного в сметане карпа и заставил Диму есть, чтобы совсем не сломаться. Дима ел, давился рыбьими костями и ждал, когда Лева закончит свои нескончаемые монологи. Наконец, дождался. И в короткой паузе спросил.

— Лев, объясни хоть, зачем я ему?

— Кому? — не сразу врубился Лева.

— Однокурснику, — нахмурился Дима. — Зачем я ему нужен?

Лева разлил по фужерам «Перцовку».

— Думаешь, ему нужен именно ты?

— А кто же?

Лева со значением подмигнул:

— А я считаю, что ему нужна твоя Томочка!

Дима вздрогнул и протрезвел:

— Точно... Помнишь, когда мы его в Сибирь провожали...

— Он крикнул ей с подножки, — радостно подхватил Лева. — Все равно ты от меня никуда не уйдешь!

Дима задумался:

— А что он имел в виду?

Лева засмеялся и обнял его за плечо:

— Только то, что сказал! Только это! А ты что подумал?.. А?..

Дима тупо уставился на него:

— А ты что подумал?

Лева сжал его в объятиях:

— Не бзди, Тимуля, прорвемся! Игорю сейчас не до тебя. У нас есть время. Я что-нибудь придумаю.

Дима даже обиделся:

— А почему это ему не до меня? Я обязался «беспрекословно выполнять любое его требование»...

И Леве пришлось объяснять, что после убийства племянника Широкова война между олигархами началась по полной программе. Взрывались бензоколонки, принадлежащие одной из фирм Крота, загорелся один из главных спиртовых заводов Широкова. Игорь мечется между двумя олигархами, стараясь угодить каждому. Для Крота он добился в Москве освобождения Виктора под большой залог и под подписку о невыезде (остались только технические проблемы), для Широкова обнаружил где-то в самом центре города затерянный между домами флигилек, принадлежащий когда-то семье Царевича...

— Да! — спохватился Дима. — Точно! Он при мне спрашивал у старика, кто в нем жил до революции, а тот сказал, что какая-то любовница императора Павла Первого, которого масоны табакеркой в висок...

Лева неожиданно заинтересовался:

— И ты с ним был? Ты-то причем?

— Это же мой флигилек. Мой! — пьяно признался Дима.

— Ты тоже родственник Нелидовой? — сурово спросил Лева.

— Какой еще Нелидовой? — обиделся Дима.

— Любовницы Павла Первого, — объяснил Лева.

— Офиздинел! — возмутился Дима. — Какая любовница! В этом флигеле я поставил «Три сестры»! Мой лучший спектакль! А теперь я его совладелец! Игорь меня сделал совладельцем!

— Чьим совладельцем?

— Этого флигеля в самом центре города. — похвастался Дима. — Знаешь, какие это огромные деньги?!

Но Лева его уже не слушал. Он сосредоточенно и быстро помассировал пальцами поседевшие виски и задумался, глядя в окно, освещенное закатным пожарищем. Диме стало скучно. Ему не хватало собеседника.

— Лев, ты что?.. Я что-то не то сказал?

Лева как-то странно на него посмотрел и протянул сигареты:

— Кури.

— Я не курю. Давай лучше выпьем, — сказал Дима и поднял фужер.

— Сделай паузу — скушай «ТВИКС», — Лева поставил его руку с фужером на стол. — И ответь мне на два вопроса.

Закатное солнце и строгие Левины глаза — Диме на миг покозалось, что он на допросе у следователя. Он положил ногу на ногу и усмехнулся:

— Я больше ничего тебе не скажу! Ни-чи-во!

Лева пододвинул свой стул ближе:

— Скажешь.

Дима гордо поднял голову:

— Бить будешь, что ли? Пытать? Ну, давай, чекист! Пытай!

Резкий, короткий удар в скулу свалил Диму на ковер вместе со стулом. Под потолком кружилась бронзовая люстра, мелодично звенела хрустальными подвесками. Или это у Димы звенело в ушах?.. Дима закрыл глаза, а когда их открыл, увидел склонившегося над ним Леву и его протянутую руку.

— Вставай, — приказал Лева. — Времени нет. Вставай.

Дима не понял, почему нет времени. Лежать на ковре было хорошо и приятно. Только немного болела скула. Лева сам схватил его за руку, поднял с пола и усадил на стул.

— Не надо так со мной, — сказал Лева. — Я спасти тебя хочу. Ты мне на курсе больше всех нравился. Но дружить с тобой я не мог. Не хотел тебя подставлять. А теперь... Уж если все само так случилось... Я за тебя отвечаю.

Дима потряс отяжелевшей башкой и спросил:

— От кого меня спасать?

Лева открыл сервант, достал два чистых хрустальных бокала, налил в них минералки и бросил в бокалы по маленькой, желтенькой таблетке. Дима тяжело вздохнул и поднял свой фужер с перцовкой.

— Не надо, — перехватил его руку Лева. — Пить больше нельзя.

— Почему? — удивился Дима.

— Сейчас поедем к генеральному. Ты ему все расскажешь. Выпей это.

И Лева протянул Диме хрустальный бокал, в котором пенилась и брызгала в лицо таблетка.

— Я не поеду к твоему генералу, — упрямо сказал Дима. — Я в ваши игры не играю!

— Конечно, — тут же согласился Лева. — Ты не играешь, играют тобой.

— Кто?! Однокурсник?! — Дима пьяно рассмеялся. — Да что он может?! Видел я его спектакль!

«Живой труп». Он бездарь! За что ты меня ударил? За что?!

Лева долго его успокаивал, объяснял, что Дима начал его оскорблять еще тогда, в театральном кафе, что пьяный Дима — не сахар, специально выводит людей из себя и он, Лева, конечно же, тоже не сахар, он просто закомплексован от своей секретной работы и очень редко бывает, что у него сдают нервы и если Дима хочет, он тотчас же извинится перед ним, если Дима первый перед ним извинится. Долго они говорили в два голоса, не слушая друг друга и, наконец, отвернувшись, сшиблись по-дружески ладонью о ладонь.

Конфликт был исчерпан, и Дима вернулся к главному:

— Так от чего ты меня хочешь спасти?

Лева закурил:

— Деньги ерунда. Деньгами твой долг теперь не погасишь. Этой припиской красными чернилами он тебя на крючок посадил капитально...

— Ну зачем я ему? — старался понять Дима. — Я же ничего не умею! Ничего не могу. Только спектакли ставить...

Лева, не торопясь, объяснял:

— Сначала я думал, что ему Тамара нужна... А ты так...

— Как это так? — не согласился Дима. — Когда он заставил меня эту приписку сделать: «обязуюсь беспрекословно выполнять...»

— Я думал сначала, — перебил его Лева, — он сделал это, чтобы тебя контролировать. Чтобы вышло так, что ты ему этот долг никогда бы не смог вернуть.

Дима задумался:

— А как это? Он же сам мне обещал работу найти. Сказал, что к Рождеству, к Тамариному приезду, я с ним обязательно рассчитаюсь...

— И сделает все, — подхватил Лева, — чтобы ты с ним никогда не рассчитался!

— А если я в другом месте деньги достану?!

— Он сделает так, что их тебе никто не даст!

Дима с надеждой посмотрел на Леву:

— А ты?.. У тебя же есть... Ты сам сказал...

Лева помрачнел:

— Даже если я тебе дам, по дороге к нему на тебя нападут бандиты и отнимут деньги! Я же сказал, не в деньгах дело! Не в них!

— А в чем же? — растерянно спросил Дима.

Лева протянул ему бокал:

— Выпей. Дело оказалось серьезней, чем я думал. Гораздо серьезней. Пей!

Уговаривать Диму не пришлось. Теперь он и сам понимал, что все оказалось очень серьезным. Очень. Они чокнулись бокалами с противохмельным питьем и дружно выпили. Лева смачно рыгнул:

— Порядок!

— Рассказывай, — подгонял его Дима.

И Лева, опять закурив, начал:

— После сегодняшней грандиозной космической Премьеры меня осенило...

Дима поморщился:

— Опять ты про этот теракт?

— Какой теракт?! — возмутился Лева. — Ты же умный человек! Ты гений в режиссуре! Не будь ты лохом, Тим! Неужели ты не видишь красоты и грандиозного масштаба постановки?! Разве так теракты делают? Разве при теракте кто-нибудь думает о красоте зрелища?! Неужели ты не чувствуешь замысла гениального режиссера? Не узнаешь руку Мастера?

Дима пожал плечами:

— А зачем? Зачем все это? Мастер узнается не по красоте зрелища... Вот закат. Смотри, какой

грандиозный закат! Разве его кто-то поставил?..
Мастера определяет цель! Высокая цель! В этом теракте нет высокой цели. Сплошной арабский фана-
тизм. Показать себя, напугать, заставить людей бо-
яться. Только и всего. Красота получилась случайно. Как этот закат...

— Случайно?! — вскочил со стула Лева и нервно заходил по комнате. — Все рассчитано! Досконально! Таких случайностей не бывает! 11 сентября!
Это же: 9-й месяц, 11 — число! Это же 911! Это не
теракт — это служба спасения! Это ключ! Ты разве
не знаешь, что доллар висит на волоске? Через пару
недель на биржах должна начаться паника! Доллар
накануне краха! А после этой Премьеры попробуй-
ка его уронить?! Да несчастных страдальцев-амери-
косов теперь закидают деньгами! Это раз! А всеоб-
щая ненависть к оголтелым арабам-фанатикам?! Запомни мои слова, не позже чем через месяц Америка
начнет арабов бомбить! И весь мир ей будет апло-
дировать... А дальше... Третий Иерусалимский
храм!.. Вон кого они спасают!

Дима его перебил:

— Ты сказал, у нас времени нет.

— Да, — спохватился Лева. — Вставай, поедем
к генеральному.

— Подожди, — остановил его в дверях Дима. —
Сначала я хотел бы понять...

— Что? — нетерпеливо спросил Лева. — Что ты
еще хочешь понять?

— То, что ты понял, — сказал Дима, — Про нашего однокурсника. Как он хочет меня использовать?.. Если дело не в деньгах, как ты говоришь...

Лева раздраженно толкнул Диму на диван и сам
сел рядом.

— В двух словах. Времени нет. Я генеральному
уже отзвонил. Он ждет.

— Когда ты успел? — удивился Дима.

— Пока ты на ковре отдыхал. Слушай сюда!

Лева торопливо, объяснил Диме, что главная цель Игоря Яковлевича Штерна — помирить олигархов, Кротова и Широкова. Ради этого «тайный советник» готов на все. После убийства любимого племянника Широкова сделать это почти невозможно. Между олигархами идет настоящая война. Они готовы погубить друг друга. Чтобы их помирить нужно придумать что-то экстраординарное! Вроде атаки на небоскребы! Лева понял сегодня, что именно такую Премьеру и готовит в Питере Игорь Яковлевич Штерн. Именно для этой Премьеры и нужен ему самый способный на курсе режиссер Дима Тимашов. Именно для этого он и заставил Диму сделать приписку красными чернилами: «обязуюсь выполнять любые требования...»

На потолке растаял последний багровый луч закатного пожарища, и комната в миг погрузилась в полумрак. Дима сидел как громом пораженный. Лева ласково взял его за руку:

— Ты поможешь нам, Тим?

— В чем? — встрепенулся Дима. — И кому?

Лева широко улыбнулся:

— Нам.

— Валенкам? — спросил Дима.

— Ну, — засмеялся Лева. — Ты узнаешь, что он задумал. Он непременно тебя посвятит. Непременно. Он же тебя хочет сделать режиссером своей Премьеры! Ты узнаешь все и сообщишь нам...

— Кому это «вам»? — опять не понял Дима.

— Валенкам, — подмигнул ему Лева. — А мы сделаем все, чтобы его Премьера не состоялась. Согласен?

Дима подумал и спросил:

— А мои расписки?

Лева за локоть поднял его с дивана:

— Не бери в голову. Твой долг мы берем на себя! Сейчас у генерального подпишем с тобой контракт. Но о нашем договоре будем знать пока только мы...

— Опять «мы», — рассердился Дима. — Кто эти «мы»?

— Ты и я... и генеральный, — просто ответил Лева. — Пошли.

Лифт застрял на верхнем этаже. Там шумно выгружались вернувшиеся в город дачники. И там, наверху, говорили только о недавнем теракте в Нью-Йорке. Взволнованно и тревожно, будто взорвали их близких родственников.

Лева с Димой пошли вниз пешком.

После похмельного напитка Дима чувствовал себя довольно бодро. Только немного болела скула и на душе было тревожно. Долг его не списывался, он просто переходил к другим людям. И то тайно. А Дима за это должен будет работать на них. Открыть им какие-то кошмарные планы Игоря. А если у того никаких кошмарных планов и нет? Может, все, что орал Лева о «службе спасения», просто пьяный бред?! Подписав контракт с совершенно неизвестным ему человеком, Дима окажется за те же деньги в двойной кабале! Выполнять любые требования Игоря и обо всем сообщать тут же им... Дима чувствовал, что на такую двойную игру он просто не способен...

Но с другой стороны, как же помочь Тамаре? Что если Лева прав, и Игорь, делая вид, что помогает Диме, ищет ему работу, сделает все, чтобы он эту работу не выполнил?! И к Рождеству получит свою собственность Тамару! Вот этого Дима даже представить себе не мог. Нужно использовать все средства! Любые средства! Подписать договор хоть с чертом, хоть с дьяволом, только спасти жену!

Они вышли из подъезда. Во дворе было темно, еще не зажглись фонари. В тусклом свете лампочки из парадной поблескивал красным лаком Левин джип «Вранглер-Сахара». Он стоял к подъезду передом и был чем-то похож на армейский «Виллис» времен Второй Мировой войны.

Лева ласково посмотрел на джип и полез за сигаретами.

— Духота... Наверное, гроза будет...

Они стояли у скамеек, на которых давеча сидел безобразный ханыга-бомж, так возмутивший своей наглостью Диму. После него под скамейкой остался пустой мятый пакет, в которых бомжи таскают собранные бутылки. Дима почему-то поразился, что бомж оставил пустой пакет. Когда он разговаривал с Димой, пакет точно был полный. Не мог же бомж унести бутылки без пакета? И бутылки ли там были?.. Этот порожний мятый пакет почему-то очень беспокоил Диму. Он хотел рассказать о бомже Леве, но не успел.

— Ну как? — спросил Лева. — Все продумал? Все решил? Я тебе не мешал.

— Только... — сказал Дима.

— Опять! — рассердился Лева. — Что еще?

— Ты мне так и не сказал...

— Что я тебе не сказал?

— Кто такой Игорь? И на кого он работает?

Лева бросил сигарету под ноги и затоптал ее мощным ботинком.

— В данный момент Игорь Яковлевич Штерн — наш партнер. В данный момент он работает с нами. Понятно?

— Потому что вы валенки? — грустно спросил Дима.

Сейчас эта шутка Леве не понравилась, он сердито достал из кармана ключи от машины.

— Поехали.

Лева нажал кнопку на брелке, отключая сигнализацию. Красный джип ожил, весело тявкнул по собачьи, мигнул фарами и вдруг... Взрывной волной Диму ударило о дверь парадной, зазвенели стекла, потом его бросило на скамейку, под которой лежал мятый пакет, потом на шершавый асфальт...

Щеку и подбородок ободрало как наждачной бумагой, рот был в крови, ныли разбитые колени, ломило спину. Из всех окон двора торчали, глядя в небо, испуганные лица. Женщины кричали: «И у нас! Как у них! Самолеты! Спасите!» В темном сентябрьском небе зажигались зеленые звезды, а посреди двора клубился черный дым и догорали искореженные обломки металла, еще недавно бывшие шикарным новеньким джипом «Вранглер-Сахара». Откуда-то набежала полураздетая толпа мужиков, с криками стала гасить пламя огнетушителями, землей от клумб и песком из детских песочниц, спасая припаркованную рядом личную собственность, отгоняя свои лохматки подальше от пожарища. К Диме подошел Лева. Лицо у него было черное от копоти как у кочегара, правая штанина оторвана до колена, волосы на голове стояли дыбом.

— Теперь ты понял?! — тихо спросил Лева. — Это только начало! Нас просто предупредили! Ты это понял?

Вместо ответа Дима сплюнул на асфальт кровавый сгусток.

— Пошли, — потащил его за угол Лева.

— Куда? — отбивался Дима.

— К генералу... к генеральному... все серьезней, чем я думал! Пошли! Поймаем такси!

Дима еле от него отбился.

— Погоди! Стой! Никуда я не пойду! Слышишь?

Лева тяжело дышал, на черном лице страшно ворочались белки глаз:

— Дурак! Я спасти тебя хочу! Я за тебя отвечаю!

Дима сжал разбитые губы:

— Не надо! Не надо меня спасать! Я сам! Как-нибудь. Пошел ты, Лева, на хер! Иди и не качайся!

12. Лакомый кусочек

Прошел месяц. О Диме все словно забыли. Только Дима не мог забыть о своем роковом долге. Он пытался дозвониться до Игоря, напомнить о себе. Он и повод придумал вполне законный — узнать у Игоря американский телефон Тамары. Но несгибаемая Клеопатра Антониевна не допускала его к телу «тайного советника»... И Тамара не звонила из Америки. Ей там, наверное, было не до него. После терактов Америка бурлила, кипела, сходила с ума. А несчастных америкосов продолжали запугивать сибирской язвой в почтовых конвертах, таинственными автомобилями со взрывчаткой у здания Пентагона и Капитолия.

Опять Дима вспоминал падающие башни из своего сна и телевизионную картинку с рушащимися небоскребами в Нью-Йорке. И восторженный возглас однокурсника-чекиста: «Вот это режиссура!» Лева даже назвал фильм, американский блокбастер, в котором точно так же самолеты атаковали нью-йоркские небоскребы.

Название этого фильма Дима не запомнил. Но зато он хорошо помнил начало своего любимого фильма «Крестный отец-3».

На титрах — панорама Нью-Йорка с воды. В центре кадра теперь уже всем известные башни-близнецы Торгового Центра... Случайность? Или намек? А в завязке — мафиози собираются на тайную сходку в каком-то шикарном особняке. Решают свои проблемы, закрывшись, окружив себя охраной. И вдруг это собрание расстреливают через окна с вертолета. Из помещения не выйти, кровь, гора трупов... Отец Карлеоне (Аль-Пачино) говорит потом:

— Мафиози не могли это сделать. Не тот полет мысли.

И, действительно, по фильму выясняется, что расстрел «срежиссировал» их враг — главный банкир Ватикана, у которого мафиози встали на пути. А потом этот банкир уберет только что назначенного нового папу Иоанна-Павла I, которому со слезами исповедовался Карлеоне когда решил служить Божьей правде. А потом так же уберут и самого Карлеоне...

Этот фильм на Диму произвел сильное впечатление.

Особенно ему запомнилась сцена гибели дочери Карлеоне: Аль-Пачино лежит на полу рядом с прикрывшей его от пули дочерью и долго безмолвно кричит. Широко распахнутый рот, вытаращенные глаза во весь кадр и только через минуту раздается безумный крик отца...

И, — конечно же, встреча Карлеоне с новым Папой. Папа достает из бассейна мокрый камень, который на глазах высыхает, и говорит:

— Этот камень много лет пролежал в воде, но так и не соединился с ней. Так и Европа. Она уже две тысячи лет погружена в Христианство и не пропиталась им...

После этих слов мафиози Карлеоне исповедуется Папе. За это и гибнет. И он, и его семья. Но сначала отравили самого Папу...

Вообще, это замечательный, или как теперь говорят, «знаковый» фильм. Его героям подражают и бандиты с золотыми цепями на волосатых грудях и считающие себя респектабельными олигархи. Сколько банкиров и дельцов расстреляно и уничтожено прописям этого фильма?.. А скольких настоящих людей убрали олигархи, как бедного Папу?..

Дима подумал и допустил, что возможно Лева Стрекачев прав, и атака на небоскребы могла быть кем-то срежиссирована ради какой-то «великой» цели...

Дима не то что успокоился, он просто привык к состоянию постоянного тревожного ожидания беды.

Дима чувствовал, что беда непременно придет, она только затаилась на время. Ни отвести ее, ни предвидеть Дима был не в силах. Беда могла придти отовсюду. И от «тайного советника», и от однокурсника-чекиста, с которым Дима отказался работать, и от бандитов Виктории, которую он выставил из дома, не приняв ее извинений.

Дима ни о чем не жалел. Он ждал беды с каким-то мазохистским наслаждением и готовился встретить ее своим единственным оружием — несокрушимой, как он считал, силой своего «петроградского» духа.

Весь этот месяц Дима не пил, по утрам делал зарядку, обливался контрастным душем и уже через неделю почувствовал внутри себя несгибаемый стержень. Он стал радоваться редкому питерскому солнцу и замечать на улице симпатичных девушек. Но самое главное — он снова захотел работать, ставить спектакли, репетировать до глубокой ночи, купаться в текстах пьес, разгадывая их таинственный, порой и самому автору неизвестный смысл.

Дима уже хотел позвонить Веничке и на правах совладельца предложить ему возродить во флигельке театр «КС». Но для того, чтобы начать этот разговор, нужно было найти пьесу, не просто пьесу, а замечательную, еще никем не раскрытую, ожидающую своего нового рождения пьесу.

О восстановлении «Трех сестер» Дима даже думать не хотел. Это был пройденный этап. Дима стал далек от Чехова, как Виктория в своей песцовой шубе была далека от чистой Чеховской героини.

Дима решил перечитать Шекспира, вспомнив разговор в офисе Игоря и томик Шекспира на его рабочем столе. Но Шекспира на его полках не нашлось. С большим трудом Дима вспомнил, что последний раз читал Шекспира у отца на даче. Там и оставил книгу. На следующее утро Дима поехал в Васкелово.

На вокзале в ларьке купил бутылку водки и розовую, в белых пупырышках, парную курицу. Всю дорогу он простоял в тамбуре, хотя народу в вагоне было мало, глядя на пожелтевшие перелески и мокрые проселки.

Осень пришла, как непрошенный гость, неожиданно и надолго.

Родной дом на отшибе, на самой окраине поселка, показался из-за леса неожиданно. Дима остановился, стало трудно дышать.

Отец будто ждал его. Стоял у покосившегося забора со сломанными штакетинами, обросший седой недельной щетиной, в кепочке, сдвинутой на глаза.

— Библейский сюжет, — сказал отец. — Возвращение блудного сына, — он ткнул пальцем в жухлую траву перед собой. — Становись на колени.

— Да ладно, — сказал Дима и вошел в знакомый с детства дом.

Все здесь было, как прежде. И старенький телевизор, и часы-ходики, и рыжая кошка, любимица матери, все молодые годы. Мать была гораздо моложе отца... Конечно же, это была другая кошка. С тех пор, как мать оставила их, прошло лет двадцать. Но отец упорно заводил только рыжих кошек и называл их всех, как первую, Марго. Ходики мерно стучали на стене, отмечая время, которое здесь давно остановилось.

Отец включил телевизор.

— Два часа. Нужно «Вести» смотреть. Мать их ети...

Потом они сидели за столом. Пили водку и ели вареную курицу с отцовской картошкой и укропом, нового урожая.

На экране телевизора гремели бои. Америкосы с воздуха бомбили талибов, наши разъезжали по Чечне на заляпанных грязью бэтээрах, моджахеды в каких-то театральных колпаках самозабвенно палили друг в друга из «калашей»... Отец хрипло резюмировал:

— В общем, навсегда покончили с холодной войной и занялись общечеловеческими ценностями! Мать их ети...

Дима вдруг сказал неожиданно:

— Зря!

— Что зря? — не понял отец.

Дима дернул шеей, по старой детской привычке:

— Зря ты меня тогда от Афгана отмазал. Зря!

Отец покачал седой головой.

— Идиот... Если б ты там погиб, твоя мать бы мне этого никогда не простила...

— А ей-то какое дело?

Отец так же спокойно ему объяснил:

— Она тебя безумно любила. Она тебя с собой хотела забрать. Я не дал. Обещал ей, что с тобой ничего не случится. Слово ей дал.

Дима усмехнулся:

— Так безумно любила, что бросила?

Отец обиделся:

— Это твоя царица Тамара тебя бросила. Шальная баба. Не смог я с ней ужиться. Сюда убежал. От греха.

— Напрасно убежал... — начал Дима и осекся, — от какого греха?

Отец сурово смотрел на него:

— Под Ельней в сорок втором я точно такую же царицу встретил. Капитана из СМЕРШ'а. Допрашивала меня, когда мы из окружения вышли. Чуть под расстрел не подвела, сучка!

Дима смутился:

— Тамара-то тут причем?

— Это тебе лучше знать, куда ее черт унес, — отрезал отец. — А мать полюбила другого. И ушла. Все объяснив.

— Да что она могла объяснить? — возмутился Дима. — У нее же семья была!

— Любовь зла, — вздохнул отец, — не зря говорится. Зла-а!

Дима впервые вдумался в эти слова:

— Разве может быть любовь злой?

Отец опять вздохнул:

— А другой она и не бывает...

Дима посмотрел на тершуюся об его брюки рыжую Марго и зачем-то отпихнул ее от себя ногой.

А потом Дима ходил в сельмаг за водкой. Под ногами шуршали красные и желтые листья. И вдруг в предвечернем небе раздался берущий за душу протяжный стон. Дима поднял голову и увидел над лесом далекий журавлиный клин. Дима впервые слышал, с каким тоскливым стоном покидают птицы свою родину. Ему вдруг стало безумно жалко Тамару. Даже слезы навернулись на глазах... Он понял, что будет ставить пьесу о злой любви. Самую из-

вестную пьесу Шекспира «Ромео и Джульетта»...
Он откроет ее по новому! Назло однокурснику, ставшему «тайным советником», у которого на рабочем столе лежит томик Шекспира. Он поставит замечательный спектакль, он докажет ему, что такое настоящий театр, который ничего общего не имеет с продавшейся дьяволу жизнью!..

Отец смотрел по телевизору программу «Время». Какой-то человек в очках с пухлыми, сытыми губами говорил об экономике. Рассказывал, что никакого пересмотра итогов приватизации не будет. Пересмотр поставил бы страну на грань гражданской войны.

Отец грохнул ладонью по столу:

— А сейчас что? Не война?! От главного армию в Чечне отвлекаете! Специально! Был бы я сейчас в кадрах! Вывел бы из парков свой танковый полк! Гусеницами бы давил этих ворюг! Гусеницами!

Дима еще не видел отца в таком волнении. Он налил ему водки:

— Ты чего? Угомонись, дед. Успокойся.

Отец выпил водку, как оратор воду, даже не поморщившись.

— Смену мы себе не подготовили. Вот в чем главная наша ошибка. И вина! Нету человека толкового. Толкового и смелого. Шушера в погонах. Негодяи в лампасах. Вот в чем дело! Вырастили себе на смену шибздиков. Говно вы, а не мужики! Жидкое гов-но!

Дима засмеялся:

— А я-то причем?

Отец посмотрел на него, будто увидел впервые:

— А ты не мужик, что ли? Не мужик? — и с досадой махнул рукой.

— Я политикой не занимаюсь.

Отец даже вскочил:

— Какая политика?! Когда тебя за горло берут, это разве политика?! Это бандитизм! А с бандитами надо по-мужски! Мочить от живота!.. Этих жирных скотов! Это же нелюдь!..

Дима вернулся домой на последней электричке. Отец оставлял его ночевать, но Дима торопился. Ему вдруг показалось, что сегодня ночью Тамара обязательно позвонит. Обязательно. И он с гордостью скажет ей, что решил ставить Шекспира «Ромео и Джульетта».

Добрался он до дома в третьем часу ночи. Разделся, расстелил диван. Посидел у телефона с Шекспиром. Никто не звонил, и Дима устало бухнулся в постель. Только он закрыл глаза — на журнальном столике ожил телефон. Сердце у Димы встрепенулось. Он схватил трубку:

— Але! Але! Слушаю!

Но вместо Тамариного он услышал чужой, низкий голос.

— Это Дмитрий Николаевич?

— Я, — растерянно ответил Дима.

— Я звоню вам с самого вечера, — недовольно сказала женщина. — Не могу вас застать.

— А вы знаете, который сейчас час? — сдерживаясь, спросил Дима.

— Я полчаса назад вам звонила. Вас еще дома не было, — сказала женщина нагло. — Не делайте вид, что вы спите. Вы же только что пришли.

Дима начал заводиться:

— А кто это говорит?

Женщина представилась со значением:

— Это жена Широкова.

От злости Дима прикрыл глаза:

— Слушайте, не знаю я никакого Широкова! — И уже не сдержавшись, крикнул в трубку: — Старая блядь! Совесть надо иметь!

Он выдернул телефонный шнур из розетки и упал спиной на подушку. И только тут сообразил, что уже слышал эту фамилию. Вспомнил разговор у заросшего пруда. Грузного мужчину в белом костюме. И убитого племянника Широкова вспомнил... «Вот еще нажил себе врага», — подумал Дима. А вслух сказал:

— Твари! Оставьте меня в покое, твари!

Он повернулся на бок и сразу уснул...

Снилась ему какая-то чушь.

Будто по Невскому у Гостиного двора в два ряда шли как на параде танки. Старинные «тридцатьчетверки», времен войны. На переднем танке в открытом люке под знаменем торчал по пояс отец в танковом шлеме. Такой, каким он остался на фотографиях. С медалями и орденами на гимнастерке. Из толпы, запрудившей Невский, навстречу танкам бросали цветы, весело кричали и пели.

А под гусеницами «тридцатьчетверок» трещали и разламывались припаркованные по обеим сторонам Невского джипы и «мерседесы».

— Что вы делаете?! — кричал человек в очках с пухлыми губами. — Это же Гражданская война!

А молодой отец ответил ему с танка:

— Мудак! Это наша Победа!..

Проснулся Дима поздно. С дурной головой. Выпил кофе и решил навестить Игоря. Нужно поставить его в известность, что без работы он больше не может. Он предложит Веничке возродить театр «КС». И про Шекспира Игорю он скажет обязательно. Пусть позавидует однокурсник, ставший чьим-то «тайным советником»!

Дима вышел из парадной и пошел к метро. За его спиной хлопнула дверца машины. Дима остановился. От белого трехсотого «Мерседеса» к нему подходила блондинка в длинном кожаном реглане.

— Дмитрий Николаевич? Я к вам.

Блондинка была молода и красива. Немного полновата для своих лет.

— Извините, — сказал Дима, — я вас не знаю. Кто вы?

Блондинка лучезарно улыбнулась ярко намазанным ртом.

— Я — та самая старая блядь. Пришла познакомиться, — и протянула руку.

Дима смутился и не принял ее руки.

— Извините... было поздно... У меня был трудный день...

Блондинка внимательно посмотрела на него:

— Дмитрий Николаевич, нам очень нужно поговорить.

— Нам? — удивился Дима. — Очень?

— Нам, — не смущаясь повторила блондинка. — Очень важное дело.

Дима переминался с ноги на ногу:

— Ну, говорите...

— Не здесь же! — возмутилась блондинка. — Не на улице.

Блондинка на связке ключей нажала какую-то кнопку. «Мерседес» мигнул фарами, по-собачьи тявкнул и затих.

В прихожей жена Широкова сняла длинный реглан. Под регланом были ноги. Короткая красная юбка костюма открывала их почти целиком. Чуть полноватые ноги в черных колготках. Широкова повернулась к Диме спиной, отставив зад, стряхнула реглан от дождевой мороси. Дима мрачно наблюдал за этим бесцеремонным кокетством. Широкова повесила реглан на вешалку, поправила перед зеркалом волосы и деловито направилась к двери Тамариной комнаты.

— Не туда, — сказал Дима и открыл дверь в свою комнату.

— А там что? — поинтересовалась Широкова.

— Там комната жены.

— Вы разве женаты? — удивилась Широкова.

— Давно.

Широкова понимающе прикусила нижнюю губу и спросила шепотом, показав на Тамарину дверь.

— Она там?

— Она далеко, — сказал Дима. — В Америке.

— Понятно, — вздохнула Широкова. — То-то вид у вас такой неухоженный.

Она вошла в комнату и остановилась. Диван был раздвинут. Дима не успел убрать постель и сейчас, проходя мимо, только накрыл ее смятым одеялом.

Он даже не пригласил ее сесть.

Она сама подошла к креслу, огладила на бедрах юбку, уселась, закинув ногу на ногу. Теперь ее ноги стали видны до конца. Даже чуть больше. Дима спросил:

— Кофе будете пить?

— Спасибо, — поморщилась она. — Только что наугощалась до отвала. Сердце стучит, как отбойный молоток. А что ваша жена делает в Америке?

— Работает.

— Давно?

— Два месяца.

— И надолго?

— Как получится...

Широкова надула губы:

— Вы здесь, она там... Не тяжело?..

— Она приедет на Рождественские каникулы. На целый месяц приедет.

— На месяц? — задумчиво повторила Широкова. — Разве этого достаточно для здорового, красивого мужчины?

Дима бросил постель на дно дивана и шумно поставил сиденье на место.

— Вам бы надо домработницу нанять, — посочувствовала Широкова. — Хорошенькую, молоденькую домработницу, — она переменила ноги. — Это сейчас недорого.

Дима еле сдержался:

— Так что вы хотите сказать? Я вас слушаю.

— Меня зовут Татьяна Леонидовна, — представилась Широкова.

Дима сел на диван напротив нее:

— Что вам от меня нужно, Татьяна Леонидовна?

Блондинка достала из сумочки дорогие сигареты и зажигалку.

— Дайте пепельницу.

— Я не курю, — предупредил Дима.

— Но пепельница в доме должна быть.

Дима вздохнул и принес с кухни хрустальную Тамарину пепельницу.

— А вы свою жену любите? — неожиданно поинтересовалась Татьяна Леонидовна.

Дима даже растерялся:

— А вам-то что?

Татьяна Леонидовна закурила и сказала задумчиво:

— Так... Есть один проект...

— Какой еще проект?! — рассердился Дима. — И причем тут я?

— Вы не ответили на мой вопрос, — напомнила Татьяна Леонидовна. — Любите вы свою жену? «Да» или «нет»?

Она стала раздражать Диму.

— Слушайте, что вы от меня хотите? Говорите прямо.

Татьяна Леонидовна всем телом потянулась в кресле, улыбнулась презрительно и лукаво.

— Любви.

Дима дернулся в своем кресле, но промолчал.

— Шу-чу, — сказала серьезно Татьяна Леонидовна. — Шу-чу. А если без шуток, я могу вас отправить в Америку.

Дима ничего не понимал:

— Зачем меня в Америку?

— К жене, — объяснила Татьяна Леонидовна. — Если вы ее любите, конечно.

В тяжелой Диминой голове путались мысли. Ее логика никак до него не доходила:

— Подождите! Вы хотите меня отправить в Америку на свои деньги? За что это? Что я вам такого сделал?

Татьяна Леонидовна возмущенно пожала плечами:

— Почему это на мои деньги? На ваши. Я отдаю вам вашу долю.

— Какую долю? За что?

Татьяна Леонидовна, вытянув губы, сосредоточенно потушила в пепельнице недокуренную сигарету.

— За флигель. Вы же второй совладелец, как сказал мне Вениамин Михайлович.

— Какой еще Вениамин?.. — не понял Дима.

— Как это какой? Ваш директор. Ваш друг.

— Вы были у него?

Татьяна Леонидовна положила руку на высокую грудь:

— До сих пор сердце стучит. Я же вам сказала, что он уже угощал меня кофе. Разве вы не поняли?

— Зачем вы у него были?

Татьяна Леонидовна сняла ногу с ноги, задев Диму туфелькой.

— Я покупаю ваш флигель.

— И он согласился продать? — вскрикнул Дима.

Татьяна Леонидовна загадочно улыбнулась.

— Есть один коммерческий проект. С Вениамином Михайловичем мы уже в принципе договорились. Дело за вами. Вы уступаете мне свою долю, Дима? — она придвинула кресло поближе. — Можно я вас Димой буду называть? Хорошо, Дима?

Ее полноватые колени коснулись его колен. Дима видел перед собой ее ярко накрашенный рот и золотую сережку, поблескивающую в ухе. Он чувствовал пряный запах ее духов.

— Флигель должен принадлежать одному хозяину. Только одному. Если вы продадите свою долю кому-то другому — случится катастрофа.

Дима сглотнул слюну и спросил:

— Почему катастрофа?

Она придвинулась к нему еще ближе:

— Да потому, что этот флигелек — очень лакомый кусочек. Очень.. И охотников на него много... Очень много... Продайте мне вашу долю, Дима... Я вам хорошо заплачу... Очень хорошо... Больше, чем Вениамину Михайловичу... Гораздо больше...

Дима откинулся на спинку дивана:

— Там будет мой театр.

Она тоже откинулась на спинку кресла. Спросила удивленно:

— Зачем вам театр? Это же нерентабельно.

Дима печально и мужественно улыбнулся:

— Театр бессмыслен, как альпинизм. Но ведь находятся люди, которые идут в горы... Которые без этого не могут жить, не могут дышать... Человек, однажды вдохнувший воздух высоты, уже не может жить без него... Он задыхается... Задыхается...

— Бедняга, — сказала она и чиркнула зажигалкой.

— Почему это я бедняга? — обиделся Дима.

Она затянулась сигаретой:

— Да потому что никакого театра там не будет. А вас просто уберут.

— Кто это меня уберет? — поинтересовался Дима.

Она объяснила спокойно:

— Тот, кто купит флигель. Дом должен принадлежать одному хозяину. Только одному. Если хозяев будет двое, они уничтожат друг друга. А вас уберут еще раньше, чтобы завладеть вашей долей.

Дима сказал решительно:

— Только не надо меня пугать!

Она ответила печально:

— Да не пугаю я вас. Я хочу вас спасти, Дима. Просто хочу спасти.

— Не надо меня спасать!

— Глупый, — сказала она. — С виду вы кажетесь умным человеком. Не разочаровывайте меня, Дима.

Она опять наклонилась к нему совсем близко и взяла его за руку.

— Пойми, у тебя осталась единственная возможность спастись. Уехать в Америку.

— Да не хочу я в Америку! — упрямился Дима.

— И я этого не хочу, — вздохнула Татьяна Леонидовна. — Ты мне нравишься, Дима.

Она встала, не отпуская его руки, и пересела к нему на диван. Дима замер, почувствовав ее горячее, упругое бедро. Она одной рукой сжимала его ладонь, а другой теребила его волосы:

— Глупый. Не разочаровывай меня... Не надо...

Дима тупо глядел перед собой, не решаясь к ней повернуться. Она дышала совсем рядом, глубоко и часто.

— Глу-пый... Ну отдай мне свою долю... Отдай... Что тебе стоит... Отдай... Не пожалеешь, глупый...

Неожиданная мысль обожгла Диму, и он вырвал у нее из руки свою руку.

— Извини. Не получится.

— Получится, — целовала она его шею. — Все у нас получится...

Дима встал, сказал хрипло:

— Ты — актриса! Ты замечательная актриса! Тебе в театре нужно играть!

Татьяна Леонидовна громко рассмеялась:

— Ну уж нет! В театре за гроши играют бездарные шлюхи. Настоящие актрисы играют в жизни. Жизнь — это и есть настоящий театр!

Дима счастливо улыбнулся своему прозрению. Сказал ей твердо:

— Не надо путать. Театр и жизнь — абсолютно разные вещи.

— Лично я никогда не путаю жизнь с театром.

Татьяна Леонидовна лучезарно улыбалась ярко накрашенным ртом.

— Милый Дима, а где эта граница? Вы ее видите? Вы ее ощущаете? Наша жизнь давно превратилась в театр. Включите телевизор и посмотрите на нашего премьера. Когда он своим бархатным актерским голосом вещает что-то про бюджет, вам не кажется, что он играет какую-то чужую роль? А выйдя из кадра, где-то там в Кремлевских кулуарах, он довольно смеется, потирая руки: «Хорошо сыграно! Ловко я их облапошил!». Вам не кажется? Да, все мы в этой жизни играем роли! Все! Вы бы видели меня на работе. Думаете, я там такая же откровенная и открытая, как с вами сейчас? Ошибаетесь. Там у меня совсем другая роль. Там я строгая, непреклонная хозяйка, — Татьяна Леонидовна вздохнула, — и несчастная жена беспутного мужа. Меня жалеют и боятся. Я имею право на самые жестокие поступки. Мне все прощают. Потому что считают, что я несчастлива в личной жизни, — Татьяна Леонидовна, подобрав короткую юбку, потянулась всем телом. — И пусть так считают. Это только помогает работе.

Дима опять улыбнулся.

Татьяна Леонидовна поняла его улыбку по-своему. Она протянула к нему красивые, полные руки.

— Ну, иди сюда. Иди ко мне, альпинист. Глупый альпинист...

Дима машинально сделал к ней шаг и остановился.

— Ну, иди же, — звала она с дивана. — Такого в твоем театре не показывают.

— Все, — сказал Дима хрипло. — Разговор окончен.

Она перестала улыбаться и встала:

— Ты не хочешь в Америку?

— Гуд бай, Америка! — сказал Дима. — Гуд бай. Мне нечего там делать.

Она подошла к нему:

— Ты не продашь мне свою долю, Дима?

Дима спокойно посмотрел ей в глаза:

— Там будет мой театр!

Она потрепала его по щеке и опять перешла на «вы»:

— Я хотела вам помочь... Теперь я снимаю с себя ответственность. Прощайте, покойник...

Дима видел в окно, как она остановилась у своего «Мерседеса» и достала мобильник. Оглянулась по сторонам и села в машину. Дима бросился к телефону и набрал номер Игоря. Номер был занят. Дима стоял у окна, пока от парадной не отъехал белый трехсотый «Мерседес». Дима проводил его взглядом и снова набрал номер Игоря. Ответила Клеопатра.

— Клеопатра Антониевна, — сказал Дима. — Мне очень нужен Игорь Яковлевич. По очень важному делу. По очень важному, Клеопатра Антониевна...

Клеопатра сказала холодно:

— Игоря Яковлевича нет в городе. Позвоните на той неделе...

Дима стоял у окна и смотрел на улицу. Он ждал, что у подъезда снова появится белый трехсотый «Мерседес». Эта настырная соблазнительная дамочка не может уехать просто так. Она не привыкла проигрывать. Она обязательно вернется с новыми предложениями... И тут до Димы вдруг дошло, что зря он отказался и от ее первого предложения. Ведь его доля за флигелек стоит гораздо больше, чем авиабилет до Бостона. Гораздо больше стоит право совладения исторической недвижимой собственностью в самом центре города. Черт возьми! Он мог бы запросто рассчитаться со своим долгом и улететь в Америку! Черт возьми! Явиться к Тамаре победителем! Предъявить ей разорванную расписку, привезти деньги... много денег! Только нужно хорошенько поторговаться с этой соблазнительной сучкой, как следует поторговаться и в самом конце уступить, сделать вид, что не смог устоять перед ее пышными прелестями, а прелести у нее, признаться, вызывающие...

Короче, Дима пожалел, что отпустил ее, как говорится, «без поцелуя». А она ведь сама напрашивалась...

Дима так распалился, что просто прилип к окну, выглядывая возвращающийся белый «Мерседес». Холодное стекло остудило ему лоб и он вспомнил ее последние слова: «Прощайте, покойник».

Конечно... все проще... зачем ей тратить большие деньги на выкуп права собственности, когда совладельца можно просто убрать. Получится и дешевле, и надежней.

Дима застонал от досады. Упустить такой шанс! Почему же раньше, во время разговора с ней, он не смог оценить как следует предлагаемую сумму?! «Я вам хорошо заплачу... Очень хорошо...» Она же сказала это открытым текстом!

А ведь он за этот месяц завелся на возрождение своего театра «КС». И уже ни о чем другом думать не мог. Театр, проклятый и обожаемый театр, встал на пути его спасения. «Идиот! — выругал себя Дима. — Глупый альпинист! Верно она меня назвала».

Он боком сел на подоконник спиной к двери. «И покойником она меня назвала... Тоже верно?»

Вдруг Дима почувствовал на своей спине чей-то взгляд. В квартире никого не могло быть. Дверь за ней он от души прихлопнул. Но кто-то сзади смотрел на него. Он чувствовал этот взгляд почти физически, но обернуться не смел... Неужели киллер? Неужели так быстро?

Дима услышал за спиной скрип паркета. Киллер подходил к нему. Дима решил встретить смерть, как положено мужчине. Он встал и обернулся...

13. Супер-агент

Посреди комнаты стоял его однокурсник Лева Стрекачев, в кожаной кепке, в брезентовой куртке жэковского слесаря, с ободранным чемоданчиком в руке.

— Замок у тебя хреновый, — озабоченно сказал Лева. — Менять надо замок.

— Разве дверь открыта была? — ошарашенно спросил Дима.

— Все равно что открыта. С таким замком. Пальцем его открыть можно, — и Лева покрутил в воздухе какой-то железкой.

Дима рассердился.

— Ты бы позвонил лучше, чем замки ломать!

Лева сказал виновато:

— А ты бы мне открыл? Ты же послал меня в пеший сексуальный тур.

Дима посмотрел на его виноватое лицо и улыбнулся. Лева явился очень кстати! Очень вовремя пришел Лева.

— Лев, — сказал Дима. — Меня заказали. Я покойник.

— У тебя выпить есть? — все также озабоченно спросил Лева.

Они прошли на кухню. В холодильнике, на всякий пожарный, оставалась початая бутылка «Охты». Они выпили, и Дима, волнуясь, поведал Леве о визите жены Широкова и о ее прощальном предупреждении. Лева слушал его очень внимательно и, когда Дима закончил, сказал:

— Это хорошо!

— Что же тут хорошего? — не понял Дима.

— Что ты сам мне все рассказал, — объяснил Лева. — Что ничего не пришлось из тебя выпытывать.

— Выпытывать? — встрепенулся Дима. — Это как же?

Лева закурил:

— Это я так, фигурально. Не обижайся. И очень хорошо, что ты денег с нее не взял. И в Америку отказался ехать.

— Почему же это хорошо? — не согласился Дима. — Хоть в Америке небоскребы взрывают, но меня там никто не тронет. А здесь я уже покойник.

— Еще нет, — успокоил его Лева и разлил водку по стаканам. — Мы тебя тронуть не дадим… Если согласишься работать с нами.

Дима с тоской поглядел на него:

— Опять?.. Ну зачем я вам нужен, Лева?

Лева поднял стакан:

— Ты очень нужен Штерну. А пока ты нужен Штерну, ты нужен нам. Твое здоровье, Тим.

Они выпили, и Дима сказал:

— Я его уже месяц не видел. Даже больше. Звоню, он к телефону не подходит. Его секретарша уже мой голос слышать не может.

Лева нехорошо улыбнулся:

— Эта ведьма? Клеопатра Антониевна?

— Почему это ведьма? — заступился за нее Дима. — Игорь сказал, что она княгиня Оболенская.

Лева усмехнулся:

— Да, раньше помещики всех крестьян на свою фамилию писали. Ее предки у князей Оболенских конюшни чистили. Мы проверяли. А вот ведьма она самая настоящая! Короче... — Лева опять разлил по стаканам. — За сотрудничество? Решайся, Тим. Я гарантирую тебе безопасность.

— А если я откажусь? — завелся Дима. — Не гарантируешь? Просто как друг, как однокурсник? Позволишь, чтобы меня шлепнули?

Лева вздохнул и развел руками:

— Время такое, Тим.

— Какое время?

— Призрачное, — нахмурился Лева и пропел, — Призрачно все в этом мире бушующем... Сегодня друг — завтра враг. Это только в газетах пишут про общечеловеческие ценности. А где они, общечеловеческие? Каждый только за свою жопу дрожит. Сохранить свою жопу — вот и все общечеловеческие ценности! Я гарантирую твою безопасность. Но не бесплатно. Ты должен нам за это заплатить... Если откажешься, я ни за что не отвечаю.

— Чем заплатить? — спросил Дима. — Что я должен делать?

Лева обрадовался:

— Вот это разговор! Конкретный и понятный. Давай выпьем.

Они выпили, и Лева все объяснил Диме. Конкретно и понятно. За этот месяц Штерн успел сделать очень много. Виктора выпустили из «Крестов» под подписку. Виктор затихарился где-то. Боится мести тамплиеров, друзей и подручных убитого им племянника Широкова. Штерн стал фактическим владельцем флигеля на Малой Конюшенной улице. Бедный Веничка прикрыл свою контору и выполняет все требования «тайного советника». Они перерыли флигелек в поисках документов, подтверждающих право наследования оксфордского Царевича. Но документов пока так и не нашли. Царевич, не солоно хлебавши, улетел в Англию. Приедет теперь зимой на Рождественские каникулы. К его приезду Штерн твердо обещал раздобыть эти таинственные документы. Помирить олигархов ему тоже пока не удалось. Подготовленная им встреча двух кровных врагов обернулась кровавой перестрелкой. Раненые были с обеих сторон. И война в городе вспыхнула вновь, еще круче и жестче.

По Левиным данным, Штерн приготовил новый иезуитский план примирения олигархов. Похожий на теракт в Нью-Йорке. С обеих сторон будут кровавые жертвы. И только эти жертвы смогут помирить непримиримых соперников. Штерн решил утвердить мир на самом несокрушимом — на общей крови. Связать их кровью дорогих им людей...

Дима слушал Леву и ничего не понимал.

— Подожди, — перебил он его наконец. — А я-то здесь причем?

— А ты не понял?! — рявкнул Лева. — Он хочет, чтобы эту кровавую Премьеру ты и поставил для него! Ты!

Дима пожал плечами:

— Не буду я этого делать.

— Да? — зло засмеялся Лева. — А кто ему подписку дал «выполнять малейшие требования»? Он даже не спросит, он просто заставит тебя!

Дима усмехнулся:

— Не успеет. Я завтра найду жену Широкова и соглашусь на ее предложение. Отдам Игорю долг и улечу к Тамаре в Америку.

— Идиот! — во весь голос заорал Лева. — Да, кто тебя туда пустит?!

— Татьяна Леонидовна обещала, что я улечу без проблем.

Лева посмотрел на него, как на наивного младенца.

— Идиот... — ласково сказал он. — Неужели ты не понял, что она приходила к тебе по просьбе Штерна? Штерн проверял тебя. Если бы ты согласился улететь в Америку, завтра бы тебя уже не было... с нами! Неужели ты не понял этого, идиот?!

Дима мысленно выругал себя. Ведь то, что Татьяна Леонидовна связана с Игорем, он и сам понял. И когда она звонила по мобильнику из белого «Мерседеса», телефон Игоря был занят. Значит, она звонила ему! Эту нехитрую комбинацию Дима разгадал сам. Но потом вдруг увлекся воспоминаниями об ее пышных прелестях и обо всем забыл. А в игре, которую с ним затеял Игорь, ни о чем нельзя забывать. Ни о чем!

Лева разлил по стаканам остатки водки:

— Я бы, конечно, и так тебя защитил... На курсе ты мне больше всех нравился... Но сейчас время другое. Я гарантирую твою безопасность, только если ты согласишься работать с нами. Если ты станешь человеком.

— А я не человек, что ли? — завелся Дима.

Лева грустно посмотрел на него:

— Ты — говно. Жидкое говно.

Дима поразился, что он дословно повторил слова отца. И обиделся.

— Ты же говорил, что я гений?..

Лева взял стакан:

— Человек, отказавшийся от борьбы, превращается в жидкое говно. Даже гений...

Дима молчал. Лева, подняв стакан, смотрел на него через выпуклое стекло:

— Ну, что тебя держит? Ты не веришь мне?

— Верю, — кивнул Дима.

— Так в чем же дело? Давай работать вместе!

Дима поставил свой стакан:

— Если бы я знал...

— Что? — спросил Лева.

— Если бы я знал, что Игорь... враг. Наш общий враг. Враг нашего государства... Враг России...

Лева от души рассмеялся.

— Чудак. Слышал поговорку: «Избави меня Бог от моих друзей, а с врагами-то я и сам разберусь как-нибудь». С врагами-то любой разберется. А вот с «друзьями» разбираться приходится Богу и нашей организации. Разве кто-нибудь теперь скажет, что он кому-то враг?.. Враг России тем более? У нас сейчас все друзья... заклятые друзья... И Штерн разве враг? Если он за русскую монархию? Если он ищет для нас законного наследника российского престола? Повторяю, Штерн — наш партнер.

Дима пожал плечами:

— Зачем же тогда?...

— А затем, — строго прервал его Лева, — что друзья и партнеры — это самые опасные люди! Они заказывают своих друзей, они взрывают своих партнеров. Такие друзья страшнее врагов, Тим.

— Да! — вспомнил вдруг Дима. — А ты нашел, кто взорвал твой «Вранглер»?

Лева широко улыбнулся:

— А чего тут искать? Наш партнер и взорвал. Наш друг господин «тайный советник».

— Игорь? — поразился Дима.

— А кто же? — улыбнулся Лева. — Ему не понравилось, что ты пришел ко мне. Он предупредил меня, чтобы я оставил тебя в покое. Вот как он тебя оберегает! Вот как ты ему нужен!

— Нет, — не поверил Дима. — Когда я шел к тебе, на скамейке сидел какой-то ханыга. Он просил тебе передать, что твою машину берется охранять. Я поругался с ним... Послал его подальше... Это он отомстил, наверное?

Лева перестал улыбаться:

— Что ж ты мне сразу про этого ханыгу не сказал? Я бы его расколол! Мы бы уже имели улики против Штерна! Мы бы его уже держали за кадык.

Дима виновато развел руками:

— Разве я мог подумать?..

Лева звякннул своим стаканом о стакан Димы:

— Короче ты вляпался, Тимуля, со своим долгом в очень нехорошую историю. Тебя подвесили на крючок. И тебя, и Томочку. Помочь тебе спастись можем только мы...

— Почему только вы?

— А потому что мы за Справедливость! — Лева посмотрел в прихожую, на дверь Тамариной комнаты, — Давай, выпьем за самую чистую, самую нежную, самую строгую любовницу на свете! Давай выпьем за мою любимую девочку!

— За Справедливость? — спросил Дима.

Лева на него внимательно посмотрел и сказал:

— Назовем ее так...

Они выпили. Дима занюхал водку хлебом и спросил:

— Что я должен делать?

— Вот это разговор! — опять похвалил его Лева.

Лева был уверен, что после сегодняшней проверки, когда Дима отказался от предложений Татьяны Леонидовны, Штерн полностью доверяет ему. Штерн считает Диму круглым лохом и уже на днях задействует его в подготовке своей Премьеры. Что это будет за спектакль, Лева не знал. Но был убежден, что Штерн использует какую-то хорошо всем известную драматургическую кальку. Как использовали известный блокбастер при атаке нью-йоркских небоскребов. Даже уезжая из России, покидая свой сибирский театр, Игорь интуитивно использовал сюжет своего дипломного спектакля «Живой труп», оставив вещи на берегу, сделав вид, что он утопился.

О настоящей цели Премьеры Штерн, конечно же, не скажет Диме ни слова. Димина задача, как знатока драматургии, высчитать предложенный сюжет и доложить о нем Леве. А Лева сделает все, чтобы кровавая Премьера не состоялась.

И второе. Штерн так и не нашел документов о праве на престол оксфордского Царевича. Но они должны быть. И если флигелек действительно принадлежал родственникам Царевича, эти документы спрятаны именно там.

Дима вспомнил случайно подслушанный им разговор у пруда:

— Широков сказал, что документы спрятаны за какой-то иконой.

Лева вздохнул:

— Никаких икон там нет. Там ЖЭК был. Какие в ЖЭКе иконы? Это очень хорошо, что ты задумал возродить свой театр. Это очень кстати. Под этим предлогом полазай по флигельку... Если тебе повезет, ты не только спасешь себя и Томочку, но станешь очень богатым человеком... очень... Если найдешь эти царские ксивы.

Левиного задания с Премьерой Дима, признаться, не понял. Зато история с поиском документов была проста, понятна и романтична. Дима сразу же ухватился за нее:

— С документами я смогу.

Лева посмотрел на него с жалостью:

— Если тебе очень повезет... Ты же не историк... — Лева вздохнул. — Был у нас один замечательный человек. Посадили его за рукопись «История русского масонства». Вот это был специалист! Каждый дом в центре Питера знал. Родословные русских дворян наизусть цитировал, как библию. Этот родил этого, а тот такового-то... Заслушаешься.

— За что же его посадили?

— Я же сказал, за «Историю русского масонства». Эта тема закрытой тогда была. Почему-то!.. Андестенд? Они свили гнездо в самом сердце нашей организации...

Лева потряс над стаканами пустую бутылку «Охты», смачно крякнул и открыл свой ободранный чемоданчик. Сделал руками в воздухе магические пассы, и в его руке оказалась нераспечатанная, полная бутылка «Охты».

— Ловкость рук и никакого мошенства! Как вспомнил этого старика, грустно отчего-то стало...

Лева разлил водку по стаканам.

— Вы его расстреляли, что ли? — насторожился Дима.

— Офиздинел! — возмутился Лева. — Я же сказал, посадили только. Ненадолго. После перестройки он вышел и к нам в учреждение приходил. А у нас бардак, реорганизация, чистки. Сотрудники друг на друга стучат, чтобы в Кадрах остаться.

Ведь у людей профессии никакой! Кроме как ловить и сажать большинство ничего не умеет. Ходит наш историк по коридорам и головой качает. Заходит к нашему полковнику и говорит: «Ну что, мудаки, получили по рогам? А если бы книжку мою как следует изучили, не допустили бы этого блядства! Я же всех героев катастройки в своей книге по фамилиям назвал! Всех ваших генералов! Не меня, а их сажать надо было!» Вот так... Давай выпьем.

Они выпили.

— А где он сейчас?

— Пропал, — вздохнул Лева. — Мы искали его. Не нашли. Жена у него умерла. Он квартиру продал и уехал куда-то. Новые жильцы говорят, к родственникам куда-то уехал в провинцию... — Лева покачал головой, сокрушенно поморщился. — А может, пристукнули старика. Квартирные посредники... и деньги отобрали... Дикие нравы... Жалко деда... И собаку его жалко...

— Какую собаку? — не понял Дима.

— Собака у него была... грязная, лохматая... — вспоминал Лева. — Он как ребенка ее любил... Даже в тюрьму на свидание к нему жена ее приносила... Теперь-то все поняли, что не тех сажали! Не тех!

Лева со злостью саданул по столу. От этого удара в голове у Димы будто что-то замкнуло:

— Погоди... Этот дед на кларнете играл?!

Лева выразительно посмотрел на него и постучал себя по голове:

— Офиздинел?! Он историк был, а не музыкант. Причем тут кларнет?

Резко заверещал телефон. Дима рванулся с места, Лева рукой задержал его.

— Это меня.

Он откинул полу своей брезентовой куртки. Под мышкой у него Дима разглядел рукоятку пистолета в кобуре. Из внутреннего кармана Лева достал мобильник.

— Слушаю. Так точно, товарищ генерал. Все в порядке. Тимашов согласился с нами работать. Есть.

Когда Лева, спрятав трубку и застегнув куртку, разливал водку по стаканам, Дима сказал:

— Ты что-то напутал, Лев. Работать с вами я не соглашался.

Лева поставил на стол бутылку и помрачнел. Потом достал из верхнего кармана сложенный вчетверо лист бумаги и протянул его Диме.

— На, прочти. Это тебе.

Дима, ожидая подвоха, осторожно развернул лист и замер. Он узнал мелкий бисерный почерк жены:

«Прости меня, Митенька. Прости, если можешь. Лева тебе все объяснит. Слушайся Леву и будь хорошим мальчиком. Счастья тебе и удачи, сволочь. Надеюсь.

Твоя мама-Тома.

P.S. Звонить не буду. Не хочу тебя подставлять. Пока».

Дима несколько раз перечитал записку.

— Это что такое?.. Откуда это у тебя?

Лева грустно вздохнул:

— Держали на самый крайний случай. Думал, ты сам все поймешь. Думал, ты умный... — Лева развел руками. — Но бывает, что гений и ум — две вещи несовместные. Как у нашего Мастера. Кстати...

— Подожди, — заволновался Дима. — Что я должен был понять? Что?!

Лева взял бутылку и долил в стаканы по полной.

— Неужели ты не понял, мерзавец, что Томочка и была моим напарником? Нашим лучшим супер-агентом? Гордостью нашего отдела? — Лева поднял стакан. — Давай за нее. Ей там сейчас очень трудно, Тим.

— Почему ей трудно? — ничего не понимал Дима.

Лева рассердился.

— Да потому что она выполняет очень ответст-венное задание.

— Чье задание?

— Да наше, наше! — рявкнул Лева.

— Ты же сказал, что ее отправил в Америку Штерн?

Лева восхищенно улыбнулся.

— Это она сама придумала такую крутую под-ставу. Штерн влюблен в нее еще с первого курса. И ни-че-го не понял. Он считает, что она выполняет его задание. А она работает на нас. На нас!

— Подожди! — перебил его Дима. — Зачем же она дала Штерну расписку? Ведь своей распиской она заставила меня работать на него. Меня!

Лева улыбался его наивности.

— Да потому что она знала, что я тебя буду курировать.

— Что ты будешь? — не понял Дима.

— Думаешь, я тебя случайно встретил на Ка-менноостровском? Я вообще пешком не хожу! Я тебя пас целую неделю! А ты в кабаке скандал учинил. Чуть мне всю операцию не сорвал, мерза-вец!

— Какую операцию? — опешил Дима.

— Мы изначально договорились, что Томочка раскроет все связи Штерна там, а ты блокируешь его здесь.

— Что я здесь сделаю? — не понял Дима.

— Узнаешь все его планы. И нам сообщишь. Ты счастливый парень, Тим. Ты должен гордиться такой женой. Ну, давай за нее!

Дима уже хотел было взять стакан, но раздумал.

— Слушай, Лев... Скажи честно... от кого у нее был аборт?

Теперь поразился Лева.

— А ты не знаешь?

— Не хотел, — решительно сказал Дима. — Но теперь хочу знать. Говори.

Лева расставил на столе локти.

— Значит, так. Самым непредсказуемым, самым опасным человеком в Академии был наш любимый Мастер. Якшался с разной сволочью, с диссидентами, с иностранцами. Каждый год за границу ездил. Вот мы и поручили Томочке взять его в опеку. Она отлично справилась с заданием. Мигом охмурила старого дурака. Он ее даже в свой театр взял. Штерн уверен, что она дала старику только для этого...— Лева замолчал.

— Значит, от Мастера? — тихо вскрикнул Дима. — От старика?

Лева взял его за руку.

— А что ты так волнуешься? Это же ее работа. Ревновать ты не имеешь права, Тим. Ты должен гордиться своей женой! Давай за нее! За нашу героиню!

Они подняли стаканы и чокнулись. Лева залпом выпил и расслабился, распахнув полы брезентовой куртки. Дима посмотрел на него «петроградским взглядом», медленно поставил полный стакан и вдруг, отодвинув стол, бросился на Леву, опрокинул его вместе со стулом на пол.

Лева, не ожидая от него такой прыти, упал, раскинув руки, вскрикнул удивленно.

— Ты что, офиздинел?

Дима вытащил у него из-под мышки пистолет, передернул левой рукой затвор, приставил ствол к груди Левы.

— Что же ты сделал, сволочь! Все из-за тебя! Зачем ты ее?!.. Зачем ты ее трогал?!

Лева мгновенно отрезвел, собрался.

— Да ты что, Тимуля... Я не трогал ее! Клянусь! Я же говорю...

Лева подтянул руки к груди. Дима, сидя на нем верхом, вжал ствол под ребра.

— Руки убери! Застрелю! Убери руки!

Лева, лежа на полу, осторожно закинул руки за голову.

— Ты ничего не понял... Не от меня аборт... Я молился на нее... И сейчас молюсь...

Дима скривил губы, ему была ненавистна сытая, благополучная даже сейчас харя однокурсника. Рукояткой пистолета он саданул ему по скуле:

— Зачем ты ее своей напарницей сделал? Это еще хуже! Еще хуже! Ты же ей жизнь сломал!

Лева от удара в скулу сморщился.

— Тим, давай сядем. Я все объясню. Давай сядем, Тим.

Диму всего колотило. Палец сводило на курке. Он решил успокоиться. Не спуская ствола с Левы, он встал и сел за стол на свое место:

— Объясняй.

Лева не спеша поднялся, приставил к столу стул, посмотрел на свет бутылку.

— Чуть водку не пролил, шизик.

Дима заорал на него:

— Объясняй!

Лева налил себе водки, вопросительно посмотрел на пистолет и пить не стал:

— Видишь ли, в чем дело, Тим. Я тебе нахлестался немножко. Напарником-то я был. Она была моим резидентом. Она.

Дима перехватил тяжелый пистолет второй рукой.

— Врешь!

— Честное слово, — сложил руки на груди Лева. — Чем хочешь клянусь. Я и не знал этого, до того как она меня не предупредила, что Игорь Горелин меня расколол. Она и предложила мне раскрыться, все на себя взять, чтобы ей легче работать было. Чем хочешь клянусь!

Дима криво улыбнулся.

— Хочешь сказать, что она тоже по лимиту в Академию попала? Как ты? По чекистской квоте?

— Да ты что! — возмутился Лева. — Она же способная! Если бы не она, что бы мы на курсе делали? А как она дипломный спектакль играла? До сих пор помню! Она же с детства мечтала о театре. Разве ты не знаешь? Разве она не показывала тебе свои дипломы на конкурсах самодеятельности?..

Дима чуть опустил тяжелый пистолет. О себе Тамара почти ничего не рассказывала и никаких дипломов ему не показывала. Дима спросил, боясь услышать самую мерзкую Тамарину тайну:

— За что же... за что же ее купил КГБ?

Лева потянул к полному стакану и сокрушенно вздохнул:

— Да никто ее не покупал. Она сама в контору пришла. Еще в десятом классе! В школьной форме пришла. У нас в конторе до сих пор ее бантики на косичках вспоминают.

— Зачем она пришла? — не понял Дима.

— По зову сердца, — пожал плечами Лева.

— Ты же говоришь, она с детства о театре мечтала? — не верил ему Дима.

— А хороший разведчик разве не артист? — резонно заметил Лева. — Хороший разведчик — больше, чем артист. Томочка пришла в контору и первым делом полковнику дипломы свои показала.

Тяжелый пистолет оттягивал руки. Дима поставил локти на стол. Он хотел узнать Тамарину тайну до самого конца.

— Зачем же ее в Театральную Академию направили? А не в школу КГБ?

Лева объяснил не ему, а пристальному стволу пистолета.

— Зачем ей школа КГБ? Она уже пришла готовым кадром. А в Академии очень нужен был свой человек. Контора тогда все усилия на диссидентов направила. На пятую колонну. А Мастер наш считался в Конторе самым крупным диссидентом Питера. Я тебе это уже говорил. Вот ее и направили на курс Мастера...

— И помогли ей поступить, — понял Дима.

— Да никто ей не помогал, — обиделся за Тамару Лева. — Хотели помочь, когда Мастер на втором туре вдруг на твою рыжую Каштанку сделал стойку. Наши хотели эту твою Каштанку притормозить немножко, — Лева улыбнулся.

— Как это — «притормозить»?! — заволновался Дима. — Убрать ее, что ли?

— Ну-у, — расстроился Лева. — Ну и понятия у тебя о нашей Конторе. Средневековые у тебя какие-то понятия, Тим. Тысячи разных способов существуют, чтобы притормозить человека. Тысячи! Она внезапно заболеть могла к третьему туру, в больницу могла случайно попасть. Могла или нет? Или в милицию, например, как раз в день экзамена могла попасть. У твоей Каштанки связи-то сомнительные. Один «Рок-клуб» на улице Рубинштейна чего стоит...

— Ну и что? — заступился за Каштанку Дима. — И я в «Рок-клубе» все время торчал.

Лева засмеялся хитро:

— И о тебе, Тимуля, в Конторе шел разговор. Хотели вас на пару с Каштанкой убрать, как антисоциальных элементов.

— Убрать? — переспросил Дима.

— Притормозить, — поправился Лева. — Ты же тогда у Каштанки жил. Так?

Дима поразился его осведомленности. Лева спокойно продолжил:

— Так вот. С утра в день экзамена нагрянули бы к вам на Марата менты. И повязали бы вас спокойненько.

— За что это? — поразился Дима.

— А хотя бы за анашу, — пожал плечами Лева.

— Не было у нас анаши, — зачем-то оправдался Дима.

Лева хитро улыбнулся.

— Менты нашли бы. Не волнуйся. И подсел бы ты со своей Каштанкой за хранение наркотиков. Помнишь, какие сроки в то время за это давали? И не видать бы тебе Театральной Академии, как своих ушей. — Лева от души засмеялся.

— Чего ты ржешь? — осадил его Дима.

Лева уже не боясь ствола, объяснил.

— А я всегда смеюсь, когда вспоминаю, как ты «случайно» в Академию поступил. Теперь ты понял, почему я смеюсь?

— Не понял, — признался Дима.

— За свое поступление ты своей Томочке спасибо скажи. Она вас с Каштанкой спасла. Только она.

— Как это? — насторожился Дима.

Лева спокойно взял свой стакан:

— А так. Наши предложили Томочке этот вариант. С ментами. Помочь ей хотели. Так она такой скандал в кабинете полковника закатила... Это ее выступление до сих пор в Конторе помнят. Наотрез отказалась от стопроцентного варианта. Наотрез! И сама поступила! Сама зарезала твою рыжую Каштанку. Сама! Ты гордиться ею должен, Тим!

— Подожди, — Дима переложил пистолет в другую руку. — Как это она ее зарезала?

— А ты не помнишь ее отрывок, что ли? — удивился Лева.

— Она раньше нас показывалась, — вспомнил Дима. — Я ее отрывка не видел.

— Тогда ты много потерял, — пожалел его Лева. — Она же всех убила.

— Что она показывала? — заинтересовался Дима.

Лева взял из его рук тяжелый пистолет, положил на стол.

— Да брось ты мучиться. Давай лучше выпьем, — и поднял стакан.

— Сначала расскажи, — растерянно попросил Дима.

Лева нехотя поставил стакан.

— Она показывала с Игорем Горелиным сцену Нины Заречной и Тригорина из «Чайки.» Помнишь Чехова? Начинающая артистка и известный писатель встречаются на берегу озера. Первое их объяснение. Начало их романа. Помнишь?

— Ну и что? — вспомнил пьесу Дима. — Довольно нудная сцена.

Лева захохотал:

— Не скажи! Известный писатель ловит рыбку у озера и вдруг... Наша Томочка к нему из озера в купальнике выходит. Представляешь? Будто только что в озере купалась. Все в осадок выпали! Игорь Горелин еле свой последний монолог договорил. А у Мастера слюни на стол капали! Вот какая она артистка! Гордись своей женой, Тим! Гордись! Давай за нее! За твою спасительницу!

Они выпили, и в голове у Димы все смешалось. А Лева продолжал восторженно:

— После ее стриптиза твоей Каштанке уже ничего не светило! Ничего! Зарезала она твою Каштанку, утопила в этом озере, как Муму, — хохотал Лева.

А Диме вдруг стало жаль рыжую Каштанку, свою первую женщину, свою первую любовь.

Лева взял со стола пистолет, откинул полу брезентовой куртки и аккуратно вложил ствол в рыжую кобуру.

— Вот такие дела, Тимуля. Вот такая, значится, «се ля ви»... Я не имел права рассказывать тебе это. Я рассказал только как своему коллеге. Твоей Томочке сейчас там очень трудно. Давай, Тимуля, поможем ей здесь. Договорились?

Перед Димой лежала ее записка, в глазах расплывались бисерные строчки. Дима скорее вспомнил, чем прочел последние слова записки: «Счастья тебе и удачи, сволочь. Твоя мама-Тома». Дима вспомнил прощанье со своей родной матерью. Она уезжала одна на курорт в Сочи. Поцеловала его в губы, чего раньше никогда не делала. И сказала весело: «Не скучай, сынок. Я скоро вернусь». И больше в их дом не вернулась.

Лева тронул его за руку, повторил.

— Договорились, коллега?

Дима ответил спокойно, четко выговаривая слова:

— Я в ваши игры не играю. Я занимаюсь театром. Театр для меня — все!..

— А жена? — удивился Лева. — Неужели ты бросишь Томочку?

Дима нехорошо усмехнулся.

— Какая она жена? Она ваш супер-агент.

Лева громко закрыл свой чемоданчик.

— Значится, отдаешь ее Штерну? Сам отдаешь?

Дима вскочил.

— Это ваши проблемы! Дела вашей Конторы! Решайте их сами! Я тут совершенно ни при чем! Оставьте меня в покое!

Лева напомнил ему:

— Я уже генералу доложил.

— Генералы! Масоны! Кретины! — бушевал Дима. — Тормозят не тех! Сажают не тех! Не за теми следят! Пошел ты со своими генералами! Пошел ты... — и он послал Леву еще дальше, чем в пеший сексуальный тур.

Лева взял со стола Тамарину записку, аккуратно сложил ее и встал:

— Напрасно ты за пистолет хватался. Чтобы в человека выстрелить, нужно характер иметь. Не твой характер, Тимуля. Ты—жидкое говно. Понял?

Он сказал это с таким многообещающим подтекстом, что Дима ясно понял, что его ждут большие неприятности от всем известной Конторы.

14. Маленький сюрприз

Дима лежал на диване, глядя в потолок. На потрескавшемся потолке изредка проплывали желтые отсветы фар одиноких ночных машин. О Тамаре Дима больше не думал. Так он поклялся себе однажды давно не думать больше о матери. Дима думал о том счастье, которое так случайно выпало ему. (Как бы ни смеялся над ним чекист-однокурсник.) Он думал о том единственном, что у него осталось и что никогда ему не изменит и не предаст. Он думал о театре.

Когда началась последняя российская смута и театры превратились в дешевые ярмарочные балаганы, когда по сценам разгуливали нагишом геи и лесбиянки, отплясывали, кривляясь, дебильные отморозки, Дима думал, что это все ненадолго, что это агония нового режима. Не может же вечно длиться агония?.. Дима перестал ходить в театр. Ему было стыдно за свою профессию. Но время шло. Сменялись президенты, а агония все не кончалась. Тогда Дима понял, что это не агония, а то, что они называют искусством. Своим искусством — для избранных. И Дима возненавидел этих «избранных» неизвестно кем.

Сегодня ночью Диме стало стыдно за свое предательство, за свой «петроградский» смурной характер.

— Я вам докажу! — спорил он с кем-то. — Я не предам театр. Жизнь ломает и калечит, ваши игры губят людей. Я покажу вам, какими должны быть люди! Какими их задумал Бог! Я покажу вам со сцены настоящую жизнь, которой вы никогда не видели!

И он стал думать о том, какой удивительный спектакль он поставит в возрожденном театре «КС», что значит «Космическое сознание», а не базарное «Купи и сплавь».

Дима включил торшер и сбросил одеяло. Он так и не успел перечитать привезенного из Васкелова, как из далекой ссылки, Вильяма Шекспира. Удивительного, всегда современного автора...

И тут раздался телефонный звонок.

Дима хотел выдернуть шнур из розетки, но вдруг подумал, что это звонит Тамара. (Кто еще может звонить в такую поздноту?) А если она звонит, несмотря на предупреждение в записке, значит, с ней что-то случилось. Ей нужна его помощь. И Дима рывком снял трубку.

— Тим, привет. Ты дома? — услышал он в трубке бодрый голос Игоря Горелина, вернее, его кредитора господина Штерна.

— А где я еще могу быть ночью? — мрачно спросил Дима. — Ты велел ждать твоего звонка, вот я и жду. Днем и ночью. Как собака ждет хозяина.

— Извини, Тим. Замотался совсем. Как проклятый. — Игорь устало засмеялся. — Хотел тебе позвонить. Честное слово. Но решил, зачем тебя отвлекать?

— От чего отвлекать? — не понял Дима.

— Ну как же, — объяснил Игорь. — Ты же у нас человек творческий. Не то, что я. «Служенье муз не терпит суеты», как говорится. Какой-нибудь новый сногсшибательный спектакль придумываешь? А тут я полезу со своим дерьмом. Я и решил тебя не беспокоить.

Дима молчал. Очень хитро повернул тему его кредитор. Будто это он, Горелин — несчастный должник, который боится побеспокоить своего, занятого творчеством, благодетеля. Дима не ожидал такого поворота. А про новый спектакль откуда он может знать? Дима об этом никому не говорил. Он только вчера привез с дачи Шекспира.

Дима молчал, и Игорь молчал. В трубке щелкнула зажигалка. Игорь закурил. Тогда Дима спросил:

— А сейчас-то, среди ночи, зачем решил «побеспокоить»?

Игорь в трубке глубоко затянулся.

— Помнишь, в Выборге мы договорились нарезаться как следует? Не пропало желание?

Дима насторожился.

— В такое время?

— Вот именно! — снова засмеялся Игорь. — Один мой друг, известный нынешний демократ, как-то мне признался, что он себе демократию ра...ше представлял, как возможность нарезаться в любое время. Даже глубокой ночью. В чем ему советская власть отказала. Только из-за этого он в диссиденты пошел, а сейчас большое место в Кремле занимает и широко пользуется открывшимися демократическими возможностями... — Игорь перестал смеяться. — Бери тачку и ко мне.

Дима посмотрел на томик Шекспира.

— Может, до завтра отложим?

Но Игорь уже переменил роль, снова стал строгим несговорчивым кредитором.

— До завтра еще дожить надо. Жду тебя через полчаса, — и добавил уже совсем другим тоном: — Я тебе сюрприз приготовил, Тим. Маленький сюрприз. Не задерживайся, ладно?

— Ладно, — Дима повесил трубку.

На улице лил дождь. Через десять минут Дима промок до нитки. Редкие частники, пролетавшие по Пушкарской, брать среди ночи промокшего, угрюмого пешехода не решались.

Дима вышел на Каменноостровский, на угол, где его «пас» Лева Стрекачев, и, к счастью, поймал такси.

Пожилой таксист, оценив Димин вид, сочувственно спросил:

— Что жене-то скажете?

— Я не домой.

— А куда же в такую поздноту?

— К другу.

Таксист опять посочувствовал.

— Плохо другу? Да?

— Плохо, — сказал Дима, имея в виду не друга, а себя.

Таксист его похвалил.

— Это очень хорошо.

— Что нам очень плохо? — усмехнулся Дима.

— Хорошо, что друга не бросаете, — объяснил таксист. — Друзей в беде нельзя бросать. Ни-ко-гда!

Дима посмотрел на него с сожалением. Если бы тот знал, что у него за друг, и какой «маленький сюрприз» он ему приготовил. Таксисту этого не объяснишь. Он тебя просто не поймет. Везет тебя по ночному городу и даже не догадывается, что в этом времени он как марсианин, — пришелец из другого мира, где нельзя было бросать друзей в беде...

В парадной дома на Мойке, несмотря на поздний час, Диму уже ждал охранник. Как в прошлый раз, он сам вызвал Диме лифт фирмы «Отис» и предупредил почтительно:

— Вас давно ждут. Уже справлялись у меня.

Дима подумал, как быстро пристало к людям, казалось, давно забытое лакейское холуйство.

Дверь ему открыл сам Игорь. Был он почему-то в белом шелковом халате-кимоно с золотыми драконами и в пляжных тапках на толстой пористой подошве.

— Я так и знал! — засмеялся Игорь в дверях. — Так я и знал.

— Что ты знал? — Дима стряхивал на лестнице мокрую куртку. — Что ты знал?

— Что ты насквозь промокнешь! Насквозь! Немедленно переодеваться!

И он повел Диму по длинному темному коридору. Открыл справа белую дверь, и они оказались в просторной модной ванной. На тумбочке лежал голубой шелковый халат.

— Наденешь это, — скомандовал Игорь. — Раздевайся.

Дима послушно стащил с себя мокрый джемпер и джинсы.

Игорь разглядывал его, не стесняясь.

— И трусы у тебя промокли. И трусы снимай!

Дима усмехнулся.

— Командуешь мной, как своим рабом.

— Да ты что?! — возмутился Игорь. — Я пригласил тебя на дружескую встречу! Снимай трусы!

Дима стянул трусы и предупредил мрачно:

— Интим не предлагать.

— А это как получится! — засмеялся Игорь.

Дима накинул голубой халат. Шелк холодил продрогшее тело.

— Выпить-то дашь что-нибудь?

Игорь достал из кармана своего халата серебряную фляжечку.

— Хлебни глоток для сугрева. Штрафную. Все впереди.

Дима глотнул обжигающую незнакомую жидкость. Игорь за него довольно крякнул и передернулся.

Он повел Диму по темному коридору вглубь квартиры. Из дальней открытой комнаты доносился гитарный перезвон и женский голос напевал речитативом, будто вспоминая, странно знакомую песню. Дима остановился. Игорь встал рядом. Женщина пела:

> Я ночи боюсь, потому что она
> Приходит и прячет в своей пелене
> Развалины улиц, кривые дома.
> И люди красивыми кажутся мне...

Дима вздрогнул. Он узнал свою собственную песню, написанную им лет в восемнадцать и давно забытую им. Игорь, вежливо улыбаясь, глядел на него, пощипывая седую бородку. Гитара набрала ритм, женский голос запел зло, с вызовом:

> Я не могу промолчать,
> Я светом фар раздвину ночь!
> Эй, люди, время вставать,
> Я ведь пришел вам помочь!
> Вглядитесь другу в лицо,
> Как страшен ваш жалкий вид.
> Во мгле ваш дом был дворцом —
> Глядите, как он разбит!

Пела она хорошо, без лишних эмоций. Дима не понимал, откуда она знает только ему одному известную песню, он дернулся вперед, но Игорь удержал его за руку и прижал палец к губам.

А женщина снова перешла на усталый речитатив.

> Но я одинок среди улиц пустых,
> Лишь пьяный убрался от фар моих прочь
> И, бросив вслед камень, в канаве затих,
> А я погрузился в проклятую ночь.
> Я ночи боюсь...
> Я ночи боюсь...
> Я ночи боюсь...

То ли утверждала, то ли жаловалась, затихая, невидимая певица. Игорь захлопал в ладоши:

— Браво! Ты — гений, Тимуля. Ты супер! Сэр Пол Маккартни, вот ты кто!

— Кто это пел? — заволновался Дима.

Игорь, загадочно улыбаясь, ввел его в полутемную, плотно зашторенную комнату. На низкой тахте под какой-то темной картиной сидела, склонив голову к гитаре, женщина в таком же, как у них, красном шелковом халате. Гитара лежала на ее приподнятом бедре, раскинутые полы халата открывали стройную розовую ногу. Ее пальцы с наманикюренными еще перебирали гитарные струны. Дима не решился обратиться прямо к ней, он спросил Игоря:

— Откуда она знает мою песню?

Игорь подошел к женщине, спросил хитро:

— Откуда ты знаешь его песню?

Женщина подняла лицо от гитары и улыбнулась:

— Приветик, Димон. Не узнаешь?

И она, откинув темно-рыжие волосы, засмеялась. Дима вскрикнул:

— Ты!?.. Каштанка?!.. Не может быть!

— Ну как тебе мой сюрприз? — смеялся вместе с Каштанкой Игорь.

— Не может быть, — повторил тихо Дима.

— Все может быть в этом мире! Все! — сказал Игорь и сорвал со стола у тахты накинутую на него салфетку. — Лично я уже ничему не удивляюсь в этой жизни! Прошу к столу, дорогие мои.

Дима даже не взглянул на обильно накрытый стол, он не отрывал глаз от Каштанки. Она совсем не изменилась, и улыбка у нее была все также — невинно-распутная, сводившая Диму когда-то с ума, не похожая ни на какую другую улыбочка...

Она отложила гитару и встала.

— Ну здравствуй, Димон. Здравствуй, моя первая любовь.

Дима смутился.

— Первая твоя любовь — Ален Делон, который над твоей кроватью висел на улице Марата. Сама говорила.

Она засмеялась.

— Врала, как всегда. Не верь. Не Делон, а Димон — моя первая любовь, — и она протянула Диме узкую ладонь.

Совсем недавно в суровом разговоре с чекистом-однокурсником Дима ее пожалел. Сейчас он был готов сквозь землю провалиться перед нею. И из-за того, что поступил в Академию вместо нее, и из-за Тамары, «зарезавшей», как выразился Лева, ее на экзаменах, такую красивую, такую способную... Дима схватил ее руку и прижал к губам:

— Прости...

— За что? — улыбнулась Каштанка.

— За все, — вздохнул Дима.

Она посмотрела на него веселыми светло-карими глазами.

— Это ты за Академию у меня прощения просишь?

— И за это тоже.

— Брось, Димон, — погладила она его по голове. — Это я должна у тебя прощения просить. За то, что не разглядела рядом с собой такого мальчика.

— Все равно прости, — не унимался Дима.

— Да не за что тебя прощать, — смеялась она. — Ты тут совсем ни причем. Так распорядилась судьба. Ты нашел свою дорогу, я — свою.

— Какую ты нашла дорогу? — забеспокоился Дима.

Игорь обнял их обоих.

— Тимуля, перед тобой одна из самых известных женщин Питера. Хозяйка модельного салона «Престиж»! Слыхал про такой?

На ее модельный салон Диме было совершенно наплевать, его поражало то, что Каштанка, его Каштанка, все та же, только еще лучше — мягче, женственней, добрей. Каштанка поняла его восторженный взгляд, лукаво засмеялась и прижалась к нему всем телом. Дима утонул лицом в ее рыжих волосах.

— Эй, друзья! Так нечестно! — заволновался Игорь. — Тим, отпусти ее! Да оторвись ты от нее! Впился, как клещ, паразит!

Они не отрывались друг от друга.

Игорь закричал грозно:

— Разойтись! Слышали, что я сказал?

Они нехотя разнялись, тяжело вздохнув. Игорь заявил назидательно:

— Это мой сюрприз! Мой. Ты понял, Тимуля? С сюрпризами так бесцеремонно не обращаются. Сюрпризы берегут, как память. Ты забыл, кажется, для чего я тебя приглашал! Мы с тобой договорились сегодня нарезаться! Да не смотри ты на нее так! Слышишь? Воспринимай ее, как память, как светлое воспоминание, как призрак, как невесомость. Только и всего!

Каштанка загадочно повела бровями и наивно-распутно улыбнулась Диме:

— Я вам не буду мешать?

— Да ты что? — выпалил Дима. — Разве ты можешь помешать?

— Слово друга — для меня закон! — нехотя согласился Игорь.

Он усадил Каштанку на тахту между собой и Димой, объяснил ей:

— Там, в Академии, нам ни разу не удалось нарезаться вместе. Мы решили исправить эту оплошность через пятнадцать лет. Не поздно?

Каштанка сказала, глядя на Диму:

— Доброе дело сделать никогда не поздно. Правда?

Игорь стал разливать водку по стопочкам:

— Тем более, что если бы мы с ним нарезались тогда, добром бы наша встреча не кончилась.

— Это почему же? — спросила Каштанка.

— Зная его характер, — засмеялся Игорь. — Да и мой тоже. Наша встреча кончилась бы кровавым мордобоем. Разве я не прав, Тимуля?

Дима помрачнел, вспомнив недавнюю встречу с другим однокурсником.

— А сегодня этим не кончится?

Игорь захохотал.

— Не знаю... Не знаю... Это будет зависеть...

Каштанка перебила его:

— Я не позволю! Очень хорошо, что я осталась с вами. Я буду вашим арбитром! Все недоразумения решайте только через меня! Договорились, мальчики?

— А разве у нас есть недоразумения? — удивился Игорь. — Тим, как ты считаешь? Разве они есть?

Дима заметил, как забеспокоилась Каштанка, и улыбнулся ей.

— Это разве недоразумение? Так... Не будем об этом...

— Ну и слава Богу! — воскликнул Игорь, поднимая стопку. — Слава Богу и дьяволу! Полетели!

Так начался этот странный дружеский вечер. Вечер дружбы через пятнадцать лет скрытой вражды и забытой любви.

Игорь вспоминал их курс, первые робкие и поэтому совершенно идиотские этюды однокурсников, едкие, саркастические замечания Мастера. Очень хорошо, что Каштанка сидела между ними. Дима уже несколько раз готов был завестись. Злая ирония Игоря его раздражаи. И только теплое бедро Каштанки и ее фирменная улыбка успокаивала его.

Игорь наслаждался воспоминаниями. Как хороший артист, он очень похоже копировал однокурсников и старого Мастера. Особенно ему удался шарж на вечно веселого, всегда благополучного и неисправимо ленивого и тупого Леву Стрекачева.

— Как-то раз наш Лева сдавал экзамен по зарубежной литературе. Ему достался Даниэль Дефо. Лева начал торжественно: «Значится, так, голубушка Лидия Аркадьевна (это он так нашего уважаемого педагога величал), великий английский писатель Даниэль Дефорж написал известный с детства ро-

ман „Робинзон Крузоэ"». Удивленная Лидия Аркадьевна его перебила тут же: «Лева, почему Дефорж? Почему Крузоэ?» Лева, не моргнув: «А это
я во французском написании, голубушка». «Но
Дефо — англичанин!» — возмутилась она. «А я что
говорю?» — не растерялся Лева. — «Истинный
англичанин. Только я читал его по-французски».
Лидия Аркадьевна попросила Леву перейти ко второму вопросу. Вторым вопросом в билете значился
«Дон Кихот», и Лева начал бойко пересказывать
известный фильм с участием народного артиста
Черкасова. Лидия Аркадьевна опять перебила Леву:
«А не вспомните ли вы, как звали коня Дон Кихота?» Лева обиженно развел руками: «Кто же этого
не знает, голубушка? Коня Дон Кихота звали Ре-
нессанс!»

Каштанка залилась детским смехом, и Дима,
глядя на нее, засмеялся. Ему стало легко и радостно.

Водка была какая-то необычная, мягкая и пря-
ная, дорогая и незнакомая, и пилась незаметно, не
то что ливизовская «Охта». И опьянение было не-
обычным — каким-то восторженным, будто летишь
над Землей на воздушном шаре.

— Слава Богу и дьяволу! — весело восклицал
Игорь после каждого тоста.

Дима сначала принимал это за обычный стеб. Но
на последнем тосте Игорь специально обернулся за
спину и поднял стопку в сторону темной картины,
висевшей над тахтой.

— За вас, мои Господа!

Дима обернулся тоже, но картину не разглядел.
Только Каштанка почему-то улыбнулась Диме еще
наивней и распутней.

— За кого это ты пьешь? — спросил Дима.

— За них, — показал на картину Игорь.

— А кто это там?

Игорь снял со стены электрический подсвечник-бра и осветил картину. Она была старинная и темная в почерневшие золотой раме. Игорь придвинул подсвечник ближе.

На золотом низком троне восседал седой, белобородый старец в багряных одеждах. Вместо короны его голову обвивал кожаный шнурок, как у средневековых мастеров. В правой руке он держал высокий пастушеский посох, в левой — длинный, свисающий до земли бич. На его широко расставленных коленях сидели, как дети, свесив внутрь ноги два маленьких бородатых человечка, один в белых одеждах, другой — в черных. Над головой старца сияло солнце. За его спиной голубело небо. В небе, как стрекозы, висели ангелы и трубили в длинные золотые трубы. Под ногами старца царила ночь. Широкий полукруг земли снизу освещался зеленоватым лунным светом. Под гром небесных труб разверзалась земля и из могил восставали желтые, голые трупы с обезумевшими глазами. Мужчины и женщины. Одних ангелы в белых одеждах увлекали за собой в небо, других ангелы в черных одеждах кнутами загоняли в горящую пламенем преисподнюю. А там, на сковородах, в кипящем масле жарились рядком золотистые как шпроты грешники с широко раскрытыми в безумном крике ртами...

Игорь водил светильником по фигурам грешников. На лбах у них были кровью написаны их пороки. Дима успел прочесть только некоторые из них: «Богоотступник, ростовщик, детоубийца, распутник, пьяница...»

Настроение у Димы резко изменилось. Словно его воздушный шар ударился о скалу.

— Кто это?

Игорь улыбнулся.

— А это тот, которого ты знаешь! Неужели не узнал?

— Это и есть Бог? — поразился Дима.

Бога он представлял себе совсем иначе. То есть, Бог для него весь воплотился в образе Иисуса Христа. А Бога-Отца он себе вообще никак не представлял, соглашаясь с древними, что Тот невидим и непознаваем. Для того Он и послал на Землю своего Сына, свое тождество, чтобы люди через Сына познали непознаваемое, хотя бы часть Его Самого. А часть, как в голограмме, — и значит Целое...

Игорь, увидев Димино замешательство, снова включил подсвечник и осветил картину.

При свете глаза старца угасли, словно он, склонив голову, посмотрел себе на колени. Дима ясно различил теперь, что на правом его колене сидел Христос в скорбном терновом венце. По щеке его стекала струйка алой крови. А на левом колене старца сидел самоуверенный черноглазый тип в золотой королевской короне, со знакомой остроконечной бородкой клинышком.

— А это его сыновья, — сказал Игорь, — старший и младший.

— Не может быть, — вырвалось у Димы. — Этого не может быть!

— Это так, — сурово сказал Игорь. — Вот она, Великая тайна истинной святой троицы.

Он хотел выключить подсвечник, но Дима схватил его за руку:

— Подожди! Это что же получается? А?

— Не торопись, — подсказал ему Игорь. — Прежде, чем сделать главный вывод, подумай хорошенько.

— Я подумал, — забормотал Дима, — я подумал... Получается, что они одно... Если Христос и

Бог — одно... Значит, Сатана и Бог тоже одно? Так что ли?

Каштанка тихо засмеялась, не поворачиваясь к ним. Игорь направил свет на колени старца. Сначала осветил Христа:

— Гляди, Христос сидит на правом колене. Отец держит в правой руке постушеский посох. Прообраз епископского посоха, так сказать... До сих пор символ Римского папы — такой вот посох с изогнутым навершием. А в левой руке Отца — бич, — Игорь навел свет на левое колено, — а под бичом восседает Князь Мира Сего в королевской короне — символе земной власти. Пастырь в терновом венце с посохом в руке ведет к Отцу послушное стадо. А пастырь в королевской короне и с бичом в руке наказывает сбившихся с пути и отставших от стада... Но цель-то у них одна! — захохотал вдруг Игорь. — Одна! Довести стадо до чертогов Отца или наказать непослушных...

— Но средства-то разные, — сказал Дима.

— Разные, — согласился Игорь. — Противоположные, можно сказать, средства... Но оба они служат на пользу Отцу. Потому что для Отца любые средства хороши! Любые!

— Ересь какая-то! — выругался Дима и отвернулся от картины.

Каштанка обняла его, халат раскрылся на ее груди.

— Мне скучно, мальчики.

Игорь уже разливал водку по стопкам:

— А знаешь, почему ей скучно? Потому что бабы знают эту тайну с рождения.

— Какую тайну? — не понял Дима.

Игорь поднял свою стопочку.

— То что сатана — всего лишь одна из ипостасей Бога. Мы, мужики, еле-еле доходим до этого своим умишкой, а бабы впитывают это знание, как инстинкт, с молоком матери.

Каштанка, дурачась, запела низким голосом:

> — Частица черта в нас
> Заключена подчас!
> И сила женских чар
> Таит в груди пожар!

Она крепко поцеловала Диму.

— Адский пожар, Димон! Адский! — и рассмеялась.

— Видал? — ревниво спросил Игорь. — Бабы сильнее нас, потому что с рождения знают эту тайну! Полетели!

Дима выпил, но лучше ему не стало почему-то.

— Чушь! Ты сказал, что Отцу любые средства хороши? Ты ведь так сказал?

Игорь сморщился, будто пил какую-то другую, злую водяру, и ответил, закусывая маринованным огурчиком:

— Именно так я сказал!

— Но это же, — заволновался Дима, — это же девиз иезуитов! Фанатиков! Это для них Цель оправдывает средства!

Игорь с аппетитом обгрызал куриную грудку:

— Дело не в этом...

— А в чем? — завелся Дима. — В чем же дело, объясни-ка поподробней!

Игорь посмотрел на его злое лицо, засмеялся и вытер жирные руки о свой шелковый халат.

— Что бы я тебе не сказал, ты мне все равно не поверишь. Может быть, ты поверишь тогда известному ученому, лауреату Планковской премии?

— Кто это?

Игорь ушел в темноту комнаты к книжным полкам.

— Его имя тебе ничего не скажет. Ты же не интересуешься астрофизикой. Ты у нас, так сказать, чистый богоискатель.

Каштанка ласково поцеловала Диму в шею, он отстранился.

— Подожди. И что же говорит этот астрофизик?

Игорь достал с полки книгу в голубом переплете, вышел на свет и сразу открыл ее на заложенной странице.

— Ну, я не буду тебе читать длинные научные расчеты и вычисления. Ты их все равно не поймешь. Перейду сразу к делу. Он доказывает научно, что существование живой и неживой природы взаимообусловлено. То есть, живая материя влияет на развитие неживой.

— Как это скучно, мальчики! — вздохнула капризно Каштанка.

— Подожди, — отмахнулся от нее Дима. — Допустим, влияет. А дальше что?

Игорь сел на свое место рядом с загрустившей Каштанкой и положил книгу на колени.

— Извини. Я быстро. Прочту ему только самую суть. Он же не успокоится.

— Только очень быстро, — разрешила Каштанка, сама разливая водку.

Игорь стал читать:

— «Но зачем же Вселенная обзавелась живой материей? Да лишь затем, что без живой материи никакой Вселенной просто не было бы. Она давно остыла бы и умерла, в соответствии со вторым законом термодинамики Томсона и Клаузиуса, постулата, называемого законом тепловой смерти Вселенной!»

— Ты обещал очень быстро, — напомнила Игорю Каштанка.

— Смысл! — воскликнул Игорь. — Перехожу к смыслу! Смысл закона в том, что в любой закрытой системе, коей и является наша Вселенная, тепло передается только от более горячих тел к более холодным. И не наоборот. Солнце остывает и постепенно температура различных тел выравнивается. И в конце концов замирает на каком-то значении. Все! Вселенной конец! Она остыла! Но «апокалипсис по Томсону» не состоялся только благодаря живой материи...

— Благодаря бабам! — закричала вдруг Каштанка. — Это мы греем Вселенную! Мы! Давайте за баб, мальчики! Полетели!

— Подожди, — вежливо улыбнулся ей Дима. — Почему же не состоялся апокалипсис? Я не понял пока.

Игорь ревниво взглянул на Каштанку и продолжал читать:

— У живой материи (то есть, у человечества), чтобы сохранить теплоту Вселенной, есть только два пути. Первый — сознательное развитие дальнего Космоса, кропотливое обживание уже угасших планет. И второй путь — термоядерный взрыв Земли. Превращение ее во втрое Солнце. Между прочим, ядро нашей планеты, как доказывает этот ученый, представляет из себя огромную водородную бомбу. Мы сидим и курим на бочке с порохом, Тимуля. Мы сидим на растяжке, так сказать. Одно наше неверное движение — и... Привет! Всеобщий звездец. Выбор одного из этих путей зависит от самого человечества, от состояния общечеловеческой морали. Это выбор между Добром и Злом. Между Богом и Дьяволом. И выбор этот на совести человечества. А Вселенной, Природе, Богу в конце концов, практически все равно. В любом случае Вселенная обретает теплоту и спасается от «апокалипсиса». А в случае термоядерного взрыва даже быстрей и надежнее.

Тут даже Каштанка замолчала. Игорь захлопнул книгу.

— Вот так, Тимуля. Ты веришь в общечеловеческую мораль и разум человека?

— Я верю в Бога, — твердо решил Дима.

Игорь засмеялся.

— А когда люди расщепили атомное ядро? Вспомни-ка! В начале двадцатого века. А ядерного могущества добились только сейчас, когда с прихода Сына Божьего на Землю прошло ровно две тысячи лет. Не кажется ли тебе, Тимуля, что Отец специально подсказал людям идею расщепления атомного ядра, потому что разуверился в человеческом разуме и вручил судьбу человечества в руки своего второго Сына?

Дима угрюмо задумался. Каштанка игриво затормошила его:

— Не верь, Димон! Все чушь! Галиматья! Ахинея! Верь только бабам! Бабы спасут вас, мальчики, от тепловой смерти! За Бога и дьявола! Полетели!

Они выпили и Диме снова стало легко и весело. Воздушный шар снова понес его над землей.

Каштанка выскочила на середину комнаты и, задирая полы огненного халата, вскидывая длинные ноги, пустилась в пляс:

— Час-ти-ца черта в нас заключена подчас!

Игорь захлопал в такт канкана. Распахивались полы халата, мелькали длинные розовые ноги. Дима заметил, что у Каштанки под халатом тоже почему-то не было трусов. Танцуя, она выкрикивала на мотив Кальмана.

Я смерти не боюсь! Я лучше уж влюблюсь!
Я вместо похорон — Влюблюсь в тебя, Димон!
Та-ри-ра-ра-ра-ра
Та-ри-ра-ра!

Игорь кинулся к ней на середину комнаты, закружился вокруг нее в немыслимой пляске. Замелькала его белая, голая задница.

Я тоже не боюсь!
Я тоже сам влюблюсь!
Прошу я поскорей —
Каштанка будь моей!

Дима не выдержал и, хватанув еще стопку, рванулся к Игорю:

— Уйди, Гарик! Она моя! Она моя первая любовь! Уйди лучше!

Пляска прекратилась. Каштанка спросила, тяжело дыша и как всегда улыбаясь:

— Димон, ты озверел?

Игорь оторвал от себя Димины руки:

— Я же говорил, драка будет.

Каштанка ласково обняла их обоих.

— Ничего не будет! Пока я с вами, мальчики.

Игорь посмотрел в «петроградские» глаза и усмехнулся:

— А говорил, что между нами нет недоразумений.

Дима сказал сквозь зубы:

— Я же твой должник, твой раб...

Он пошел к двери, но Каштанка повисла на нем:

— В чем дело? Что произошло, Гарик?

Игорь хлопнул себя по лбу:

— Ах, ты про это? Про эти несчастные расписки?

— Какие еще расписки? — заволновалась Каштанка. — В чем дело, Гарик?

Они вернулись за стол, и Игорь в кратце рассказал ей историю расписок. Диминой и Тамариной.

— Как тебе не стыдно! — возмутилась Каштанка. — Брать расписку с друга! Даже если он тебе не отдаст, ты с этой распиской в суд пойдешь, что ли?

— Да никогда в жизни! — искренне воскликнул Игорь. — Это же Тамара просила меня взять с него расписку, чтобы он от моей работы не отказывался.

— Тамара — сволочь! — заявила Каштанка. — Продала своего мужа, как черного раба.

— Да что ты говоришь? — взмолился Игорь. — При чем тут рабы? Тамара волновалась за него. Тим целый год ни черта не делал. Деньги искал. Она боялась, что он без нее совсем опустится, квартиру продаст, в бомжа превратится, сопьется...

— Сволочь! — оценила Тамару Каштанка.

— Почему? — не согласился Игорь. — Просто Тамара такая конкретная женщина.

— Что я, Тамару не знаю? — усмехнулась Каштанка. — Когда-то она моей лучшей подругой была.

Дима не знал этого. Значит, Тамара «зарезала» на экзамене свою лучшую подругу? Действительно, «конкретная женщина». Супер-агент!

— Слушай, — вдруг сказала Каштанка Игорю, — а где эти расписки?

— А что? — насторожился Игорь.

— Покажи-ка их мне, — попросила Каштанка. — Ну-ка покажи!

Игорь пожал плечами и пошел к секретеру у зашторенных плотно окон. Вернулся с расписками и протянул их Каштанке. Каштанка отдала ему Тамарину расписку.

— С ней сам разбирайся. А с Димоном я разберусь! — она прочитала расписку.

— Ого! «Обязуюсь беспрекословно выполнять любые требования...»

Каштанка широко улыбнулась, как умела улыбаться только она, наивно и распутно, и разорвала расписку на мелкие клочки.

— Что ты делаешь? — заорал на нее Игорь.

— Спасаю твою честь, — объяснила ему Каштанка. — Нечестно брать расписки с друзей и требовать еще, чтобы они беспрекословно что-то выполняли... Правда, Димон?

— Правда, — поглядел на Игоря Дима.

— А мои требования ты согласен беспрекословно выполнять? — обняла его Каштанка. — Со-гла-сен? А?

— Согласен, — радостно кивнул Дима.

Каштанка схватила его за руку.

— Слово даешь?

— Даю.

Каштанка протянула сцепленные руки Игорю.

— Разбей.

Игорь ударил ладонью по их рукам.

— Все! — закричала Каштанка. — Поклялись перед Богом и дьяволом! И никаких расписок не нужно.

Дима машинально обернулся на картину. На него смотрели огромные, поблескивающие в темноте глаза.

Каштанка взяла гитару и ударила по струнам всеми пальцами. В ритме рока она запела:

В мой лимузин поместилось немножко:
Я и винтовка и спальный мешок.
Но есть сигареты, и вьется дорожка,
А что еще нужно, дружок?

И опять Дима узнал свою старую, давно им забытую песню. А Каштанка их помнила до сих пор. Он с благодарностью посмотрел на Каштанку. А она улыбалась ему, полузакрыв глаза, хлестала как плетью, по гитарным струнам.

Эй, ветер, в ушах свисти,
К звездам нас зовут пути!
За литр бензина и бренди бокал
Я б всех девчонок своих отдал...

Каштанка сделала паузу и под перебор гитарных струн сказала:

Закончилась сказка, как призрачный сон —
Предал Каштанку Димон!
Предал Каштанку Димон!

Она отбросила гитару и закурила. Дима оторопел.

— Это я тебя предал?

— А кто же?

Игорь встал, сказал озабоченно:

— Ну вы тут разбирайтесь, ребята. Мне позвонить должны.

Он пошел к двери. Каштанка крикнула ему вслед:

— Из-за расписки расстроился? Не унывай, сквалыга! Плюшкин ты, вот ты кто!

Когда Игорь вышел, Дима опять ее спросил:

— Ты честно считаешь, что я тебя предал?

Каштанка затянулась в последний раз и затушила сигарету.

— Помнишь, ночью после экзамена ты пришел ко мне на Марата? А я тебе даже дверь не открыла. Ты кричал за дверью: «Хочешь, я откажусь? Хочешь, плюну на все?» А я тебе сказала: «Уйди, предатель!» И ты ушел, даже вещи свои не захватил. Я всю ночь тетрадки твои листала, учила твои песенки наизусть... — Каштанка вздохнула грустно.

— А утром у меня крыша поехала... И попала я в больничку к кровельщикам...

— К каким кровельщикам? — не понял Дима.

— Ну, которые крыши чинят, — усмехнулась Каштанка. — К таким вот, вроде Гарика.

— Это он тебя вылечил! — понял Дима.

Каштанка сказала виновато:

— Я тоже так думала... До сегодняшнего дня...

Дима опустил глаза.

— Разве я виноват? Так сложилось... Случайно я нашел свой путь.

— Никто не виноват, — сказала Каштанка. — Нет виноватых, потому что любые пути ведут к Нему. А Он — есть Любовь. А Любовь — есть тепло, — Каштанка улыбалась наивно-распутно. — А Ему безразлично, каким путем это тепло добыто...

— Сейчас Игорь придет, — зачем-то предупредил ее Дима.

— А ты разве раб ему? — спросила Каштанка. — Ты поклялся выполнять мои любые требования...

Она была все та же. Непонятным образом она сохранилась такой, какой он любил ее тогда. И пахло от нее так же — одуряющим запахом молодого женского тела. Дима обнял ее и, целуя, повалил на тахту.

— Псих! — засмеялась ему в ухо Каштанка. — Давай хоть простыню постелим... по-человечески... псих...

И они взлетели над Землей на воздушном шаре. Шар, колыхаясь, плыл над полями и лесами, над морями и озерами... Потом им стало трудно дышать, потому что шар поднимался все выше. Под ними зажигались давно погасшие звезды, над ними светились холодным молочным светом неоновых ламп спирали Галактик, которые нужно было согреть...

Каштанка стонала ему в ухо:

— Еще… Еще, Димон… Еще горячее… Еще…

И они поднялись еще выше, к самому солнцу. От его нестерпимого сияния перед глазами у Димы поплыли желтые круги, в судорогах вспыхнуло все его тело. И Дима потерял представление о времени…

То ли во сне, то ли наяву Дима услышал, как заскрипела дверь, и в зашторенную комнату вошел маленький седенький старичок, похожий на ханыгу, взорвавшего Левин джип. Старичок подошел к дивану, постоял над бесчувственными телами и скрипуче засмеялся, потирая ладошки:

— Ну-ну…

Каштанка в темноте улыбнулась Диме… Но улыбка была совсем не ее. Наглая, ненасытная, совсем не знакомая Диме улыбка…

Дима вдруг с ужасом понял, что под ним лежит не Каштанка вовсе, а секретарша Клеопатра Антониевна, которую Лева назвал настоящей колдуньей… Дима дернулся, но секретарша грубо обхватила его спину холодными руками и приказала хрипло:

— Еще!

И они опять полетели… Только не наверх, а куда-то в черноту Преисподней…

Старичок скрипуче хохотал, потирая ладошки…

Очнулся Дима при свете серого осеннего дня, хмуро глядевшего в незнакомые окна. Дима долго не мог понять, где это он лежит, один, совершенно голый? Скосив глаза, он увидел над собой мрачную картину, сразу все вспомнил и сел на тахте.

Перед ним стоял Игорь в строгом рабочем костюме. В руках он держал его одежду, высушенную и выглаженную. Игорь бросил на тахту одежду и задумчиво покачал головой.

— Не ожидал... Не ожидал, Тимуля. Ты просто половой гигант.

Дима встал, надел трусы и буркнул мрачно:

— А тебе-то что?

Игорь беззвучно засмеялся.

— Как это что?.. Она моя жена, между прочим.

Дима не успел натянуть на себя тугие джинсы.

— Кто?

— Как это кто? — рассердился Игорь. — Ты ничего не помнишь, что ли?

Дима натянул джинсы, застегнул молнию:

— Слушай... А эта твоя секретарша... Клеопатра Антониевна...

— Причем тут Клеопатра? — сердито оборвал его Игорь.

— Она была здесь? — докончил все-таки Дима.

— А ты не помнишь? Ничего не помнишь? — криво улыбнулся Игорь.

Дима признался виновато:

— У меня местами отключки были...

— Да-а, — улыбался Игорь. — Водяра такая хитрая. Пьешь как воду, а потом улетишь и не найдешь.

— Так была она тут? — уже раздраженно спросил Дима.

— Кто?

— Да эта твоя Клеопатра!

Игорь внимательно на него посмотрел:

— Я ее отпустил на неделю. К ней брат приехал. — Он сказал строго. — И не делай вид, что ты ни черта не помнишь! Ты трахал мою жену! Жену!

— Каштанка!.. Твоя жена?.. — понял, наконец, Дима.

Игорь за столом разливал по стопкам водку.

— И давно, между прочим.

Уже одетый, Дима сказал виновато.

— Что же ты меня не предупредил?

Игорь напомнил ему:

— Неправда. Я тебя предупреждал. Я сказал тебе, что это МОЙ сюрприз. Я просил тебя ее не трогать. Ты не послушался.

Дима только руками развел.

— Извини, Гарик...

Игорь сердито хмыкнул:

— «Извини»?.. Ты за чукчу меня принимаешь, который всем друзьям свою жену подкладывает? Нет, брат, извинениями ты не отделаешься.

— На дуэль меня вызовешь, что ли? — спросил Дима.

— Сегодня проще киллера нанять, — отрезал Игорь.

Дима, молча, с ним согласился. Сказал только:

— Ну, решай сам.

Игорь подал ему налитую стопочку.

— Вместе будем решать. По-мужски. На, прими. Поправься для начала. Приди в себя.

Дима выпил и вяло зажевал тем, что ближе лежало.

Игорь курил, ожидая его «выздоровления». Дима не вытерпел:

— Ну давай, решай. Не тяни.

Игорь затушил сигарету.

— Расписка твоя порвана. Можешь считать, что ты мне ничего не должен.

— Нет, так не пойдет, — не согласился Дима. — Я-то знаю, что должен. Я отдам. Я слово дал.

— Ты Каштанке слово дал, — усмехнулся Игорь.

— Какая разница?

— Большая! — не торопясь, объяснил Игорь. — Тамарина расписка осталась у меня. Ты исполнишь свой долг перед Каштанкой. Тамара исполнит свой долг передо мной.

— Как это? — не понял Дима.

— А так. — Сурово сказал Игорь. — Это единственный выход. Если не хочешь, чтобы я киллера нанял.

— Какой выход? — рассердился Дима. — Объясни.

Игорь сцепил пальцы на колене.

— Мы с тобой поменяемся женами. Это единственный достойный мужчин честный выход. Или киллер. Выбирай.

Дима растерянно улыбнулся, приняв его слова за дурацкую шутку.

— А их согласия ты не спрашиваешь?

Игорь удивился:

— Неужели ты не понял из телефонного разговора, что Тамара не любит тебя?

— Она сказала, что надеется...

Игорь поморщился:

— Она перестала надеяться. Сегодня утром я ей позвонил и все рассказал.

Дима сдержал себя и спокойно спросил:

— И что она на это сказала?

— Она ждет твоего решения. Ждет, что выберешь ты. Киллера или честный обмен? Она почему-то считает, что ты выберешь киллера.

Дима засмеялся.

— Это похоже на нее... Сначала я хочу с Каштанкой поговорить.

Игорь отрицательно покачал головой.

— Ты не сможешь с ней поговорить. Сегодня утром она улетела.

— Куда? — вырвалось у Димы.

Игорь ласково улыбнулся.

— К солнцу. Я ее отправил к своим друзьям на Канары. Ей надо отдохнуть недельку, прийти в себя. Вечером и я улетаю туда же, — в подтверждение своих слов Игорь достал из кармана голубую картонку авиабилета, но тут же спрятал обратно. — Поработаю с ней, приведу в порядок. И сдам тебе ее через неделю в целости и сохранности... Если ты, конечно, выберешь ее. — Игорь встал. — Ну, давай, я тебя провожу. У меня еще уйма дел. Извини.

По длинному коридору они прошли в прихожую. Дима снял с вешалки свою высохшую куртку.

— Слушай, — спросил вдруг Игорь. — А ты раньше эту картину нигде не видел?

— Какую картину? — не понял Дима.

— Ну, ту, что я тебе вчера показывал, — напомнил Игорь. — Над диваном. Помнишь?

Дима пожал плечами:

— А где я мог ее видеть? Такое не забывается, — и он пошел к двери.

— Да! — вспомнил Игорь. — Я же тебе должен.

— За что?

— За такси. Ты же приехал ко мне на такси. Идем.

Сни вошли в кабинет Игоря. Игорь стал возиться с сейфом. Дима машинально поглядел на его стол. На столе лежала большая иллюстрированная книга на английском языке «Войска СС в битве под Москвой». Дима не успел поразиться такому странному выбору, Игорь протянул ему стодолларовую бумажку.

— На неделю тебе, думаю, хватит. У тебя есть неделя, Тим. Решай. — Он проводил Диму до двери. — Через неделю, кстати, и Тамара подъедет.

Он открыл дверь и ласково улыбнулся Диме:

— Пока, Тим. Через неделю я тебе позвоню... Не пропадай... И не делай глупостей...

15. «Его величество Случай»

Сутки Дима не выходил из своей комнаты на Петроградской. Сутки он анализировал ситуацию. И не мог понять главного.

Ему мешали мысли о появившемся в зашторенной комнате, то ли во сне, то ли наяву, седеньком старичке, потирающем сухие ладошки, и холодных, как прикосновение смерти, наглых объятиях секретарши Клеопатры Антониевны...

После долгих размышлений Дима отбросил эту чушь, как алкогольный бред, вызванный «хитрой», как выразился Игорь, водярой, и занялся только сугубой реальностью.

Но и реальность ускользала от трезвого понимания...

Что же на самом деле произошло на Мойке?

Что значила неожиданная встреча с Каштанкой?

Что значил «маленький сюрприз»?

Или все это произошло, как говорится, само собой, и Дима сам виноват, что не устоял перед улыбочкой Каштанки, или это Ловушка, специально подстроенная Игорем?..

В пользу обоих предположений имелись веские доводы. Дима нашел свою тетрадку с досье на «тайного советника» и аккуратно, в два столбца, вписал туда доводы за одно предположение и за другое. За «Ловушку» было тринадцать доводов, за «само собой» — одиннадцать.

По числу «ЗА» «Ловушка» перевешивала, но верить в нее не хотелось. Получалось, что Каштанка просто выполняла задание Игоря, подыгрывала ему... Получалось, что Игорь специально вылечил Каштанку, специально женился на ней, чтобы через пятнадцать лет обменять ее на Тамару... Какая-то ахинея и бред! Кто знал тогда, что Тамара неожиданно на последнем курсе выберет Диму? И кто был тогда Дима? Да и теперь кто он?.. За каким чертом и ради чего нужна Игорю вся эта дьявольская режиссура? Но больше всего не хотелось верить в предательство Каштанки. За нее говорил самый веский аргумент — его песни! И после этого предала?!

Дима стал искать в своих бумагах визитку Левы Стрекачева. Но визитка не находилась. А самому ехать к Леве, объяснять ему позорную ситуацию, просить помощи значит согласиться работать на их Контору — этого Дима допустить не мог! Тем более, что он теперь окончательно убедился, что все шпионские страсти, все Левины подозрения насчет Игоря — дикий бред! Все гораздо проще. Игорю нужна только Тамара. Он воспользовался ситуацией, быть может, даже подтолкнул Диму к краю пропасти, но заранее подстроить такую ловушку не мог! В этом он был просто убежден... Если бы не седенький старичок и холодные объятия Клеопатры... Но их Дима вынес за скобки, как алкогольный бред... Перед ним во весь рост встала вполне реальная угроза!

Как бы то ни было, Игорь почти добился своего! Почти... Если Дима за эту неделю не придумает ответный ход. А ход у него оставался только один — срочно найти и вернуть Игорю десять тысяч долларов! Тут дело совсем не в том — любит ли его Тамара? И не в Каштанке дело! Дело в нем самом. Он должен доказать себе, что он мужчина, а не «жидкое говно». Где найти эти деньги, Дима себе не представлял. Промучавшись сутки, и вопреки своим убеждениям решил положиться на Его Величество Случай. (А на что еще ему было полагаться?) И Случай его не подвел!

Произошло это так.

Чтобы отвлечься от мучительных бесплодных поисков, Дима решил заняться работой. Заняться делом, которое его никогда не предавало, и никогда не предаст!

Наскоро приготовив кофе, Дима задернул в комнате шторы, отключил телефон, взял в руки томик Шекспира и устроился на своем любимом месте на диване под торшером.

Предвкушая радость еще неизвестных открытий, он углубился в чтение с карандашом в руках и чистым листом бумаги. Так их учил читать пьесы Мастер. Отмечать на листочке точное время действия (год, месяц, день, час) и «сквозное действие» каждого персонажа (его желания, стремления, поступки). Мастер называл эту работу — «действенный анализ».

Прежде чем приняться за саму трагедию, Дима ознакомился с примечаниями и послесловием известного шекспироведа в конце книги. Его несколько насторожила следующая неуклюжая строка:

«...История любви двух отпрысков враждующих домов, кончающаяся трагически, вследствие случайного рокового недоразумения...»

Дима скептически хмыкнул. Мы уже знаем, как Дима относился к случайности. Но теперь-то он допускал ее! На улице было пасмурно. Собирался дождь. Дима включил торшер и стал читать.

Прочитав последние строки трагедии:

> Нет повести печальнее на свете,
> Чем повесть о Ромео и Джульетте, —

он удивленно воскликнул:

— Черт побери! Надо же... Ну и дьявольщина!..
Дима взял со стола свои записи.

Первое, что бросилось в глаза, это отмеченные им «трупы». Как всегда у Шекспира, трупов было достаточно. Целых шесть. Неужели и они все погибли случайно?..

Шесть трупов (Меркуцио, Тибальд, граф Парис, мать Ромео, умершая от удара, когда узнала, что ее сын сослан, и, наконец, сами Ромео и Джульетта). И виноватых нет?! Не может быть!

Во всех трагедиях Шекспира есть виновник-злодей. А здесь?.. Его Величество Случай?..

Метод действенного анализа нравился Диме со студенческой скамьи. Мастер говорил, что аналитическая работа режиссера очень похожа на работу следователя: оба должны раскрыть преступление. Хорошая пьеса всегда основана на преступлении (уголовном или моральном). Главное — найти этого преступника. Метод действенного анализа очень напоминает дедуктивный метод Шерлока Холмса. В нем важна каждая мелочь. Настоящий автор уделяет особое внимание этим мелочам.

Для начала Дима занялся временем. Время действия трагедии Шекспир указывает с необыкновенной точностью.

Она начинается в девять утра (на башне бьют часы) первого апреля. Воскресным утром перед праздником начала лета.

Вечером на этом празднике и встречаются Ромео и Джульетта, «отпрыски двух враждующих домов».

Ночью происходит знаменитая сцена у балкона.

Знатная девушка не может принадлежать любимому без венчания. И днем в понедельник их тайно венчает духовник обоих влюбленных, брат Лоренцо. А ночью юные супруги собираются отметить свою первую «ночь любви».

Торопясь к ней на свидание, Ромео видит, как двоюродный брат Джульетты Тибальд убивает его друга Меркуцио. Из мести Ромео убивает Тибальда. В этот же день герцог Вероны приговаривает Ромео к ссылке в Мантую. Вот такая получилась у влюбленных невеселая ночь любви. Она превратилась в ночь прощания. До восхода солнца Ромео должен отправиться в ссылку (об этом их, так умиливший поэтов, спор об утреннем жаворонке или ночном соловье).

Диму поразило, что вся, ставшая христоматией, история любви, продолжалась фактически всего одни сутки!

Такой серьезный автор, как Шекспир, не мог посвятить трагедию всего лишь короткой юношеской любви, пускай даже такой самоотверженной.

О чем же тогда трагедия?

Дима вернулся к своим записям.

Во вторник Ромео уже в городе нет. Брат Лоренцо на прощание успокаивает его и говорит, что приложит все силы, чтобы помочь влюбленным. Обещает через слугу Ромео сообщать ему обо всем, что случится в городе. Уверяет Ромео, что он убедит Герцога помиловать несчастного и «любовью победить вражду».

Утром во вторник отец Джульетты заявляет ей, что собирается выдать ее замуж за графа Париса, родственника самого герцога. В доме идет подготовка к намеченной на среду свадьбе.

Бедная девочка бежит все к тому же брату Лоренцо. И тут монах придумывает совершенно неожиданный, как теперь говорят, эксклюзивный выход из положения.

Он дает Джульетте сонное зелье. Приняв его, Джульетта проспит более двух суток. Естественно, свадьбу отменят. Джульетту похоронят в склепе, где уже лежит ее родственник, убитый Ромео Тибальд.

За это время монах клянется предупредить Ромео. Он уверяет Джульетту, что она проснется в его объятиях.

Растерянная девочка соглашается с его планом.

Ведь выйти замуж за Париса она не может, потому что уже обвенчана с Ромео. Ромео уже ее муж перед Богом.

Ночью во вторник Джульетта принимает сонное зелье. Дальше все просто. Двое суток — это среда и четверг. Просыпается Джульетта в склепе ранним утром в пятницу. Тут Дима опять поразился: все действие трагедии Шекспир уложил в неполных пять дней. К чему такая спешка?

Что он этим хотел сказать?..

И понял, что время у Шекспира — одно из главных действующих лиц, — главная улика, выявляющая злодея.

Что же происходит за эти двое суток?

В среду:

1) Умирает мать Ромео, не вынеся сыновнего позора.

2) Состоялись пышные похороны Джульетты (брат Лоренцо служит поминальную службу, утешает родителей, убитых горем).

3) В городе разразилась чума!

Дальше весь мотор интриги должен раскрутить брат Лоренцо. Как же он выполняет свои обещания?

В четверг Лоренцо начинает действовать. Вместо того, чтобы, как договорились, отправить в Мантую слугу Ромео, он отправляет к нему какого-то монаха, даже не предупредив того о важности поручения.

На дорогах чумной карантин, и монах в четверг ночью возвращается с письмом обратно. Его не пропустили, т. к. монахи ухаживают за чумными и могут стать разносчиками заразы. (все логично)

В тот же четверг к Ромео в Мантую является его слуга с вестью о смерти Джульетты.

Ромео думает, что его прислал брат Лоренцо (как они договорились) и ждет дальнейших разъяснений. Но слуга ничего не знает о Лоренцо. Ромео понимает, что обманут, покупает яд и летит в Верону, чтобы умереть рядом с любимой.

Ранним утром в пятницу и происходит знаменитая «душещипательная» сцена в склепе. Ромео, убив жениха Джульетты Париса, принимает яд. Убийство своего родственника Герцог ему никогда не простит. Проснувшись, Джульетта, видит, труп юного мужа, закалывается его кинжалом. Зритель, умиленный, плачет.

Вот и вся «история юной любви двух отпрысков враждующих домов, кончающаяся трагически, вследствие случайного рокового недоразумения»...

А в чем же это недоразумение?

Да в том, что брат Лоренцо вместо слуги Ромео отправил к нему с письмом какого-то монаха. Которого вернул обратно чумной карантин. И Ромео ничего не узнал об «эксклюзивном» плане брата Лоренцо. Не узнал самого главного!

Другой вопрос, случайно ли Лоренцо это сделал?

Неужели брат Лоренцо не знал о чумном карантине, если всему городу было об этом известно?

Если знал, зачем он отправил именно монаха, ухаживающего за чумными?

Неужели только для того, чтобы, создав себе алиби, сделать так, чтобы его известие никогда не попало к Ромео?

И почему он начал действовать только в четверг?

Почему он не отправил, как договаривались, слугу Ромео? Который приехал в Мантую, но без его поручений? Монах возвращается поздней ночью в четверг, когда уже ничего сделать нельзя! Скоро проснется Джульетта!

Дима почувствовал себя охотником, взявшим след зверя.

В тех постановках, которые он видел, брат Лоренцо всегда изображался седовласым, добреньким «стареньким старичком», другом влюбленных. Дима рассердился на известных режиссеров, за то, что они пьесу как следует не прочитали! Неужели он не знают, что случайностей не бывает, а есть только Божье провиденье или игра Дьявола?!

Ласковый, добренький старичок, босоногий монах, друг влюбленных — всего-навсего слуга Нечистого!

Дима стал искать доказательства в тексте Шекспира.

Уже с первого своего появления «святой монах», собиратель лечебных (и колдовских) трав произносит свое кредо:

> Нет в мире самой гнусной из вещей,
> Чтоб не могли найти мы пользы в ней...

Это же почти дословный лозунг иезуитов: «Цель оправдывает средства!» Дима вспомнил еретическую картину над тахтой и помрачнел.

В чем же цель этого «святого»? Она выражена им самим: «Любовью победить вражду». (Это когда он тайно венчает влюбленных) А дальше? Когда уже убит Тибальд? Когда о любви между соперниками уже речи не может быть?

Цель остается прежней — победить вражду.

И «святой» решает победить вражду смертью несчастных!

Неужели так?

Дима открыл Шекспира.

Ромео уехал в Мантую.

Утром во вторник Джульетта приходит к «святому» за советом. Ведь монах может отправить ее к Ромео сейчас же и добиваться их прощения у Герцога. Но! На нем вина за тайное венчание влюбленных. Вина, которую при объявленной уже свадьбе родственника Герцога, графа Париса, Герцог монаху не простит!

Выгораживая себя, «святой» придумывает хитрый план с сонным зельем. А дальше умело развивает его. Отправив монаха, которого не могут пропустить через чумный карантин, создает себе алиби. Лоренцо знает, что верный слуга обязательно сообщит Ромео о смерти любимой.

Дальше... Ровно в назначенный час окончания действия сонного зелья, монах появляется в склепе, и при нем пробуждается Джульетта. Ромео уже мертв.

И тут он еще может спасти несчастную девочку.

Вместо того, чтобы, пока не сбежался на шум драки Париса с Ромео народ, увести из склепа Джульетту, «святой» хладнокровно демонстрирует ей трупы ее мужа и ее жениха. Он, правда, предлагает Джульетте скрыться в монастыре. Но она-то понимает, что это навсегда, что это тот же мертвый склеп, только при жизни. И она говорит «святому»:

Иди, иди же. Здесь останусь я!

И брат Лоренцо уходит, зная, как поступит сейчас Джульетта! Его гнусный план удался на славу и принес свою пользу.

Перед трупами влюбленных помирились, наконец, убитые горем родители. Герцог объявляет брата Лоренцо доказавшего всем свое алиби и объяснившим «случайное, роковое недоразумение», — святым! Все плачут, все взволнованы...

Дима довольно потер руки. Он разгадал тайну шекспировской трагедии!..

И тут зазвонил телефон. Дима великолепно помнил, что телефон он перед началом работы отключил. Но телефон верещал в прихожей. Дима вышел в прихожую и увидел на вешалке у зеркала мобильник, который забыла у него Виктория. Дима стоял, не решаясь взять трубку. Но сердце его кольнуло от предчувствия, и он схватил трубку, испугавшись, что телефон перестанет звонить.

— Але.

— Тим, это ты? — спросила трубка.

И Дима узнал ее капризный, детский голос.

— Не вешай трубку, Тим. Пожалуйста, не вешай, — умоляюще попросила она.

— Я слушаю, — сказал он ей.

Она жалобно вздохнула:

— Ты не простил меня. И не надо. Может, ты прав...

— Ты только за этим звонишь?

— Нет, — призналась она. — Ты сказал, что из-за меня стал должником. Это правда?

— Правда.

— Сколько ты должен? И кому?

— Это мои проблемы.

— Нет, — сказала она твердо. — Если ты должен из-за меня, это мои проблемы. Так сколько ты должен?

— Десять тысяч — зло сказал Дима и добавил, — долларов.

— Это не сумма, — успокоила его она. — Я отдам твой долг. Слышишь?

Сердце у Димы дрогнуло. Виктория предлагала совсем неожиданный выход из положения. Виктория выступала в роли случая! Дима стал должником из-за того, что она отказалась играть премьеру. Если по-честному, то она и должна нести всю ответственность за нарушения контракта. Но по ее тону Дима почувствовал, что долг — это только начало, что-то еще должно последовать за ее предложением.

И Дима успокоил себя, что это не случай ему помогает, а просто так сложились обстоятельства. Он ей нужен зачем-то.

— Слышишь? — повторила она. — Отвечай, Тим.

— Слышу, — ответил он выжидающе.

— Давай встретимся, — предложила она. — Я приглашаю тебя в театр.

— В каком смысле? — не понял он.

— В самом прямом. Сходи сегодня со мной в театр. Я приглашаю тебя на балет. Прокофьев. «Ромео и Джульетта».

Дима растерялся. Откуда она узнала, что он только что разгадал трагедию Шекспира? Или это тоже «роковое, случайное совпадение»?

— Давай послушаем гениальную музыку, — предложила она.

Дима заколебался.

— Я занят сегодня вообще-то...

И тогда она призналась:

— Тим, мне очень надо с тобой поговорить.

«Ах, вот в чем дело!» — подумал Дима про себя, а вслух сказал:

— Мы с тобой и так говорим.

— Это не разговор, — сказала она. — Отдельная ложа в театре — самое лучшее место для нашего разговора.

— Это почему же? — не понял он.

— Там микрофонов нет, — объяснила она. — Музыка их все равно забивает.

— Такие серьезные дела? — спросил он.

— Да, — призналась она. — Мне очень нужна твоя помощь.

— А что я могу? Я ничем не могу помочь в бандитских разборках, — сказал он жестко. — У меня даже пистолета нет.

— При чем тут это? — рассердилась она. — Ты просто выслушай меня. Я тебе покажу одно письмо. Ты его прочти и объясни мне подтекст. Ты же гений подтекста, Тим.

Дима посмотрел на раскрытую на диване книгу и на тетради с сенсационными заметками, от которых упали бы в обморок шекспироведы, верящие в случай...

— Может, не сегодня?

— Сегодня! Только сегодня! — прошептала она в трубку. — Моя жизнь на волоске, Тим!

Она была хорошая артистка. Но сейчас она не играла — столько обреченности было в ее срывающемся шепоте. Дима не мог ей отказать:

— Ладно. Где встретимся?

— Через полчаса я заеду, — обрадовалась она. — Жди меня на улице. На углу.

В половине седьмого было темно, как ночью. Но фонари ещё не горели. Через открытую дверь парадной Дима увидел, как на углу, разбрызгав лужи, остановилась темная машина. Как он и предполагал, она приехала на навороченном джипе «Паджеро». Из передней двери выскочил охранник в длинном плаще и осмотрелся, ежась под дождем. Дима вышел из парадной, и охранник открыл перед. ним заднюю дверцу. На Диму пахнуло дорогими духами. Она сидела в глубине машины в коротком меховом манто. Лица её было не видно. Дима поздоровался с ней. Ответила ли она, он не расслышал.

Охранник сидел рядом с водителем вполоборота к ним. Диме неудобно было под его взглядом смотреть ей в лицо. И он смотрел вперед, мимо охранника, на дорогу.

Долго они ехали молча. Охранник бросал на него любопытные взгляды. Чтобы его успокоить, Дима спросил её:

— Ну, как твой Виктор? Не достали его еще тамплиеры?

Лицо охранника вытянулось, и он подозрительно уставился на Диму. Вика сказала из темного угла:

— Витя сидит в «Крестах».

— Его же выпустили под подписку, — напомнил ей Дима.

Охранник не сводил с Димы глаз.

— Кто тебе сказал такую чушь? — спросила Вика капризным детским голосом.

— Не помню, — ответил Дима и замолчал.

Он искал связь между только что проведенным им «действенным анализом» трагедии Шекспира и внезапным приглашением в театр. Искал и не находил.

Он уже готов был поверить в Его Величество Случай...

16. «Ромео и Джульетта»

В театр они приехали как раз к третьему звонку. Дима сдал на вешалку куртку, а она осталась в своем коротком манто. Охранник проводил их до ложи бенуара и хотел устроиться на мягком стуле сзади них. Но она сказала своим капризным детским голосом:

— Уйдите, Олег Иваныч.

И тот без слов вышел из ложи, прикрыв за собой дверь.

А в зале уже плавно убирался свет. Публика зааплодировала возникшему в оркестре, как из-за ширмы в кукольном театре, лохматому дирижёру. Дима не знал балета «Ромео и Джульетта».

Первые мощные аккорды увертюры Прокофьева насторожили его. Такой музыки он давно не слышал. Вика схватила его за руку:

— Это не про любовь. Это про войну!

Поднялся занавес. На сцене кипела схватка. Слуги в малиновом рубились со слугами в жёлтом. А сами Монтекки и Капулетти крушили друг друга двуручными мечами. Вика обернулась к нему со счастливой улыбкой:

— Ничего себе разборочка!

Диму поразило выражение ее лица. Хищное и восторженное одновременно. Она воспринимала спектакль как спортивное шоу, как какие-нибудь «Бои без правил». А Диме все это напоминало «ролевую игру» в Выборге.

Больше Вика на него не смотрела, и он постепенно отдался сюжету спектакля, который разворачивал перед залом своей музыкой Прокофьев.

Дима ревниво признал превосходство музыкальной драматургии перед обыкновенной. Ведь композитор одновременно и автор, и режиссёр. Никому ещё не удалось записать какими-нибудь иероглифами режиссёрскую партитуру драматического спектакля. Дима позавидовал Прокофьеву: если бы можно было так записать партитуру его «Трёх сестёр», которых уже никто никогда не увидит!..

И понял, что не прав. Как ни записывай, уже никогда не будет той худенькой девочки, без которой он не представлял себе спектакля.

В оркестре заволновались скрипки. На сцену выскочила на цыпочках угловатая девочка. И начала танцевать свой знаменитый вальс, на глазах превращаясь в женщину. Знаменитый вальс, сделавший Уланову первой в мире балериной.

Дима где-то читал, что Уланова отказывалась перед премьерой от роли, она заявила Прокофьеву в лицо: «Вашу музыку нельзя танцевать!» То ли она действительно не поняла гения, то ли просто боялась — ведь ей тогда было уже за тридцать.

А девочка на сцене всё больше превращалась в женщину. Движения угловатых рук обретали округлость. Тело её тосковало о любви. Дима даже подался корпусом ей навстречу и поймал насмешливый взгляд Вики. Он не понял её злости и откинулся на спинку стула:

— Ты хотела поговорить. Говори.

— Потом, — сказала Вика и отвернулась к сцене.

Дальше Дима спектакль смотрел вполглаза, ждал разговора. И слушал гениальную музыку. Только она его и держала. Музыка и девочка, танцевавшая Джульетту. С каждым её появлением он машинально вздрагивал, но брал себя в руки и прижимался спиной к стулу.

А музыка раскручивала жестокий сюжет всё дальше.

Спектакль был, действительно, о войне, в которой должна была погибнуть хрупкая девочка. Музыка уже предчувствовала ее смерть…

Когда на сцене опять замелькали разноцветные камзолы и засверкали шпаги, Вика обернулась к нему и опять схватила его за руку:

— Гляди внимательно, Тим. Сейчас самое интересное!

Перед одетым во всё черное роскошным Тибальдом ёрничал Меркуцио, весь в голубом. В руке он держал старинную маску на палочке. Выделывая какие-то немыслимые прыжки, он то подносил маску к лицу, то, выставив зад, прикрывал его маской.

Дима понял, что танцор изображает монолог Меркуцио, так оскорбивший Тибальда.

На сцене весь в белом появился Ромео и стал разнимать дерущихся. Засверкали шпаги. Вика не выпускала руку Димы, просто впилась в неё ногтями. И тут из-под руки Ромео коварный Тибальд вонзил шпагу в Меркуцио.

Дима посмотрел на неё и поразился. Вика плакала, не выпуская его руки.

А на сцене долго умирал Меркуцио. Наконец, лежа на полу, он вытянул руки в сторону Ромео и Тибальда, бессильно потряс ими в воздухе и рухнул лицом в пол. Зал зааплодировал.

Дима вспомнил последнюю фразу Меркуцио: «Чума на оба ваши дома!» Фразу эту всем громко разъяснил оркестр. Ромео ринулся мстить за друга.

Гремел оркестр. На сцене сражались Ромео с Тибальдом. И Тибальд был убит.

— Это тебе ничего не напоминает? — спросила Вика.

— Нет, — насторожился Дима.

— Эх, ты, гений подтекста.

Упал занавес. Актеры вышли на поклоны. Зал дружно и шумно аплодировал. Сзади солидный мужской голос громко, на одной ноте, вскрикивал:

— Бра-во! Кли-мо-ва! Браво!

Дима только сейчас понял, что Джульетту танцевала та самая балерина с афиши, с которой его обещал познакомить Игорь.

Из-за кулис седенькая старушка в мундирчике вынесла букет и с достоинством, будто от себя, передала его балерине. Та, прижав букет к груди, устало улыбаясь, вышла к рампе и, далеко отставив ногу в розовом трико, низко поклонилась залу. Дима тоже зааплодировал ей, радостно, от души.

— Бра-во! Кли-мо-ва! — кричали уже несколько голосов.

Дима удивился:

— Разве уже конец?

Вика открыла сумочку, достала пудреницу и белой пуховкой привычно поправила лицо.

— В балете поклоны после каждого акта.

— Ах, да, — сказал Дима. — Я и забыл.

Напротив их ложи на банкетке сидел охранник с программкой в руке. Когда они вышли, он встал и пошёл по узкому коридору рядом с ними.

Дима удивлённо покосился на него. Охранник совсем не походил на уже известных ему по первому визиту бритоголовых мордоворотов-телохранителей. Средних лет, худощавый очкарик в дорогом костюме. Рядом с ним Дима, в своём обычном прикиде, выглядел случайно приставшим к солидной паре прихлебателем. Он даже отстал от них на шаг, но Вика тут же обернулась и взяла его под руку. Охраннику пришлось идти сзади. Молча они вошли в буфет, молча сели за столик. У стойки уже шевелилась небольшая очередь.

— Что ты будешь? — спросила Вика Диму.

Дима посмотрел на охранника и сказал неуверенно:

— Да, пожалуй, кофе выпью... и грамм пятьдесят коньяку.

Охранник ему улыбнулся дружелюбно.

— А мне как всегда, — сказала Вика охраннику.

Дима полез в карман за деньгами. Охранник сказал:

— Пустяки. — Встал и пошёл к стойке.

Дима ожидал, что охранник, растолкав очередь, тут же вернётся с заказом, но тот, соблюдая свой имидж, послушно пристроился в конец и опять дружелюбно ему улыбнулся.

— Слушай, — не выдержал Дима, — что он к тебе прилип? От кого тебя так охранять?

— От всех.

— От всех? — рассмеялся Дима. — Круто.

— После Выборга меня обещали похитить, — спокойно объяснила она.

— Эти?.. Тамплиеры? — спросил Дима.

Вика смотрела куда-то мимо него:

— Не бери в голову... Это мои проблемы...

Очередь двигалась медленно. Охранник находился в самой её середине. Дима спросил:

— Зачем я тебе нужен?

Вика молчала. Она сидела спиной к стойке и не могла видеть охранника. Дима подумал, что она боится его возвращения.

— Он ещё далеко. Какое письмо ты хотела показать?

— Потом, — сказала она спокойно. — Ещё два акта впереди.

Мужчина с чашками кофе в руках, кивая кому-то, попытался сесть за их столик, но Вика так посмотрела на него, что тот улыбнулся почтительно:

— Извините, мадам, — и скрылся.

— Ты давно Шекспира читал? — спросила вдруг Вика.

— А что? — насторожился Дима.

Она чуть улыбнулась:

— И ты ничего не понял? Неужели ты ничего не понял?!

Дима не успел ответить. Вернулся охранник с подносом. Поставил перед хозяйкой фужер и тарелочку с бутербродом, выставил перед Димой чашку кофе и рюмку коньяку и понёс поднос к стойке. Вика подняла фужер:

— За тебя, Тим. Ты мне снишься.

— Там что? — забеспокоился Дима. — Водка?

— Для храбрости, — улыбнулась она. — Давай.

Они выпили. Дима оглянулся по сторонам — не видел ли кто, как красивая дама в собольем манто залпом хлобыстнула целый фужер водки. Но на них, кажется, никто не обратил внимания. Только какой-то замызганный поддатый старикан, неизвестно как попавший в театр, с пьяным радушием поприветствовал их своим фужером.

Диме вдруг показалось, что он уже видел его. Этот старикан чем-то напоминал ханыгу из Левиного двора. И... старичка из его алкогольного бреда. Дима встал и подошел к старику:

— Что вы хотите?.. Вы кто?

Старикан захихикал хрипло:

— Ни-кто... Просто я выпил за вас. За Ромео и Джульетту!

— Идиот, — буркнул Дима и вернулся к столу.

Вика откусила только часть бутерброда, там, где была икра и розочка масла, остальную положила обратно на тарелку:

— Ты его знаешь?

— Показалось... Бред... Алкаш какой-то...

— Если что, предупреди Олега Ивановича.

Вика встала:

— Пошли. Уже третий звонок.

Они вернулись в свою ложу. Охранник открыл им дверь и вопросительно взглянул на Вику.

— Нет, Олег Иваныч, — сказала она капризно. — Сидите там, где сидели. Мы же с вами уже видели это.

Они вошли в ложу. Она зачем-то закрыла дверь на задвижку и подмигнула Диме, прижав палец к губам.

Они снова заняли свои места. Зал дышал, шелестел программками. Настраивался оркестр.

Всё было, как всегда, в ожидании каждодневного чуда.

Плавно стали гаснуть люстра и канделябры. Звонко запахнулись шторы выходов.

Вдруг Вика взяла его за руку:

— Дальше неинтересно. Слушай, поехали к тебе?

— Как? — не понял Дима. — С охранником?

— Зачем? — сказала она. — Он здесь посидит.

Публика зааплодировала. Из оркестровой ямы появился лохматый дирижёр.

— Пошли, — сказала она, вставая, и стала, вихляя бедрами, засучивать свою узкую длинную юбку.

— Ты что? — растерялся Дима.

Она села на барьер ложи и перекинула ноги вниз:

— Помоги!

Он схватил её за талию. Она съехала задом в проход между креслами.

— За мной, Тим!

Сам не понимая, что он делает, Дима перелез животом через барьер в зал. На них возмущенно зашикали. Но тут заиграл оркестр.

Вика схватила Диму за руку и под увертюру ко второму акту потащила по проходу через зал на ту сторону.

Им навстречу кинулась разгневанная старушка в мундирчике. Преградила руками путь.

— Извините, — сказала ей Вика, — оказывается, это мы уже видели. Извините.

Они вышли в пустой коридор. Спустились к гардеробу.

Диму просто колотило от злости:

— С ума сошла! Я в такие игры не играю!

Вика засмеялась беззвучно:

— Тим, быстро поймай такси. Я тебя у входа жду. Быстро!

Дима представил себе сидящего у входа в ложу с той стороны зала интеллигентного охранника:

— Никуда я не пойду! Ты поговорить хотела! Только поговорить! Не впутывай меня в свои разборки!

Вика посмотрела на него печально:

— Это не мои разборки, Тим. Я тебя хочу спасти! Тебя!

— Меня? — не поверил Дима. — Я-то причём?

— Быстро лови такси! — сказала она. — Времени мало!

17. Страшная сказка

Она сидела в своем собольем манто на диване, на его месте под торшером. Сидела и внимательно разглядывала его комнату, чему-то улыбалась. Дима вспомнил ее охранника в очках и забеспокоился:

— У нас времени нет, — напомнил ей Дима. — К концу спектакля мы должны вернуться в театр...

Она посмотрела на него и прищурилась.

— А ты хочешь вернуться?.. Тебе Наташа понравилась?

— Какая Наташа? — не понял Дима.

— Климова. Балерина. Я видела, как ты на нее смотрел.

Дима рассердился.

— Что ты хочешь от меня? Чем я могу тебе помочь? Говори.

Она спросила своим капризным голосом:

— У тебя выпить есть?

— В театре ты выпила целый фужер. Тебе будет плохо.

Она беззвучно засмеялась:

— Ты слышал, что я сказала Олегу Ивановичу? «Мне как всегда!» Это теперь моя доза. Так есть у тебя выпить?

К счастью, после визита чекиста-однокурсника холодильник был пуст.

— На нет и суда нет, — усмехнулась она и раскрыла сумочку. — Вот тебе загадка. Полюбуйся.

Она бросила на журнальный столик почтовый конверт, а себе достала из сумочки маленькую серебряную фляжечку:

— Аварийный запас. Всегда под рукой.

Отвинтила крышечку и глотнула из фляжки.

— Ты не на меня смотри. На конверт. Оцени загадочку.

Дима взял в руки конверт. Он был выпущен еще до перестройки. На конверте требовалось писать сначала «Куда», а уже потом «Кому». И в левом углу — портрет осмеянной и забытой комсомольской героини Зои Космодемьянской, разведчицы, повешенной немцами под Москвой. Адрес обозначен не был. Корявым почерком фиолетовыми чернилами на конверте было написано только: «Виктории Валерьевне лично». Это сразу заинтересовало Диму.

— Письмо без адреса. Как оно попало к тебе?

Улыбкой она оценила его дотошность.

— Очень просто. Мне передали его прямо в руки.

— Кто? И где?

Она опять улыбнулась.

— А прямо у дома. Выхожу из машины, вдруг мне под ноги какой-то маленький старичок с авоськой. «Это вам просили передать».

— Кто просил?

— Не сказал. Не успел. Его охранники отшвырнули. А меня сразу в парадную. И конверт у меня отобрали. — Виктория посмеялась. — В городе все чокнулись на белом порошке в конвертах. Только вечером мне конверт вернули: «Все в порядке, — говорят, — ничего страшного». А теперь ты конверт открой и посмотри, есть ли там страшное или нет?

Вика достала из сумочки зеленую пачку ментоловых сигарет и чиркнула дамской зажигалкой:

— Не бойся. Смотри.

Дима осторожно открыл конверт и вынул узкую полоску бумаги. На ней тем же корявым почерком, только теперь красными чернилами, были написаны всего две строчки. Очень знакомые строчки:

«Нет повести печальнее на свете,
Чем повесть о Ромео и Джульетте...»

Дима тут же вспомнил замызганного старикана в театральном буфете, пившего за здоровье Ромео и Джульетты, и задумался.

— Ну, что ты скажешь, гений подтекста? — спросила Вика.

— А как выглядел тот старик?

Вика удивилась:

— Старик как старик. На старого клоуна похож... Жуткий пьяница, наверное. Но по говору очень интеллигентный.

— Интеллигентный? — Дима вспомнил другого старика.

Когда они с Игорем пошли осматривать флиглек, Игорь поймал пьяного старикашку, друга охранника с кларнетом. Диваныч его, кажется, назвал Санычем. Странный старикашка что-то сказал Игорю про масонов. И Игорь на него внимательно посмотрел. Очень внимательно... Но Игорь-то совсем ни при чем! Его уже нет в городе...

— О чем ты задумался? — раздраженно спросила Вика. — Думаешь, мне угрожает пьяный старик?

— Разве тебе угрожают? — спросил Дима.

— А что же?!

— Может, предупреждают просто? — задумчиво сказал Дима.

— Так не предупреждают! — не согласилась Виктория. — В письме предсказали мой конец! Мой и Виктора!

— Брось, — успокоил ее Дима, — скорее всего это просто чья-то идиотская шутка.

— Да?! — воскликнула она. — А то, что Витя Антона убил, это тоже шутка?

— Это-то здесь причем?

Вика схватила его за руку.

— Только что в театре я показала тебе эту сцену! И ты ничего не понял?

— А что я должен был понять?

Вика тряхнула челкой:

— Кого убил Ромео?

— Тибальда.

— А кто такой Тибальд?

Дима посмотрел на лежащий на письменном столе томик Шекспира. (Слава Богу, Виктория его не заметила).

— Тибальд — двоюродный брат Джульетты.

Вика впилась в его ладонь ногтями, как в театре.

— А отцу Джульетты он кто?

Дима подумал и решил:

— Племянник, наверное.

— А Антон Широкову кто? Кого убил Витя?

— Его племянника... — понял, наконец, Дима.

Виктория сцепила руки на груди, приподнялись беспомощно плечи:

— Ты видишь, как все сходится! Нас кто-то впихивает в этот страшный сюжет. Мне кажется, я с ума схожу. У меня уже крыша едет, честное слово. Кто-то рассчитал всю мою жизнь, и смерть моя тоже рассчитана... Я уже не я, а какой-то персонаж... Мною распоряжаются... Меня могут заставить сделать что угодно... Это ужасно, Тим! Это хуже сумасшествия. Псих хоть не знает, что он чокнутый. А я все понимаю и ничего не могу сделать... Помоги мне, Тим... Помоги... Мне страшно!

Дима еще не видел ее такой беспомощной и жалкой.

— Успокойся. Из-за этой идиотской записки у тебя просто разыгралось воображение... И пить тебе нельзя...

— Нет! — сказала она упрямо. — Все сходится!

Она назло ему отвинтила крышечку и опять глотнула из фляжки. Где-то Дима видел такую фляжку, но вспомнить сейчас не мог, где именно.

— Ты видел этот ужас в Нью-Йорке? Конечно, видел. У меня такое чувство, что я лечу в том самолете! Представляешь? Я уже знаю, чем все кончится. И ничего сделать не могу. Ни-че-го!

Дима молчал. Она опять схватила его за руку.

— Я попала в какую-то страшную сказку, Тим. Какой-то злой волшебник распоряжается моей судьбой... Эта сказка должна закончиться моей смертью! Что ты молчишь? Не думай о своем долге! Твой долг я верну. Помоги мне, Тим. Подскажи, что делать?! Не молчи, Тимуля!

Ее истерика напомнила Диме его бессонные сутки, выписанные в два столбика доводы, подозрения относительно Игоря и его дьявольской режиссуры событий. Дима высвободил свою руку и встал. Он подошел к письменному столу и вернулся к ней с томиком Шекспира. Он показал ей обложку.

— Видишь?

— Ты открыл его, когда я позвонила тебе? — догадалась она.

— Раньше, — улыбнулся Дима. — Гораздо раньше.

Он сел с книгой напротив нее и стал рассуждать вслух, как любил на репетициях проявлять перед всеми свой замысел.

— В чем причина этой трагедии? В том, что по-любили друг друга дети двух враждующих на смерть кланов. Их любовь изначально обречена. Как бы они ни старались, что бы ни делали... В этот сюжет тебя «впихивают», как ты говоришь? В эту «страшную сказку»? Тогда объясни, какое отношение ты к нему имеешь?

Виктория крутила в руках зеленую пачку сигарет.

— Кротов и Широков — враги.

— Допустим, — согласился Дима. — А ты-то причем?

— Витя как сын Борису Сергеевичу...

— Допустим. А ты?

— А я его жена, — тихо сказала Виктория.

— Но вы ведь оба — его люди. Люди Кротова. Так?

— Так, — кивнула Виктория.

Дима рассмеялся:

— Ну, тогда причем тут все это?! Допустим, у кого-то зародился дьявольский план — довести вражду Широкова и Кротова до предела... до кровавой жертвы с обеих сторон, — Дима подозрительно почувствовал, что повторяет Левины слова, но стал развивать свою мысль дальше. — Так для этого нужно, чтобы жертвы имели отношение и к Кротову, и к Широкову. А вы оба — люди Кротова. Причем же здесь «Ромео и Джульетта»?! Подумай сама!

Виктория взяла со стола конверт.

— А это тогда зачем? Зачем эти угрозы?

Диме вдруг показалось, что он все понял:

— Никакие это не угрозы! Жалко, что ты не разглядела того старика.

— Я его разглядела, — сказала Виктория. — Старик как старик...

— А того, в театральном буфете? Помнишь?

Виктория покачала головой.

— Нет. Какой-то ханыга. Народу было много.

— Знаешь, что он мне сказал, когда я к нему подошел? Он тоже назвал тебя Джульеттой. Сказал, что пьет за тебя.

Виктория вздрогнула:

— Что ж ты мне ничего не сказал?

— А я тогда еще ничего не знал, — оправдался Дима. — Зато теперь скажу!

Виктория угрюмо смотрела на него из-под челки.

— Скажи...

— Это один и тот же старик! Это он и вручил тебе конверт!

— От кого?

— Да от себя! — рассердился Дима из-за ее непонятливости. — От себя! Он просто влюбился в тебя! Очень часто бывает, что старики влюбляются в молоденьких девушек. Надежды на взаимность у них никакой.

— Почему? — спросила вдруг Виктория. — Бывает, что и молоденькие влюбляются в стариков...

— Но не в ханыг же?.. Не в пьяниц?..

— Почему? — задумчиво повторила Виктория.

— Не отвлекайся! — перебил ее Дима. — В тебя он влюбился без всякой надежды! Старикан возомнил себя Ромео. Вот он и написал тебе трагическое письмо...

— Почему трагическое?

— Да потому что любовь старика — это трагедия! Может быть, даже ты и права. Это письмо — угроза. Он предупреждает тебя, что если ты не обратишь на него внимания, он умрет, он покончит с собой! — Дима заходил по комнате. — Точно! Он угрожает тебе! Угрожает самоубийством! Только в этом — смысл его послания!

Виктория смотрела на него с жалостью:

— Ну ты и фантазер, Тимуля.

— А ты? — обиделся Дима, — После этих терактов в Нью-Йорке все словно с ума посходили! Все ждут каких-то дьявольских Премьер. Каких-то немыслимых постановок. Все проще на этом свете! Театр — есть театр, а жизнь — есть жизнь! И путать их не надо! Это совершенно разные вещи!

— Да? — сказала Виктория. — А племянник Широкова?

Дима остановился посреди комнаты.

— Это же случай! — сказал он и осекся. — Твой Витя убил его случайно?

Виктория покачала головой.

— Витю предупредили перед турниром, что Антон должен его убить. У Вити не было выхода...

— Кто его предупредил? — растерялся Дима.

— Один человек. Ты не знаешь его.

Дима стоял у окна и вспоминал подслушанный у пруда разговор. Не мог же сам Широков предупредить Виктора... Значит, был еще кто-то, посвященный в планы Широкова... И предавший его...

Виктория повторила обреченно:

— У Вити не было выхода... Только как им это доказать? И кто его теперь будет слушать? Они совсем оборзели... Жаждут его крови... Или моей...

— Опять? — недовольно сказал Дима. — Неужели я тебя не убедил?

— Это про влюбленного старичка? — закурила Виктория.

Под самым окном остановился черный «Джип». Дима спрятался за занавеску. Из «Джипа» вышли двое уже знакомых Диме мордоворотов.

— Твои охранники приехали, — сказал ей Дима. — Как они нас нашли?

Виктория, сидя под торшером, спокойно курила.

— Я по телефону предупредила Олега Ивановича, где я буду. Сейчас мне нельзя без охраны.

— Когда же ты успела?

Виктория улыбнулась:

— Пока ты такси ловил. Пора прощаться, Тимуля.

— Почему? — вырвалось у Димы. — Я тебя не
убедил...

Заверещал телефон. Виктория достала из сумочки маленькую трубку.

— Да. Я здесь, мальчики. Спасибо. Я задержусь
ненадолго. У меня очень серьезный разговор. Да.
Так и передайте Виктору. Когда буду выходить, я
вам отзвоню. Да. Все.

Виктория сложила трубку и спрятала ее в сумочку.

— Прошлый раз ты оставила у меня свой телефон, — вспомнил Дима.

— Я его не оставила, — сказала Виктория. —
Я его тебе подарила. Носи его с собой. Я хочу,
чтобы ты был всегда рядом...

Дима сел напротив нее:

— Ты сказала, передайте Виктору... Значит, он
не в «Крестах»?

— Об этом знают только самые близкие, — сказала она. — А ты от кого узнал?

Дима не хотел ей говорить о чекисте-однокурсни-
ке. Он пожал плечами.

— Уже и не помню... Слышал где-то...

— Странно, — прищурилась она.

— Ты для этого задержалась? — спросил он. —
Чтобы меня допросить?

Она улыбнулась:

— Не-ет... Прошлый раз ты высказал мне все...
Большое тебе спасибо за откровенность. Теперь моя
очередь. Позволь теперь высказаться мне?

Неожиданно ее слова напомнили Диме ночной разговор с Каштанкой о его предательстве.

— А зачем? — поморщился Дима.

— Как это зачем? — засмеялась она. — Ударил меня и слинял? Так порядочные люди не поступают. Это не по понятиям. Дождись ответного удара...

Она снова стала чужой, незнакомой. Он усмехнулся:

— «Порядочные люди», «по понятиям»... Посмотри на себя... В кого ты превратилась?

Она резко тряхнула челкой:

— В тварь!

— Ты же могла стать замечательной актрисой! Замечательной!

Она подхватила:

— Мне и сейчас дали роль. Замечательную роль Джульетты. И я сыграю ее! Сыграю до конца!

Дима рассердился:

— Перестань! Ты сама выбрала такую жизнь! Сама! Что ж ты сделала? Ты же сломала свою судьбу... Ты загубила...

— Стоп! — оборвала она его. — Стоп, Дмитрий Николаевич. Вы сейчас сказали главное! Сами сказали!

— Что я сказал? — опешил Дима.

— Главное... — она впилась в него своими черными глазами. — Я сломала свою судьбу... А кто в этом виноват? Кто?

Дима устало засмеялся:

— Я?!. На меня все хочешь свалить?...

— Ну, зачем же «сваливать»? Это не по...

— Не по понятиям? Да?

— Да, — тряхнула она челкой.

Дима исподлобья посмотрел на нее:

— Ну, давай, высказывайся... обвиняй... Топчи меня ногами...

Она тихо засмеялась:

— Топтать?.. Тебя?.. Я же век тебя должна благодарить. Молиться на тебя должна...

Дима не ожидал такой откровенности, насупился.

— За что это молиться на меня?

— За то, что ты открыл меня... Ты меня сделал из ничего. Ты меня сделал женщиной...

— Я?! — засмеялся Дима. — Даже так?

— Не смейся! — рассердилась она. — Кто я была до встречи с тобой? Гадкий утенок! Злой, закомплексованный зверек. Я не знаю своего отца. Бросил он нас с матерью, как только я родилась. А ты знаешь, что это такое — расти без отца? Особенно девочке! Мать у меня простая медсестра. Сутками в больнице дежурит. А потом сутки дома отсыпается... И я — одна... Все время одна... Совсем одна. — Вика закурила. — И вдруг ты берешь меня в свой спектакль... Ночами со мной репетируешь... Я замечаю, что на меня на улице стали парни оборачиваться... Глядят на меня и улыбаются... Я даже не поверила сначала. Рожи им в ответ строила. А потом поняла, что я красивая! И меня такой ты сделал. Ты... Ты был для меня — все! И учитель, и отец, и любимый...

Она замолчала, глядя в темное окно.

— Почему же?.. Почему же ты мне тогда не сказала?!

— Я сказала, а ты не поверил. Помнишь, на репетиции ночью?

— Это же театр... — вздохнул Дима. — А театр и жизнь...

Она не дала ему договорить:

— Ты бросил из зала: «Я тоже тебя люблю. Давай дальше, девочка». Будто пощечину мне дал...

Дима досказал все-таки свою мысль:

— Это же театр... В театре все бывает... Артистки часто влюбляются в своих режиссеров. Творчество очень интимный процесс... это проходит...

— Как видишь, не прошло, — сказала она.

И тут опять заверещала трубка.

— Достали! — зло сказала Вика. — Ну, достали!

Дима не слушал, что она им говорит. В его ушах еще звучала ее печальная и нежная фраза: «Как видишь, не прошло»... Он посмотрел на нее.

Вика сидела суровая, озабоченная.

— Они сказали, что Вите позвонили, — задумалась она. — Сейчас Витя приедет сюда.

Дима оторопел. Он вспомнил самодовольное лицо, походку вразвалку, Виктора манеру говорить, растягивая слова.

— Сюда?.. Ко мне?.. Я не хочу его видеть!

Вика спросила:

— Ты не любил меня? Ни чуточки?

И тут вдруг Дима понял все:

— Без тебя... Без тебя я закрыл свой лучший спектакль...

Она тихо засмеялась:

— И из-за этого в долг попал?

Дима сжал ее руку:

— Из-за тебя! Все из-за тебя!

Вика подмигнула ему черным глазом:

— Давай от них убежим?

— Как? — не понял Дима. — Их машина у подъезда стоит.

— Слушай, — сказала она, — у тебя остались шмотки жены? Не все же она забрала в Америку?

Дима нахмурился.

— Не знаю. Ее комната закрыта. Она ключ с собой взяла.

— Открыта. Открыта ее комната.

— Это твой охранник дверь выбил, — вспомнил Дима.

— Идем, зайдем, — предложила Вика.

— Я туда не захожу!

— А я зайду! — тряхнула челкой Вика.

Когда она вернулась в комнату, Дима вздрогнул — перед ним стояла Тамара. В черных, широких брюках, в мохеровом свитере, в светлом берете, в больших, в пол-лица, подтемненных очках ярко намазанным ртом. Она сказала нараспев:

— Ну что, сволочь? Блядуешь тут без меня?

Интонация была абсолютно точной. Диме даже неприятно стало:

— Откуда ты ее знаешь?

— Да видела пару раз, — сказала Вика уже своим обычным капризным тоном. — Одевайся быстро. У нас времени нет. Что же ты стоишь?

— К чему этот маскарад?

Она подошла к нему:

— Что-то меня сегодня на побеги потянуло... Убежать бы навсегда! Хочешь, Тим?

Дима угрюмо молчал, вспоминая, чем обернулась история с Каштанкой.

— Тим. Это наш последний шанс. Понимаешь? Последний. Одевайся, пожалуйста. Если хоть немножко любишь меня, одевайся! — она лицом прижалась к его груди.

В ее просьбе было столько наивной, детской мольбы, что Дима не мог ей отказать.

В прихожей Вика, уже в Тамариной светлой куртке с капюшоном, внимательно оглядела Диму:

— Шапку надень. У тебя вязаная шапка есть?

На дне шкафа Дима нашел старую вязаную шапку, в которой ездил в Васкелово за грибами. Вика сама натянула ее ему до самых бровей, засмеялась довольно:

— Бомж. Вылитый бомж. Идем, ханыга. Свет не туши!

По лестнице они спустились пешком. У дверей на улицу остановились. Сквозь грязное стекло входных дверей виден был черный джип. У самой парадной. Стекла опущены. В машине громко играла музыка.

— Выходим по одному, — сказала Вика. — Ты первый. Иди направо. Я пойду налево. Встречаемся на Пушкарской.

Она подтолкнула его к двери. Дима рассердился и снял шапку:

— Идиотизм! Никуда я не пойду. Идиотизм какой-то...

Она приподняла очки и посмотрела на Диму таким взглядом, что сердце у него сжалось.

— Ладно, — тихо сказала она. — Тогда я первая. Встречаемся на Пушкарской.

Она перекрестилась, как перед выходом на сцену, поправила очки и вышла на улицу.

Сквозь грязное стекло Дима видел, как она остановилась перед джипом, нагло оглядела его, будто увидела впервые, накинула на голову капюшон и широкой походкой пошла налево.

Затаив дыхание, Дима ждал. В джипе даже музыку не сделали тише. «Хранители тела» не узнали свою хозяйку. Но ведь и Дима ее не узнал, когда она вернулась в комнату. И тут Дима вспомнил свой сон... Падающие башни... Незнакомый город... Он шел туда спасать Тамару, а она оказалась почему-то Викторией... Дима почувствовал, что он тоже попал в какую-то страшную сказку. Что какой-то неизвестный волшебник ведет его по заколдованному сюжету. Он хорошо известен волшебнику. А Дима даже не знает, что ждет его через шаг...

Дима вздохнул, надвинул шапку на глаза и вышел на улицу. Всем телом он чувствовал уставленные на него глаза из джипа. Он посмотрел на часы и, словно опаздывая, побежал направо, ожидая погони.

Он добежал до угла, повернул за угол и, тяжело дыша, остановился, прислушиваясь. За ним никто не гнался. Они и внимания не обратили на него. «Хранители тела» ждали свою хозяйку в собольем манто.

Дима успокоил дыхание и вышел на Пушкарскую. На углу Пушкарской его ждала Вика.

— Если бы ты не вышел, — сказала она, — мы бы больше не увиделись. Я загадала.

— Как же я мог не выйти? — сказал он. — Я просто не мог не выйти за тобой.

— Не за мной, — уточнила Вика. — Ты вышел за Тамарой. Оказывается, ты очень боишься свою жену, Тим...

Дима снял с нее очки:

— У меня больше нет жены. Я свободен, как ветер.

Они стояли на темном углу, у осыпающегося, пахнущего жухлыми листьями, сквера. Мимо проносились редкие машины, освещая их фарами.

— Ну, идем, — сказал Дима. — Куда ты хотела идти?

— Никуда, — покачала она головой. — Просто я не могла у тебя оставаться... Я тоже его сейчас не хочу видеть.

— Куда же нам пойти? — задумался Дима. — Куда?

— И тебе некуда идти? — улыбнулась она.

— Почему? — сказал он вдруг. — Есть куда. Только нужно купить бутылку.

— Не надо бутылку, — попросила она.

— Это хозяину, — объяснил он.

Уже по пути, в пойманной на улице машине, когда Дима назвал водителю адрес, Вика затихла и замкнулась. Дима ей не мешал, понимая что, с ней происходит...

18. «Персонажи»

На Малую Конюшенную на машине было не попасть. Улица стала пешеходной. Ездили по ней только уж очень крутые люди. Водитель высадил их на канале Грибоедова. Пешком они дошли до нужного дома и остановились под аркой.

— Может, не надо туда? — спросила Вика.

— А больше некуда, — ответил Дима.

Она улыбнулась:

— Ты хочешь вернуть меня в то время? Будто ничего и не было?

— А что было? — спросил Дима.

— Спасибо тебе, — сказала она. — Большое тебе спасибо.

Они вошли во двор. За чахлыми кустиками умирал во тьме флигелек. Тут ничего не изменилось с тех пор, когда Дима был здесь в последний раз.

Вика сжала его ладонь.

— Наш флигелек! Как он постарел за год… Просто развалина…

У самой земли светилось окошко в каморке под лестницей. За окном кларнет печально выводил забытую мелодию «Маленький цветок».

«Там-та-ра, ри-ра-ра, ри-ра-ра»…

— Кто это играет? — удивилась Вика.

Дима улыбнулся.

— Охранник. Он бывший музыкант.

— Охранник? — удивилась Вика. — А что тут охранять?

Дима постучал в дверь:

— Диваныч, открывай. Я бутылку принес.

И тут же визгливо залаяла собака. И кларнет перестал играть.

— Диваныч! — еще раз крикнул Дима.

Первым из дверей в темноту, лая, ринулся пушистый серый комочек.

— Тим, — позвал Дима. — Тим, не узнаешь? Не узнал тезку?

Пес перестал лаять и завилял хвостом. Дима присел на корточки и взял собаку на руки:

— Здравствуй, Тим. Здравствуй, бродяга.

На крыльцо вышел пожилой охранник, приложил кларнет к плечу:

— Оставь собаку! Стреляю!

Дима встал с собакой на руках.

— Это же я, Диваныч. Не узнал?

— А-а-а, — хмуро сказал Диваныч. — Это из-за вас меня чуть не уволили?

Дима показал ему бутылку «Охты».

— Я тебе бутылку принес.

Диваныч, задрав голову, оглядел зачем-то еще светящиеся во дворе окна и приоткрыл дверь:

— Заходи. Только быстро.

И в каморке под лестницей ничего не изменилось. Все так же пахло бульонными кубиками и пристально глядел с портрета первый красный офицер Климент Ефремович Ворошилов.

Диваныч шепотом пожаловался Диме:

— Они теперь подрядили жильцов следить за мной. Кто ко мне приходит, когда и с кем... Живу, как шпион американский...

— Кто «они»-то? — не понял Дима.

— Как это кто? Ваш приятель. Доктор. Который меня тут допрашивал.

— Игорь? — не поверил Дима.

— Ну, — кивнул Диваныч, — Гарик.

— Он тут был?

Теперь удивился Диваныч:

— Да он тут каждый день торчит. С Вениамином Михайловичем. Приводят мужиков каких-то. Ходят по флигелю, ищут что-то. Все камины переломали... А вы-то не знаете, что ли?

— Нет, — сказал Дима. — Не знаю.

— А пришли ко мне зачем?

Дима за плечо обнял Вику:

— Тут театр когда-то был...

— И сейчас есть, — ощерился беззубым ртом Диваныч. — «КаЭс». Купи и сплавь.

— Тут настоящий театр был, — сказал Дима. — Мы здесь играли.

— А-а-а, — протянул Диваныч. — Это от вас остались полные комнаты пустых бутылок? Весело жили артисты.

— Тут премьеру справляли, — объяснила Вика. — Народу было много.

— Мы на наш театр пришли посмотреть, — закончил Дима, — вспомнить...

— А чего там смотреть? — проворчал Диваныч. — Нечего там смотреть.

Дима поставил на стол литровую бутылку «Охты».

— Это тебе.

Диваныч покосился на бутылку.

— Килограмм — это чересчур. Это слишком громоздко. От килограмма умереть можно. Я теперь предпочитаю мини-пьянство, — он поднял со стола маленькую стопочку. — Во! Тридцать грамм. Но каждый час. Как лекарство. Для освежения разума. Помогает.

Дима взял Вику за руку:

— Ну, мы пойдем в зал.

— Э, нет! — Диваныч расставил перед ними руки. — Что я, халявщик что ли? На тебе бутылку — и заткнись! Так не пойдет. Никуда не пущу, пока с хозяином не выпьете. Выпьем, потрендим, а там хоть ночуйте здесь. Только до девяти сматывайтесь. После девяти они опять мужиков приведут стенки ломать.

Дима поглядел на Вику:

— Посидим с хозяином?

— Посидим, — улыбнулась Вика, хозяин ей, видно, чем-то понравился.

Диваныч приоткрыл серую занавеску у шкафа, позвал тихо:

— Саныч, выходи. Свои.

В каморку бочком пролез, смущенно кривляясь, весь поросший цыплячьим пухом сожитель охранника.

— Мой брат, — представил его Вике Диваныч.

— Родной брат? — спросила она.

— Брат по несчастью, — объяснил Диваныч. — Тоже квартиру продал. И погиб бы в каменных джунглях нашего прекрасного города, если бы я его не подобрал.

Саныч вдруг встряхнулся по-собачьи, прижал руку к груди и, кривляясь, прочел:

> — Город пышный, город бедный,
> Дух неволи, стройный вид,
> Свод небес зелено-бледный,
> Скука, холод и гранит —
> Все же мне вас жаль немножко,
> Потому что здесь порой
> Ходит маленькая ножка,
> Вьется локон золотой... —

и он широким жестом указал на Викторию.

Услышав чудесные стихи из уст спившегося ханыги, Вика зааплодировала. Саныч ей с достоинством поклонился, как в театре.

— Ваш коллега, — сказал Диваныч. — Бывший артист. А ныне — питерский бомж!

Дима не спускал глаз с Виктории — узнает ли она в бывшем артисте старичка, похожего на клоуна, вручившего ей загадочный конверт? Вика спросила задумчиво:

— В каком театре вы играли?

— В Императорском, — гордо вскинулся Саныч. — В Александринке. На одних подмостках с корифеями! С Николаем Константиновичем Симоновым, с Василием Васильевичем Меркурьевым царствие им небесное...

И он перекрестился на портрет Ворошилова.

Диваныч его одернул недовольно:

— Мемуары свои оставь на потом. Гостям не до тебя. Их дело молодое.

Диваныч подмигнул Вике. Саныч вдруг сказал грустно:

— Нет повести печальнее на свете, чем повесть о Ромео и Джульетте...

— Типун тебе на язык! — прикрикнул на него Диваныч и засмеялся.

Дима смотрел на Викторию. Она смеялась вместе с Диванычем. Саныч уселся на диван и взял на колени лохматую собаку.

Диваныч усадил Вику в кожаное кресло с выпирающими пружинами.

— Прошу, мадам. Скучать не дадим. И сыграем, и споем все, что хотите. Правда, Саныч? Я тридцать лет в ресторане «Балтика» отыграл. Пока они его не приватизировали. Теперь там волосатые «гетерасты» лабают. Прошла мода на настоящую музыку. Сопли и вопли теперь им подавай.

— А на театре что играют? — вздохнул Саныч. — Сплошное непотребство!

Диваныч достал из пожелтевшего ободранного холодильника фиолетовую колбасу на тарелке, из тумбы письменного стола вынул нарезанный хлеб, разлил водку по стопкам.

— Не ресторан «Балтика», конечно. Но закусить можно. — Диваныч запел вдруг хрипло, подняв стопку: — «Он сказал: „Поехали!", он махнул рукой. И словно вдоль по Питерской, Питерской пронесся над землей». Поехали, ребята!

Дима сел на диван рядом с Санычем. Тот приветливо сморщился и поднял в его сторону свою стопку, как тот ханыга в театре. Только Дима хотел задать ему вопрос, как Диваныч обратился к Санычу.

— Артист, на выход! Исполни гостям свою коронку!

Вика хлопнула в ладоши и попросила капризно:

— Просим-просим!

Диваныч вышел на середину каморки, оправил мятый пиджак, манерно пригладил жидкие волосы на пробор и встал в позу. Это был уже не питерский ханыга, а усталый сноб с брезгливым бледным лицом. Он еще не начал петь, а Вика уже оценила его превращение:

— Браво! Вылитый Вертинский.

Не удостоив ее взглядом Саныч важно кивнул Диванычу, и кларнет запел вступление.

Саныч поднял голову и начал, картавя, «под Вертинского»:

> Там в углу за занавескою
> Рыжий клоун в парике.
> Грим кладет мазками резкими,
> А сам думает в тоске.
>
> Ну, где ж она с другим ласкается?
> Ну, где ж она с другим сидит?
> Рыжий, плача, улыбается,
> А цирк смеется и шумит.

Захохотал, захлебываясь, кларнет. Саныч вторил грустно:

> А цирк шумит, гремит, смеется
> И гул несется сверху вниз
> И могуче раздается:
> «Рыжий, браво! Рыжий бис!»

Показывал он изумительно. Дима даже подумал: «Ему бы у меня Чебутыкина сыграть». Во втором куплете Саныч совсем разволновался. А в конце куплета искренне расплакался навзрыд.

> Вот уж Рыжий на трапеции,
> Молча крутит колесо.
> И смеется по инерции,
> А сам думает про то:
>
> Ну, где ж она с другим ласкается
> Ну, где ж она с другим сидит.
> Рыжий, плача, улыбается...
> И вдруг! —

шепотом вскрикнул Саныч воздев руки.

> Вдруг сорвавшись вниз летит!

Саныч сгорбился, прикрыл голову руками, будто клоун падал прямо на него. Потом, раскинув руки, выпрямился с торжественно-хищной улыбкой.

> А цирк шумит, гремит, смеется
> И гул несется сверху вниз,
> И могуче раздается:
> «Рыжий браво! Рыжий бис!»

Это была маленькая трагедия, отлично, кстати сыгранная. Трагедия про старого влюбленного рыжего клоуна. Саныча наградили дружной авацией. Дима вдруг понял, что с такими актерскими способностями Саныч в одиночку мог сыграть всех уже известных ему «персонажей-старичков». А его песня про влюбленного клоуна — просто подтверждение Диминой догадки о влюбленном старичке...

Диваныч шумно разливал по стопочкам. Они выпили, и Дима тихо спросил Саныча:

— А как вам балет?

— Какой балет? — удивился Саныч.

— Мы же недавно виделись с вами в театральном буфете, — прошептал ему на ухо Дима. — На балете «Ромео и Джульетта».

Саныч обиженно скривился:

— Ошибаетесь. Я в театр давно не хожу. Чтобы не расстраиваться.

Дима ему не поверил:

— Вы сидели в театральном буфете. И пили за здоровье Ромео и Джульетты. Я не мог ошибиться. И только что вы опять Шекспира процитировали...

Саныч пересадил собаку на диван:

— Вы меня в чем-то обвиняете?

— Я просто узнать хочу, — не отставал Дима. — Зачем вы пили за их здоровье?

Саныч важно вскинул голову:

— Вы меня с кем-то путаете!

— Исключено! — строго сказал Дима. — Кто вас послал? Признавайтесь!

Саныч отодвинулся от него и испуганно сморщился:

— Что вы хотите? Это не я... У меня алиби есть.

— Какое еще алиби! — хлопнул его по колену Дима. — Признавайтесь! Кто вас послал?

Саныч всхлипнул:

— Да я со своего чердака только сюда ночью спускаюсь. Спросите у Диваныча. Что вы ко мне пристали?..

Дима посмотрел на Диваныча.

Тот рассказывал Вике про ресторан «Балтика». Какую там играли чудесную музыку и какие замечательные люди там отдыхали когда-то...

Дима подсел к Санычу ближе.

— Кто вас послал? Признайтесь.

Диваныч вдруг крикнул:

— Тим, вставай с дивана! Вставай! Слышишь, что говорят?!

Дима встрепенулся и встал. Вика весело захохотала:

— Сиди. Это не тебе. Собаке, — она объяснила Диванычу. — Его тоже Тимом зовут.

Диваныч удивился:

— За что же его собачьим именем назвали?

Вика смеялась:

— Его Димой зовут. А Тим — это прозвище такое.

Диваныч сказал:

— Выходит, он двойной тезка. И мой, и собакин! Слушай, двойной тезка, давай еще по тридцать грамм по такому поводу. Разливай, Саныч.

Когда все выпили, Диваныч стал показывать Вике, как он лечит собаку «водочкой». Собака сидела, уставясь не него блестящими бусинками глаз. Диваныч заставил ее «открыть рот». И влил в пасть столовую ложку водки. Собака недовольно фыркала и шумно трясла ушами.

— Это лекарство у нас от всего, — объяснял Диваныч Вике. — И от поноса, и от кашля, и от насморка, и от хандры. Панацея.

Дима решил добить старика:

— Так вы, значит... историк?

— Какой историк? — презрительно скривился Саныч. — Я — артист!

Дима ему улыбнулся дружелюбно:

— А масоны? Помните, давеча, вы что-то про масонов рассказывали?

Саныч захихикал:

— А что? Все говорят, во всем жидомасоны виноваты! Разве не правда?

— Кто же так говорит? — не отставал Дима.

— Диваныч, — кивнул в его сторону Саныч. — С него и спрашивайте. Я ни при чем!

— Значит, он историк? — посмотрел на Диваныча Дима.

— Какой же он историк? — возмутился Саныч. — Он — музыкант! Он в ресторане «Балтика» тридцать лет отработал!

«Там-та-ра, ри-ра-ра, ри-ра-ра» — заливался кларнет.

Диваныч играл Вике «Маленький цветок». Оказывается, это была любимая мелодия его жены Ольги Сергеевны. Диваныч прожил с ней тридцать лет. Тим был ее любимец. Она взяла его еще несмышленым щенком... Любила его, как родного сына... В прошлом году Ольга Сергеевна умерла... И оставила Диваныча с Тимом сиротами... Диваныч играл на кларнете и плакал. Крупные слезы катились по его смуглым, морщинистым щекам.

И тут Вика запела песню «Нежность». Диваныч стал ей подыгрывать на кларнете. Она хорошо пела. Будто хрустальный ручеек с горки бежал.

«Опустела без тебя земля, как мне несколько часов прожить»...

Дима смотрел на Вику в Тамариной одежде, и его охватывало странное чувство. Так вот, значит, о чем был пророческий сон... Эта худенькая, красивая девочка, которую он еще недавно ненавидел и даже называл «тварью», в знакомой одежде вдруг стала ему необъяснимо родной. Будто не с Тамарой, а с ней он прожил все эти годы, и совсем не с Тамарой, а с ней была их прощальная ночь, запомнившаяся ему навсегда. Дима смотрел на Вику, и в нем крепла уверенность, что эта девочка ему послана судьбой и он ее теперь никому не отдаст... О Каштанке он даже не вспомнил.

Дима встал, сказал, не узнавая своего голоса:

— Все. Мы пошли в зал.

Зарычала собака. Подбежала к двери, оскалилась и залаяла злобно, с надрывом, как большой сторожевой пес.

— Чего это он? — спросила Вика.

— А Бог его знает, — сказал Диваныч. — Не скажет ведь. Может, бродячая собака прошла. Может, чья-то кошка рядом шастает.

— Вторую ночь волнуется, — вставил Саныч.

Диваныч поглядел на Вику с сожалением:

— Ну, вы идите... Надоели мы вам...

19. Репетиция

В маленьком зале было темно и пахло сыростью. Дима зажег Викину зажигалку, нашел выключатель и включил дежурный свет. Оба тихо вскрикнули и замолчали. На сцене стояла декорация первого акта. Будто уже приготовили площадку для репетиции.

Дима вспомнил слова мастера: «Театр то место, где останавливается время»... На этой маленькой сценке время остановилось. Здесь по прежнему жил дух его спектакля. Дима чувствовал его почти материально. Здесь его спектакль оставался живым.

Дима через полутемный зал прошел в осветительскую будку и включил рампу. Сцена ожила. Тогда он включил выносные прожектора. Зал погрузился во мрак, а сцена наполнилась светом. Казалось, вот-вот войдут все персонажи его спектакля. Но на сцену вышла только Вика в Тамариной куртке.

— Куртку сними! Сними куртку! — почему-то рассердился Дима.

Вика удивленно посмотрела на него, сняла куртку и берет и отошла к окну. Дима замер. Она долго стояла у окна спиной к Диме... А потом вдруг повернулась к нему, и он не узнал ее. Лицо ее побледнело. В глазах сияли восторг и страдание. Она начала совсем не то, что он ожидал.

— Раскинь скорей свою завесу, ночь,
Пособница любви, закрой глаза
Идущим мимо людям, чтобы мог
Ромео мой попасть в мои объятья,
Невидимо, неведомо для всех...

Дима с удовольствием отметил, как хорошо она запомнила его уроки. Если бы он сейчас ставил Шекспира, он бы так и решил этот монолог Джульетты. Вика не читала, она разговаривала с Ночью, как с живым человеком:

— Ночь, добрая и сонная матронна,
Вся в черном, приходи и научи,
Как, проиграв, мне выиграть игру,
В которой оба игрока невинны...

Дождь барабанил по ржавой крыше, будто ночь отвечала ей только им двоим понятным языком. Вика прислушалась и вдруг вскрикнула, задохнувшимся от желания голосом:

— Ночь кроткая, о ласковая ночь,
Ночь темноокая, дай мне Ромео!

Сцепив руки на груди, Дима слушал ее и улыбался. Это был его Театр. Это была его актриса! Вика, словно угадав его состояние, повернулась к нему и вдруг искренне повинилась перед ним:

— О, я дворец любви себе купила,
Но не вошла в него! Я продалась,
Но мной не овладели...

Дима перестал улыбаться. Эти ее слова насторожили его. Что она хочет сказать? Какой «дворец» она купила?.. и кому продалась?..

Припомнились почему-то Выборгский замок, фейерверк над заливом и Вика в платье цвета морской волны... И белый костюм Широкова в ночном парке и ее смех у пруда... у того самого пруда... И слова Широкова «Купил я ее! Купил!»

Вика закончила монолог и подошла к рампе:

— Ну как?

— Когда ты успела это выучить? — спросил Дима.

— О-о-о, — задумчиво пропела Вика. — С тех пор я всю пьесу выучила наизусть...

— С каких это пор?

— Как записку от старичка получила, — шепотом объяснила Вика.

— Да, — спохватился Дима. — А когда ты ее получила?

— Сегодня ровно месяц. Ровно месяц, как это спектакль уже идет...

Она подошла к креслу, достала из сумочки серебряную фляжку и, запрокинув голову, глотнула из нее. «Опять этот бред!» — подумал Дима. И чтобы ее успокоить, сказал:

— Ты молодец! Отлично подготовила монолог.

— Правда? — усмехнулась она. — Значит, я не хуже Наташки?

— Какой Наташки? — не понял Дима.

Она ему подмигнула и засмеялась тихо:

— Климовой, балерины.

В этом маленьком театрике Дима почувствовал, что он снова свободен и никому ничего не должен. Он был здесь Хозяином, Богом, а кому может быть должен Бог?

Этот маленький театрик — слепок огромного театра жизни. Все здесь подчиняется только ему! Нужно только подчинить ее, уговорить играть в его спектакле.

Дима подошел к рампе, прищурился хитро:

— А откуда ты узнала, что я собрался ставить эту пьесу? А?

Она присела перед ним:

— И ты тоже?

— Почему тоже? — насторожился Дима.

Она удивилась:

— А ты разве не понял, что мне уже дали эту роль?

— Кто?!

— Тот, кто послал записку со стариком, — она вздохнула. — Спектакль уже идет. Тибальд убит. От страшной развязки не уйти... не спрятаться...

— Брось! — рассердился Дима. — Опять твои фантазии... Брось эту чушь! Будешь ты со мной работать?

Она с сожалением посмотрела на него:

— Ты стал какой-то другой...

Дима насупился:

— Какой?!

— Непонятливый, — с досадой сказала она. — Почему ты меня не понимаешь? Почему даже не хочешь понять? Чем ты занят, Тим?! Чем?!

Дима с силой оттолкнулся от рампы и заходил по проходу между креслами.

— Год! Целый год у меня в башке сидит гвоздь. Он не дает работать. Думать не дает, чувствовать. Я ничего не чувствую, кроме этого вбитого в меня, кровавого гвоздя...

— Это твой долг? — поняла она.

— Проклятый долг! Надо плюнуть на все и работать! Только работать! Мы будем работать! — Дима схватился за голову. — Господи! Я только здесь понял, какое счастье — быть никому ничего не должным. Какое это блаженство! Свобода и счастье — это работа! Любимая работа! Как все просто...

— Извини. Я же обещала тебя спасти... — Она встала и пошла к креслу у печки. — Я принесла тебе деньги и совсем забыла о них. Извини.

Дима замер в проходе между креслами. Вика взяла с кресла сумочку, открыла ее и достала пухлую пачку долларов.

— Возьми. И забудь о своем долге. Тут ровно десять тысяч.

Дима отрицательно закрутил головой:

— Не-ет... Я не могу... Ничего мне не надо!

Она вернулась к рампе:

— Это я сорвала твою премьеру. Я виновата. Я нарушила контракт. Это мой долг, Тим. Бери, — она протянула ему пачку.

Дима смотрел на деньги с надеждой и с каким-то испугом:

— Неужели все так просто?..

— Все не просто, Тим, — сказала она. — Возьми деньги. Успокойся. И помоги мне, Тим. Я очень тебя прошу, бери.

Дима сделал к ней шаг и остановился в проходе:

— Не могу...

— Гордый, да? — спросила она.

— От тебя я их взять не могу! — твердо решил Дима.

— Блин! — не выдержала она и чиркнула зажигалкой. — Если ты не возьмешь, я их сейчас сожгу! На твоих глазах сожгу! Блин!

В одной руке она держала пачку долларов, в другой горящую зажигалку. Глядя на Диму, стала медленно подносить пламя к деньгам:

— Возьмешь?.. Возьмешь?..

И когда узкое длинное пламя уже было готово охватить пачку, Дима шумно ринулся по проходу:

— Что ты делаешь?! Прекрати!

Он задул пламя и вырвал у нее из рук пачку денег.

— Нельзя же так... Нельзя же...

Она встала и сказала строго:

— Спрячь деньги и успокойся.

Дима, как что-то постыдное, стесняясь, запихнул деньги во внутренний карман куртки. Вика села в кресло у бутафорской печки.

— Твои проблемы решены... Теперь помоги мне...

Дима по приставным ступенькам поднялся на сцену:

— Ты думаешь, это не бред? Эти твои проблемы не бред?

— Уж очень все сходится... — сказала Вика.

— Что сходится? — как больную спросил ее Дима.

— Уже убит племянник, — напомнила она. — И Витя прячется от мести... как Ромео в Мантуе... как будто ждет чьего-то сигнала...

Как всякий хороший режиссер, Дима терпеть не мог, когда в его четкий замысел вмешивается что-то постороннее, чуждое, непонятное, лишнее. Виктория была заражена чужим бредовым замыслом, и ее нужно было освободить от него, вылечить. Не вспугнув, очень осторожно объяснить ей ее кошмары.

Дима присел у ее ног на маленькую ножную скамеечку. Предстояла долгая и трудная сцена, которую мастер называл «пристройка».

— Ну, допустим, — согласился с ней Дима. — Кто-то хочет разыграть в жизни шекспировский сюжет. Так? Ты ведь так считаешь?

Виктория кивнула.

— А зачем же такие сложности? Теперь все делается проще и надежней. Зачем разыгрывать целую пьесу, когда в жизни все решают деньги или пуля? Зачем? Ответь.

Виктория пожала плечами.

— А записка?.. Я чувствую, они хотят нас убить... Мне страшно, Тим...

Дима хотел рассердиться, но взял себя в руки:

— Хорошо... Если бы они хотели, они давно бы убили вас! Давно.

Виктория грустно улыбнулась:

— Так было бы не по пьесе... Они ждут.

— Чего они ждут? — не понял Дима.

Виктория тряхнула челкой.

— Ждут, когда все окончательно сойдется.

Дима вздохнул и подсел к ней поближе:

— Допустим, ты права... Кто-то действительно хочет вашей гибели... Тогда... Я уже говорил тебе, нужно, чтобы вы имели отношения к ним обоим... К Широкову и Кротову... Ведь весь смысл трагедии в том, что Ромео — сын Монтекки, а Джульетта — дочь Капулетти... Дети двух враждующих домов. Только тогда эта история имеет смысл.

— Витя как сын Борису Сергеевичу, — сказала Вика.

— А ты? — улыбнулся ей Дима. — Ты даже не знаешь своего отца. Это бред, Викуля. Не от чего тебя спасать, успокойся. Будь умницей! — он обнял ее, прижал к себе.

«Там-ра-ра, ри-ра-ра, ри-ра-ра», грустно затянул кларнет в каморке под лестницей.

Вика улыбнулась:

— Я не знаю его... но все равно люблю.

— Кого? — не понял Дима.

Вика пожала плечами, освобождаясь от его объятия:

— Мой отец лежал тогда в больнице. Мать за ним ухаживала. Она в реанимации работает. Что-то серьезное было с моим отцом. Она не говорит. Собственно, благодаря моей матери он выкарабкался. Она полюбила его. А у него — семья... После поправки он завербовался куда-то на Север на три года. Велел матери ждать. Сказал, что вернется с Севера к ней. Первое время он ей письма писал...

А потом нам новую квартиру дали на Охте... Мать в общаге жила при больнице. И он писать перестал... Может, ее письма не получил с новым адресом?.. А скорее всего просто испугался...

— Чего?

— В том письме мать написала, что я родилась... Я родилась уже на Охте, на новой квартире...

Вика достала из кармана Тамариной куртки зеленую пачку ментоловых сигарет. Закурила.

— Не понимаю... — вздохнул Дима.

— А я, кажется, понимаю... — задумчиво сказала Вика.

— Что ты понимаешь?

— Моего отца звали Валей... — Вика пристально смотрела на него. — По отчеству я Валериевна... Это тебе ничего не говорит?

Дима задумался:

— А фамилия у тебя...

— Мать меня на свою фамилию записала, — быстро сказала Виктория.

— А по отцу?

Виктория засмеялась грустно:

— Я даже фамилии его не знаю. Представляешь? Мать говорит, зачем тебе его фамилия, если его нет. Ты моя дочка. Моя. И больше ничья. Но я-то знаю... — Виктория затаенно улыбнулась.

— Что ты знаешь?

— Я другая,— тряхнула челкой Виктория. — Мать у меня добрая...

— А ты?

— А я недобрая. Я вся в него...

— В кого?

— В отца. — Вика аккуратно затушила сигарету в бутафорской печке. — Я его дочка, Тим... Если он попросит, я для него все сделаю. Все!

Дима рассердился и забыл о «пристройке».

— Бред! Кто попросит?.. Что?! У тебя же нет отца! Нет!

— Да? — Виктория достала из сумочки телефон. — Ладно, гений... Я, пожалуй, пойду.

Дима замер:

— Куда? Мы же еще не успели...

Виктория набирала номер на трубке:

— Мы все успели, Тимуля. Я тебе все рассказала... А ты не поверил!

Дима вырвал у нее из рук телефон:

— Нет, не все! Ты что-то знаешь... И молчишь! Что ты знаешь?

Виктория пожала плечами:

— Тим, я боюсь... Мне нельзя здесь одной оставаться...

— Ты со мной! — сказал Дима.

Она усмехнулась:

— Зато ты не со мной... Дай телефон.

— Не дам.

Виктория вздохнула:

— Меня похитят. Меня уже предупредили по телефону...

— Кто?! Можешь ты сказать?

— Какие-то совершенно отвязанные чечены.

— Причем тут чечены?

— Их Широков нанял, — объяснила Виктория. — Закружила я голову старичку. Бегал он за мной по парку в Выборге, как молодой лось...

— Зачем ты ему закружила голову?

Виктория тихо засмеялась:

— А интересно... Ну, давай телефон. Я свою охрану вызову.

— Подожди, — попросил ее Дима. — Подожди, пожалуйста.

— Господи, — вздохнула вдруг Виктория. — Какое время было, господи! Мне до сих пор снится это... Снится, что я выхожу на сцену и не помню свою роль... ни одного слова не помню... И ты мне снишься, Тимуля...

Дима обхватил ее колени:

— Я поставлю для тебя спектакль! Ты снова будешь играть!

Она скинула его руки со своих колен:

— Тим, ты что?!.. С ума сошел, Тим?..

— Извини... — опомнился Дима.

Виктория засмеялась.

— Ты меня в этом прикиде принял за свою жену? Да? Ты перепутал!

— Ничего я не путал! — упрямо сказал Дима. — Ты хочешь вернуться в театр? Ты должна играть!

— Я умру без театра, — просто сказала Виктория.

— Все! — решил Дима. — Кончаем этот бред! И начинаем репетировать! Все.

Она грустно покачала головой:

— Витя не отпустит.

— Я сам с ним поговорю! Я ему все объясню!

— Поздно, — сказала Виктория. — Завтра мы уезжаем. Я попрощаться с тобой пришла.

— Куда? — оторопел Дима. — Куда вы уезжаете? Мы же договорились репетировать!

— Не важно, — заторопилась она. — Ты никому не говори. У Вити подписка о невыезде. Ты никому не скажешь? Дай телефон!

Дима встал:

— Ну зачем ты тогда ушла?.. Ну зачем?.. Все было бы по-другому. Совсем по-другому!

Виктория встала рядом с ним:

— Твой театр был для меня всем... И ты был для меня всем...

Дима поморщился, слишком театральными показались ее слова.

— Слушай, где ты нашла этого своего бандита?

Вика сказала резко:

— Витя не бандит.

— Мы же репетировали с утра до ночи. Где ты нашла его? Когда?

Она посмотрела на него:

— Он сам меня нашел. Мы с тобой репетировали до ночи, а ты даже не поинтересовался, как я до дома добираюсь. Садился на такси, и привет! А мне на Охту топать... Метро уже не ходило...

Дима пожал плечами. Вика поняла его смущение и продолжала бесстрастно:

— Иду это я как-то по Староневскому, вдруг тачка тормозит. Парень сесть приглашает. А мосты вот-вот разведут. Была — не была, думаю. Села. Он говорит: «Откуда так поздно, девушка?» Я отвечаю: «С работы». «Вы проститутка?» — спрашивает. Я обиделась жутко: «Вы что? Я — актриса!» А он говорит: «Разве это не одно и то же?»... Приехали мы к мосту, а мост уже разведен. Я замерзла жутко в летнем платьице. А он говорит: «Поехали ко мне. Я вас горячим чаем угощу». А у меня зуб на зуб не попадает. И на тебя я тогда обиделась жутко. Это было как раз в тот день, когда ты мне из зала крикнул: «И я тебя люблю. Давай дальше, девочка»... Короче, мы поехали к нему...

Дима понимающе хмыкнул:

— И там он тебя изнасиловал?

Вика прищурилась:

— Приехали мы к нему. Попили чаю. Потом он водки налил. Я выпила, чтобы согреться... А потом он, конечно, приставать начал, за коленки хватать... Я ему говорю: «Об этом забудь. Я — девочка, между прочим». Он говорит: «Вижу, что не мальчик». Я говорю: «Кретин, я по жизни девочка!» Он чуть со стула не упал: «Не верю, — кричит. — Докажи!» — Вика тихо посмеялась. — Я говорю: «Будешь себя вести хорошо — докажу»...

Дима дернулся. А Вика сказала просто:

— Он мне понравился, в общем... Самостоятельный такой, уверенный в себе. Два года, как из армии пришел, а уже все успел. И квартира у него однокомнатная. И машина своя...

— Так бандит же! — не выдержал Дима.

Она его поправила:

— Он не бандит. Он тогда работал в личной охране... Его Олег Иванович устроил...

— Какой Олег Иванович?

— Бывший Витин командир. Ты его сегодня в театре видел. Они в Чечне воевали. В 33-й бригаде спецназа. А теперь Олег Иванович начальник Службы Безопасности у Бориса Сергеевича Кротова...

— Тоже бывший бандит, — мрачно констатировал Дима.

— Да кого это волнует? — рассердилась Вика. — Мало ли кто кем был. Коммунистом, чекистом, бандитом... Никого это сейчас не волнует! Важно — кем стал человек. Помнишь, как Максим Горький сказал: «Нужно уметь начинать жить с чистой страницы». Вот Борис Сергеевич и начал с чистой страницы. А свою прошлую жизнь окончательно зачеркнул.

Дима не согласился:

— А разве можно так? Разве можно прошлое зачеркнуть? Ведь все, что было, никуда не ушло! И прошлое может отомстить когда-нибудь... Очень круто отомстить...

Вика вздохнула понимающе:

— Ты бы знал, сколько Борис Сергеевич на благотворительность тратит. В церковь ходит каждое воскресенье... Детям беспризорным помогает...

На эти ее слова Дима нехорошо улыбнулся.

— Сейчас настоящих бандитов и не осталось почти, — убеждала его Вика. — Все стали бизнесменами, коммерсантами, заводчиками — она вдруг сказала завистливо. — Ты бы знал, какими деньгами они ворочают! А бандитами остались одни отморозки, те кто больше ничего и делать-то не умеет.

Дима смотрел на нее уже совсем другими глазами. Она снова стала чужой и далекой. Даже Тамарина одежда не помогала. Дима спросил ее холодно:

— Ну, а что же дальше было?

— А дальше я осталась у него ночевать.

— Понятно, — кивнул Дима.

— Он меня пальцем не тронул. Хотя запросто мог меня заломать... Я разомлела совсем... Утром сюда на репетицию привез. И говорит: «Я себя буду очень хорошо вести, чтобы доказательство твое получить. Если докажешь — женюсь и озолочу, если обманешь — пеняй на себя». — Вика засмеялась. — Напугать меня хотел. А чего меня пугать? Я-то за свои слова отвечаю... Я надеялась еще, что ты на меня внимание обратишь...

Дима прижался спиной к бутафорской печке:

— Ну, и когда же ты ему доказала?

Вика упрямо тряхнула челкой:

— А в ту же ночь, когда он сюда на репетицию пришел. Я до конца ждала... А ты ему ничего не сказал...

Дима рассердился:

— Он меня к этой печке прижал. И стволом в горло! Я до сих пор помню холодный ствол на горле...

Вика грустно покачала головой:

— А я думала, ты все можешь. Так я в тебя тогда верила.

Дима ткнул пальцем в горло:

— Холодный ствол я до сих пор вот здесь чувствую...

Она кивнула:

— Ну да... Струсил ты.

Дима обиделся:

— Почему это я струсил?

Она ему объяснила просто:

— Ты же сам меня ему сдал. Сам! Он сказал тебе, что ты меня больше не увидишь. А ты стоял и молчал...

— А что я мог?! — вырвалось у Димы. — Что я мог?

— Пусть не нужна я тебе, как женщина, — Вика встала с ним рядом. — Пусть. Но актрису свою как ты мог перед премьерой отпустить? Как ты мог? Если честно, это меня больше всего обидело. Значит, думаю, врал ты мне все. Никакая я не актриса. Ты любую девчонку вместо меня на роль натаскаешь. Любую! Если так просто меня отпускаешь...

На лестнице залаяла собака. Вика сказала:

— Тезка твой лает. Наверное, пришел кто-то...

— Бродячая собака или кошка, — отмахнулся Дима.

— Не похоже, — прислушалась она. — Дай телефон!

Дима взял ее за руку:

— Я же никого не взял... Никого... Я же про тебя спектакль ставил! Про твою чистоту...

Она тихо засмеялась:

— Я же тварь, говоришь... Дай телефон.

Дима не смог сдержаться, он порывисто обнял ее и стал целовать в шею, в глаза, в губы:

— Прости... Прости... Прости... Я поставлю для тебя... Я поставлю «Ромео и Джульетту»... Я вылечу тебя от твоего бреда!

В зале раздались шаги. И кто-то сказал громко:

— Отойди от нее! Слышишь, козел! Отвали, я сказал!

Они обернулись. В проходе стоял Виктор в длинном черном плаще.

Диме показалось, что все это он уже видел, все это уже было. Он даже знал, что будет дальше. Он уже чувствовал холод ствола на своем горле...

20. Спектакль

Но он ошибся. Все вышло совсем не так. Все вышло совсем по-другому...

Во внутреннем кармане его куртки лежала пухлая пачка долларов, он снова стал свободным и никому ничего не должным. Он только что целовал ее, он сказал ей, наконец, то, что должен был сказать давно...

Виктор, засунув руки в карманы плаща, медленно подходил по темному залу к сцене. Виктория локтями оттолкнула от себя Диму, и он пошел к рампе, навстречу Виктору. В освещенных дверях стояли стриженные охранники.

— Виктор, нам нужно поговорить, — спокойно сказал Дима.

Виктор на ходу обернулся к охране:

— Он хочет... поговорить!

Охранники зло засмеялись.

— Подождите меня во дворе, — бросил им Виктор.

Охранники переглянулись и скрылись, оставив открытой дверь.

Виктор подошел к рампе. Дима видел его угрюмое, бледное лицо. Только нижняя челюсть шевелилась, пережевывая резину.

— Виктор, — повторил Дима. — Мы должны поговорить, как мужчина с мужчиной.

Виктор шумно откинул деревянное сиденье и сел в первом ряду, широко расставив ноги.

— Ну, говори.

Дима посмотрел на Вику. Она зябко закуталась в Тамарину куртку и присела в кресло у печки. Дима ободряюще ей улыбнулся:

— Виктор... Ваша жена — актриса. Замечательная актриса... Она не может без театра... Она сказала, что умрет, если не будет играть...

— Ты так сказала? — спросил у жены Виктор. Вика молчала.

— Она так и сказала! — подтвердил Дима. — «Я умру без театра!»

Виктор перевел взгляд на Диму:

— Не умрет. Это я тебе обещаю.

— Да вы же не знаете, что такое театр! — с досадой сказал Дима.

— Ну, объясни, — согласился Виктор.

Дима походил вдоль рампы и развел руки, как актер, начинающий роль:

— Театр — это особый мир. В нем все! И любовь, и философия, и религия! Все! Театр — это особая форма жизни... Человек, однажды вступивший в этот мир, уже не может без него. Он задыхается в обыденной жизни... Ему не хватает воздуха... С точки зрения обычных людей такой человек болен!.. Но это особая, высокая болезнь! Она ничем не излечивается. Ничем! Ни деньгами, ни модными курортами... Ничем! Виктор, вы должны знать, что ваша жена **больна**! И относиться к ней, как к больной...

Взволнованный Дима посмотрел на Вику. Та застыла, уперев подбородок в ладонь.

— То есть она, конечно, не больна, — поправился Дима. — Это с точки зрения обычных людей она больна... Но вы-то должны понимать, что она не может без театра. Она должна играть. Отпустите ее... Отпустите ее в театр, Виктор!

Виктор молчал. И Виктория молчала. Дима понял, что она чего-то ждет, понял что он сказал не все. Дима посмотрел на Викторию в Тамариной одежде, и ему показалось, что он во сне, что продолжается так и не разгаданный им, душный, тяжелый сон.

Дима отступил от рампы и опять заговорил, но почему-то совсем не о том:

— Конечно... Конечно, я мог бы взять другую актрису... Но это не то... Актеры как инструменты в оркестре. То, что может играть один, никогда не сыграет другой. Никогда! Конечно, есть режиссеры, которым на актера наплевать. Они научат, они заставят... Но это не мой театр! Это мертвый театр. Музей восковых персон...

Дима, проклиная себя, замолчал. Виктория шумно дунула под челку.

— У тебя все? — спросил Виктор.

Дима вздохнул.

Виктор покачался на деревянном, скрипучем сиденьи:

— Ну, а ты что скажешь... больная?

Вика чиркнула зажигалку, закурила:

— Зачем ты приехал? Тебе же нельзя!.. Тебя же ищут.

Громко хлопнуло сиденье. Виктор встал.

— В чем ты одета? Чьи шмотки на тебе?

Вика затянулась и ответила ватным от дыма голосом:

— Его жены...

— Зачем ты переоделась?

Вика взглянула на Диму и встала, загадочно улыбаясь.

— Это он заставил меня переодеться!

— Зачем?! — рявкнул из зала Виктор.

Вика, все так же улыбаясь, залепетала своим детским, капризным голосом:

— Он хотел затащить меня в этот театр. Чтобы напомнить мне... Чтоб напомнить, о том, что здесь было... А внизу, в машине, охрана. Как уйдешь?.. Он говорит, докажи, что ты актриса! Докажи! Переоденься в шмотки моей жены и выйди так, чтобы они тебя не узнали. Ну, докажи! Актриса ты или нет!..

Дима смотрел на нее с испугом, не понимая, что она делает, чего хочет.

Виктор по ступенькам поднялся на сцену.

— Он так сказал?!

Вика с вызовом тряхнула челкой:

— Так и сказал... Ну, я и переоделась!

Виктор спросил Вику мрачно:

— Ты... Ты при нем переодевалась?.. При нем?!

Вика сверкнула черными глазами:

— При нем!

Виктор подошел к Диме вплотную, выплюнул под ноги резину:

— Твой театр — ботва... Параша — твой театр... Что ты крутишь мне яйца! Ты хочешь мою жену сделать своей блядью, козел!

— Вы не поняли, — расстроился Дима. — Вы ничего не поняли?

Виктор взял его за куртку под горлом.

— Чего же тут не понять? За лоха меня держишь, парашник?!

Виктор дернул куртку на себя. И лбом ударил Диму в лицо. Дима вскрикнул от неожиданности. Под распухшим носом стало горячо и мокро. Виктор брезгливо оттолкнул его от себя. Дима прикрыл лицо ладонью и искоса глянул на Викторию. На ее лице он увидел знакомое выражение — хищное и восторженное одновременно, как недавно на балете.

Виктор засунул руки в карманы плаща, сказал Диме:

— Поедешь со мной. Я буду лечить тебя от твоей высокой болезни. Долго и больно буду лечить! Ты понял меня, артист?!

Дима вытер ладонью кровь и сказал, наконец, то, что должен был сказать раньше:

— Моя болезнь не лечится... Я люблю ее.

Виктор оскалился, застонал, как от боли, схватил Диму за волосы и ударил его лицом о свое колено:

— Мразь! Парашник! Это я ее люблю! Слышишь?! Я!

Виктория повисла на руке Виктора:

— Хватит! Все! Хватит! Не надо!

Виктор с силой отбросил ее к печке:

— Не лезь, артистка! Не лезь под руку! Искалечу!

И вдруг из зала кто-то крикнул с кавказским акцентом:

— Э-э, командыр. Вот ты гдэ! Мы тэбя по всэму городу ищэм. Да?

В открытых дверях толпились люди в коже. Впереди невысокий, сухой человек в черном костюме и белой рубашке без галстука. Человек пошел к сцене, а его свита, не дойдя до сцены, устраивалась в зале, хлопая сиденьями, будто ожидала веселого представления. Виктор отпихнул от себя Диму.

Дима видел, как он побледнел, как, напрягшись, спросил подходящего:

— Где моя охрана?

Человек, не спеша, поднялся на сцену, оглядел на ней всех цепким взглядом и сказал, как актер, чувствующий зал.

— Пла-хая у тебя охрана, командир. Мы их наказали немного за то, что плохо тебя охраняют. Да?

В зале засмеялись, словно удачной реплике в театре.

Человек в черном костюме был героем этого спектакля. Он был по-своему элегантен. Только брюки гармошкой свисали на лакированные ботинки. Он подошел к Виктору и сложил руки на груди:

— Нехорошо, командир. Зачем не приехал на стрелку? Мы же договорились. Нехорошо.

В зале недовольно загудели.

— Извини, Алихан, — сказал Виктор. — Не успел предупредить. У меня появились небольшие проблемы.

Алихан резонно заметил:

— Зачем небольшие проблемы, когда у тебя есть большие проблемы? Да?

В зале дружно загоготали.

Алихан вышел к рампе и, как актер в старинной пьесе, обратился прямо к зрителям:

— Слушай, я позвонил ему по телефону. Да? (Алихан широким жестом указал на Виктора.) Я предупредил его, что он заказан. Что моим людям поручено его убрать. Да? За то, что он убил их человека. Их родственника. Да?

В зале одобрительно зашумели. Зрители хорошо понимали, что такое кровная месть. Алихан поднял руку, и зал затих.

— Я мог и не предупреждать. Да? Но я поступил как человек. Правильно я поступил?

— Нэт! — крикнул кто-то из зала. — Он в Чечне убивал наших братьев!

Зал загудел, застучали сиденья. Алихан опять поднял руку:

— Э-э! То война! Они убивали наших, мы убивали их. Мы выполняли приказ. Они выполняли приказ. Да? Когда кончится война, мы вместе пойдем резать тех, кто начал эту войну. И у них, и у нас одни хозяева. Подлые шакалы!

В зале загалдели возмущенно:

— Слушай! — продолжил Алихан. — Я предупредил его, как человека (он указал на Виктора).

Потому что однажды он помог мне. Да? Правильно я поступил?

— Правильно! — заорали в зале.

Алихан самодовольно посмотрел на Виктора.

— Я попросил у тебя за свою услугу всего десять кусков. Всего! Ты дал слово, что привезешь деньги на стрелку. Да? Я приезжаю и не вижу тебя. Разве так поступают мужчины?

— Извини, Алихан, — мрачно повторил Виктор.

— Бог простит, — поморщился Алихан. — Где деньги? Принес?

Виктор сжал зубы и засунул руки в карманы плаща. Алихан отступил на шаг. В темном зале грохнули сиденья.

— Сегодня не успел, — сказал Виктор. — Кто-то взял деньги... Давай договоримся на завтра. Завтра точно.

Алихан сощурился, хищно поднялась верхняя губа, сверкнул золотой зуб.

— Как это, «кто-то взял мои деньги?»

— Я приготовил, а кто-то взял, — объяснил ему Виктор. — Давай встретимся завтра. Слово даю.

— Э-э, — улыбался Алихан. — Слово дают мужчины. А ты разве мужчина после этого?

Дима видел, как качнулся Виктор. Качнулся и снова застыл. Виктор повторил с расстановкой:

— Я тебе слово мужчины даю.

Алихан презрительно улыбнулся:

— Мужчина слово дает один раз. Ты мне слово уже давал. Не верю.

— Завтра точно, — упрямо повторил Виктор.

— Э-э, — Алихан махнул рукой, повернулся и пошел к печке.

Вика, сидевшая в кресле у печки, испуганно посмотрела на него. Алихан ей улыбнулся ласково:

— Поедешь с нами, козочка. Поживешь у нас, пока твой муж не достанет денег. Да?

В зале одобрительно зашумели. Кто-то даже зааплодировал.

— Не надо, Алихан! — сказал Виктор. — Ее не трогай. Не надо.

— Надо — не надо, — улыбался Вике Алихан. — Надо! Я сказал.

И он взял Вику за руку:

— Вставай, козочка. Так он скорее деньги принесет. Вставай.

Вика вырвала руку, вскрикнула:

— Не трогайте меня! Витя!

Алихан опять схватил ее за руку:

— Не надо блеять, козочка. Хуже будет. Вставай.

— Не трогайте меня, — уже бессильно повторила Вика и посмотрела на Виктора.

Виктор стоял под стволами, направленными на него из зала.

Не помня себя, Дима подошел к Алихану, достал из кармана пачку долларов. И вытер кровь с лица.

— Вот деньги. Возьмите! Тут ровно десять тысяч.

Зал замер.

— Ты кто такой? — не выпуская Викину руку, удивился Алихан.

— Я режиссер, — торопясь, объяснял Дима. — Я здесь ставил... — Дима обвел руками сцену. — «Три сестры».

— Три сестры? — оскалился Алихан. — Зачем тебе столько? Ты же не мусульманин.

— Я режиссер, — повторил Дима. — Я ставил... Она играла Ирину. Она актриса. Не трогайте ее.

— Ты режиссер? — удивился Алихан и повернулся к залу. — Я думал, он — парашник. А он вставил сразу в три сестры! Да?

В зале заржали. От души заржали. Как могут смеяться здоровые, нетронутые образованием, злые, сытые, нерусские мужики. Когда они отсмеялись, Алихан презрительно посмотрел на Диму:

— Откуда у тебя столько денег, парашник?

Дима не успел ответить. Виктор ответил за него:

— Это мои деньги, Алихан. Я их тебе приготовил!

— Э-э, — Алихан покачал головой. — Мои деньги — в моем кармане. В чужом кармане — чужие деньги. Да?

— Она взяла мои деньги, — Виктор подошел к Виктории. — Зачем ты взяла мои деньги?

— Я должна... Я должна ему, — кивнула на Диму Виктория.

— Ты никому ничего не должна! Запомни! — Виктор вырвал у Димы пачку долларов, протянул их Алихану. — Возьми, Алихан. Я не нарушил слова. Бери и уходи!

Алихан, глядя на пачку, зацокал языком:

— Цэ-цэ-цэ... Обижаешь. Бери и уходи? Разве так поступают друзья?

Виктор засунул руки в карманы плаща:

— Что ты хочешь?

Алихан поднял палец к носу:

— Хочу тебя наказать. За базар. С тебя ответка. Еще десять тонн! — он повернулся к залу. — Я правильно сказал?

Зал, стоя, зааплодировал. Алихан улыбнулся и взял Викторию за руку:

— А теперь я уйду. Принесешь деньги — получишь ее.

— Стой! — понял вдруг Виктор. — Тебе не деньги нужны. Тебе нужна она! Тебе ее заказал Широков!

Алихан, глядя на него, улыбнулся хищно:

— Заказал — не заказал. Кого это колышет? Я беру ее. И все. Я сказал.

И он потащил Викторию к краю сцены. Она, закусив губу, через плечо смотрела то на Виктора, то на Диму. Дима рванулся к ней, но услышал за спиной крик Виктора:

— Стой, Алихан! Стреляю!

В зале закричали дико. Дима обернулся. Виктор, вытянув руку, целился в Алихана из пистолета. А Алихан, прикрывшись Викторией, держал свой пистолет у нее под подбородком.

— Пожалуйста, стреляй, — вежливо разрешил Алихан. — Стреляй сколько хочешь. Пожалуйста. Но за базар ответишь по полной. Согласен? Да?

В зале стояла гнетущая тишина. Так замирает зал на спектаклях великих артистов в хорошей трагедии...

Вот-вот должны были загреметь выстрелы. Но неожиданно жанр спектакля резко сломался.

Дима видел, как нацеленное лицо Виктора вдруг исказилось странной гримасой, и он опустил пистолет. Из распахнутых дверей в зал с визгом ворвались цыгане. В проходе замелькали цветастые юбки, огнем пылали шелковые рубахи, звенели бубны, рвались струны у гитар.

— Ой-да, бирюзовые — златы колечики
Раскатились, раскатились по лужку,
Ты ушла и твои пальчики
Скрылися в ночную мглу...

Цыганки соблазнительно трясли юбками перед бандитами Алихана, косматые цыганята выбивали подковками пулеметные дроби. Алихан, опустив пистолет, почтительно улыбался стоящему в дверях высокому, седому господину в белом костюме.

Ай-да, на зеленой, на травушке-муравушке,
Не сыскать растерянных колец,
Не вернуть любви-забавушки —
Видно счастьицу конец!

Цыгане с песней поднялись на сцену, выстроились полукругом. И затихли. Старик с золотой серьгой в ухе налил всклень стакан водки, поставил на поднос и ударил по струнам. Грянули гитары, цыганки затянули:

Хо-ор поет мотив старинный
И с весельем, и с тоской.
К нам приехал наш любимый
Дядя Валя дорогой!

По проходу к сцене важно шел седой господин в белом костюме под руку с полной, накрашенной не по возрасту, женщиной в старомодном вишневом панбархатном платье. Им навстречу вышла старая цыганка с подносом, низко поклонившись, подала стакан. Хор застонал, умоляюще:

Дядя Валя, дядя Валя,
Дядя Валя, пей до дна!
Пей до дна, пей до дна, Валя!
Дядя Валя, пей до дна!

Седой с поклоном принял стакан, осушил половину и протянул стакан женщине. Хор подхватил:

Зина, Зина, Зина,
Зина, пей до дна!
Пей до дна, пей до дна, Зина!
Тетя Зина, пей до дна!

Женщина выпила, вытерла рот рукой и смущенно улыбнулась Виктории.
— Викуля, Валя нашелся! Представляешь?

Виктория сказала тихо:

— Не срамись. Как тебе не стыдно, мама?

— Да ты что? — пьяно улыбалась женщина. — Твой папа нашелся, Викуля. Твой папа Валя... — она обняла господина в белом костюме и крепко поцеловала его в губы.

Только тут Дима узнал в седом господине Валерия Васильевича Широкова. Широков не спеша взошел на сцену, подошел к Виктории и поднял за подбородок ее лицо.

— Ну, здравствуй, дочка.

Виктория с какой-то презрительно-восхищенной улыбкой глядела из-под челки на пьяного красавца.

Мать обняла Викторию сзади. Объяснила ей, как чью-то дурацкую шутку:

— Викуля, он моего письма не получил. Представляешь? Решил, что разлюбила я его. Представляешь? Он и не знал ничего про тебя. — Она пьяно и влюбленно глядела на Широкова. — Поцелуй отца, доченька. Ну, поцелуй, Викуля.

Виктория вдруг обернулась к Диме и крикнула весело:

— Теперь все сходится! А ты не верил!

21. Аполлон Антониевич

Дима и сейчас не верил.

Все происходящее в этом крохотном зальчике, бывшем когда-то театром «КС», он воспринимал не как реальность, а как какой-то скверный спектакль, поставленный в его театре чужим режиссером.

Дело в том, что Дима обладал главным режиссерским качеством — безошибочным, врожденным чувством сценической правды. (Утраченном, к великому сожалению, мастерами современного театра.)

В Диминой душе постоянно звучал некий камертон. Малейшая фальшь раздражала его и выводила из себя, как неверно взятая нота приводит в бешенство хорошего музыканта.

В такие моменты Станиславский кричал своим актерам знаменитое «Не верю!», а Димин Мастер бросал презрительно: «Именины тети Зины! Самодеятельность!»

Когда на маленькую сцену, освещенную лучами софитов, ворвались цыгане, а за ними появился, весь в белом, наглый и пьяный Широков, все это напомнило Диме пародию на пьесу «Замоскворецкого Шекспира», А.Н.Островского. Грубую, бездарную пародию. Фальшь!

Камертон в его душе болезненно задрожал, и Дима не смог сдержаться:

— Ну, поцелуй отца, Викуля! — упрашивала Викторию мать.

Цыгане под гитары стонали, закатывая глаза:

— Ну, поцелуй же его, хоть один только раз!
Ярче майского дня, чудный блеск его глаз...

Дима побледнел и заорал так, как никогда еще не кричал на репетициях:

— Молчать! Вон со сцены! Все вон! Самодеятельность!

Цыгане застыли с раскрытыми ртами. В зале стояла зловещая тишина. Широков медленно подошел к Диме и уставился на него немигающими, мутными глазами:

— Ты... Ты чего орешь? Кого ты гонишь? Ты знаешь, кто я?

Дима посмотрел на Викторию. Она от него сердито отвернулась.

— Ты кто такой? — не отставал Широков. — Что у тебя с мордой? Кто тебе харю начистил? Отвечай!

Дима машинально прикрыл ладонью разбитый нос.

— Ты кто такой, я тебя спрашиваю? — уже грозно повторил Широков.

Дима растерялся. Он понял, что камертон на этот раз его подвел. То, что сейчас происходило на сцене, не было театром. В жизни истина с фальшью так переплелись, что стали неотделимы друг от друга. Жизнь стала бездарной, пошлой пародией. Благодаря своему камертону Дима попал в идиотское положение...

Неожиданно за него заступился незнакомец в дорогих золотых очках. Он появился откуда-то из-за спины Широкова. Он был в черном, элегантном смокинге, а лицо его блестело, как гуттаперчевая маска.

— Валя, извини его, — сказал незнакомец с иностранным акцентом, — юноша просто не врубился... Я так выражаюсь? Так? — незнакомец подмигнул Диме. — Здесь когда-то был его театр. Он принял нас за своих артистов. Так? Мы явились прямо из ресторана, с цыганами. Он нас перепутал с театром. Так? Извини его, Валя. Он не врубился. Я так выразился?

Широков недоверчиво пожевал пухлыми губами:

— Ты его знаешь, Поля?

Незнакомец опять подмигнул Диме и, не раскрывая рта, улыбнулся. На гладком блестящем лице застыла клоунская улыбка.

— Вы не помните меня, молодой человек?

Димин лоб покрылся холодной испариной. Клоунская улыбка незнакомца напомнила ему маленького старичка из алкогольного бреда. Незнакомец дружески хлопнул Диму по плечу и перешел на «ты».

— Ну, вспоминай, брат. Вспоминай!

Дима вытер мокрый лоб и сказал с трудом.

— Я... я вас не знаю.

— Оу! — растроился незнакомец. — Неужели забыл?

— Я вас не знаю, — уже твердо повторил Дима.

Незнакомец хлопнул себя по ляжкам:

— Ты тогда, правда, выпивши был. Так? Ты у кара стоял. С Игорем Яковлевичем Штерном. Разговаривал о чем-то. Так? А мы к вам с моей родной сестрицей подошли. Неужели не помнишь?

Дима облегченно вздохнул. Он все вспомнил. Вечером после рыцарского турнира, на котором Виктор убил племянника, они с Игорем стояли у белого «Линкольна», а этот человек и Клеопатра Антониевна подвели к машине Царевича. И незнакомец неизвестно почему приветливо подмигнул Диме. Эту его клоунскую улыбку Дима и запомнил с тех пор. И алкогольный бред был совершенно ни при чем. Дима через силу улыбнулся.

— Вспомнил! — радостно сообщил всем незнакомец. — Он вспомнил меня!

— Я лицо ваше вспомнил, — поправил его Дима. — Но вас я не знаю.

— Оу! — опять расстроился незнакомец, и поглядел на Широкова.

Широков мрачно представил незнакомца Диме:

— Это глава Российского Императорского Совета Аполлон Антониевич Оболенский!

Дима вздрогнул. Незнакомец был родным братом Клеопатры Антониевны, о котором говорил ему Игорь...

Аполлон недовольно поправил Широкова:

— Зачем так торжественно, Валя? Для друзей я просто Поля. Просто Поля. Без всяких церемоний. Так?

— Для друзей! — уточнил Широков и брезгливо кивнул на Диму. — А этот, с разбитой харей, кто тебе?

Иностранец растянул гуттаперчевое лицо в клоунской улыбке.

— Он друг. Друг Игоря Яковлевича Штерна. А его друзья — мои друзья. Я так выражаюсь? Так? — он схватил Димину руку и пожал ее. — Будем знакомы, Тим. Ваши друзья зовут вас Тим. Так? Мои друзья зовут меня Поля. Зови меня Поля. Так?

Аполлон тряс Димину руку, заглядывая в глаза сквозь подтемненную оптику дорогих золотых очков. Димин камертон просто надрывался внутри от нестерпимой фальши. Иностранец отбросил Димину руку:

— У тебя нехорошее лицо, Тим, — он погрозил Диме пальцем. — Ты мне не веришь. Так? Не хоро-шо! Не хорошо не верить. Вера сдвигает горы, как сказал Христос. Так? — Он обнял Диму за плечо. — Я сейчас все объясню, Тим. Все объясню...

— Не надо, Поля! — оборвал Аполлона Широков и подошел к Виктории. — Нечего объяснять. И так все ясно!

— И так все ясно! — Мать обняла Викторию. — Правда, Викуля?

Вика из-под челки глядела на Широкова.

— Сердишься на меня? — спросил ее Широков.

— За что?

— За ту ночь в парке. — улыбнулся довольно Широков. — Когда я тебе юбку чуть не закрутил... Я же тогда не знал еще...

— Он не знал, Викуля, — заступилась за Широкова мать. — Он моего письма не получил. Представляешь?

— Я письма не получил, — подтвердил Широков. — Я не знал, что у меня такая дочка. — Он обернулся к Алихану: — Хорошая у меня дочка, Алик?

Алихан оценил Викторию с кавказским смаком:

— Э-э, красавица!

Его бандиты в зале восхищенно зацокали языками, дружно загалдели цыгане. Широков стащил с пальца массивный золотой перстень и протянул его Виктории.

— Прости меня, дочка. Не сердись.

Виктория посмотрела на перстень, но не взяла его.

— Значит, тогда в парке не знали?

— Не знал! — ударил себя в грудь Широков. — Честное слово.

— А когда узнали-то? От кого? — спросила Виктория.

— Ты не прав, Валя! — закричал Аполлон. — Не прав! Им надо все объяснить! Все!

Он выскочил на середину сцены. Широков сказал недовольно:

— Ну, объясняй. Только быстро. Нас в ресторане ждут.

Мать влюбленно глядела на Широкова:

— Может, он все в ресторане и объяснит? А, Валя?

Виктория отстранилась от матери:

— А как ты с ним в ресторане оказалась?

Мать указала на иностранца в золотых очках:

— Это все он... Поля... Аполлон Антониевич... Прямо как добрая фея из сказки! — Мать в пояс поклонилась Аполлону. — Дай Бог ему здоровья.

На гладком лице Аполлона сияла клоунская улыбка:

— Я твой крестный отец, моя маленькая девочка. Это я тебя нашел. Я!

Виктория тряхнула челкой:

— А я и не пропадала.

Аполлон в ответ на ее слова рассмеялся, словно услышал удачную шутку.

— Оу! Золушка никогда не пропадает! Так? Золушка всегда сидит на грязной кухне. Так? И только одна добрая фея знает, что Золушка может стать принцессой. И я узнал это, моя дорогая Виктория Валериевна Широкова. Так?

— Я не Широкова, — упрямо сказала Вика.

Аполлон развел руками:

— Это пока. Это простая формальность. Правда, Валя?

— Какие проблемы? — сказал Широков, — Сейчас подниму с постели своего адвоката Якова Львовича. Он мигом все устроит. Усыновлю тебя официально. Поехали в ресторан!

— Удочерю, — волнуясь, поправила его мать. — Она же девочка все-таки...

— Какая разница! — отмахнулся Широков. — Главное — официально. Поехали!

Но тут от бутафорской печки на середину сцены вышел Виктор. Лицо решительное, руки в карманах черного плаща.

— Одну секунду! — Он подошел к Широкову. — Моя жена с вами никуда не поедет.

Широков долго, изучающе смотрел на него, а потом обернулся к Алихану:

— Алик, он еще живой? Почему он еще живой, Алик?

В зале лязгнул затвор автомата, защелкали предохранители пистолетов. Алихан золотозубо оскалился:

— Потому что вы помешали, Валерий Васильевич. Поторопились. Да?

Аполлон поднял вверх руки, успокаивая зал:

— Это я помешал! Это я их привез сюда. Потому что здесь пахло кровью. Крови нам не нужно. Отец нашел родную дочь. Дочь нашла отца. В такой день я не допущу кровопролития. Так?

Зал затих. А Виктор сказал, горячась:

— Ну, это еще доказать надо! Это надо доказать!

— Что тебе доказать? — хмуро спросил Широков.

Виктор покрутил стриженой головой.

— Странно все это... Очень странно...

Но тут заволновалась мать:

— Что тебе странно, Витя? Я говорю, что Валя ее отец. Я это подтверждаю! Тебе этого мало?

Виктор обернулся к ней:

— Не волнуйтесь так, Зинаида Ивановна. Когда я женился на Виктории, у нее никакого отца не было...

— Как это не было? — возмутилась мать. — За кого ты меня принимаешь, Витя? Я что, по твоему...

— Спокойно! — остановил ее Виктор. — Во всяком случае, мне вы об отце ничего не сказали.

— И не могла сказать! — вскрикнула мать. — Кто мы и кто он!

Виктор недобро улыбнулся:

— А сейчас сказали... Это мне и странно. Почему именно сейчас? В самый разгар наших разборок! Вот что мне странно!

Аполлон подошел к нему, прижал руку к сердцу:

— Это я виноват. Они ни при чем. Это все я. Так? Сейчас я вам все объясню. Так?

— К черту! — рявкнул Широков. — К черту объяснения! Альберт!

В дверях уже давно напряженно следила за происходящим охрана Широкова в модных вечерних костюмах. В старшем Дима узнал тамплиера, первым бросившегося на площадь мстить за своего Приора.

— Убери его, Альберт. С ним мы потом разберемся! — указал старшему на Виктора Широков.

Охранники бодро пошли по проходу к сцене.

— Стоп! — остановил их повелительным жестом Аполлон.

Охранники остановились в проходе.

— Ноу! Ты не прав, Валя! — обратился к Широкову Аполлон. — Я не допущу крови в такой день! Я обязан все объяснить! Так? Я просто обязан это сделать здесь! Так? Не в ресторане моего отеля, а здесь, при всех! И не надо со мной спорить, Валя! Так?

— Какие проблемы, Поля? Объясняй, — недовольно согласился Широков.

Аполлон Антониевич с достоинством склонил свою гутаперчивую голову.

— Ты знаешь, Валя, как я не люблю церемоний. Но сейчас я обязан сказать очень важную вещь. Как глава Императорского Совета. И поэтому я прошу тебя убрать из зала посторонних, этих... — он поправил дорогие очки и оглядел притихших бандитов и цыган, — этих инородцев я попрошу убрать из зала. Распорядись, Валя. Так?

Широков капризно надулся, заупрямился:

— Сначала пусть споют. Мою любимую.

Аполлон удивленно пожал плечами:

— Оу... Если ты так настаиваешь, Валя. Плиз.

Широков кивнул старому цыгану с золотой серьгой в ухе:

— Будулай, любимую!

Грянули гитары, и хор затянул с цыганским надрывом:

> Главное, ребята, сердцем не стареть,
> Песни, что придуманы, до конца допеть.
> Всю страну проехали, а в этот край таежный
> Только самолетом можно долететь...

За длинным столом, за которым в Димином спектакле сидели гости, пришедшие в солнечное майское утро на именины младшей сестры, восседал пьяный Широков. Рядом с собой он усадил раскрасневшуюся

Викину мать в старомодном панбархатном платье. Мать, влюбленно глядя на Широкова, подпевала цыганам, по щекам ее катились крупные слезы. Широков сурово смотрел на Викторию, будто гипнотизировал.

Припев дружно подхватили бандиты Алихана.

> А ты, улетающий в даль самолет
> В сердце своем сбереги.
> Под крылом самолета о чем-то поет
> Зеленое море тайги...

У Димы словно струна в душе оборвалась с печальным и ноющим стоном. Не выдержал фальши его камертон. Диме стало физически плохо: затошнило, закружилась голова. Он стал пробираться к выходу со сцены. Но у самой приставной лесенки его поймал за руку Аполлон Анитониевич.

— Оу! Ты куда, Тим? Не уходи. Ты мне сейчас будешь очень нужен. Так? — Аполлон толкнул его на низкую скамеечку у бутафорской печки. — Посиди здесь пока. О'кей, Тим?

— О'кей, — рассеяно кивнул Дима.

Когда песня, наконец, кончилась, Аполлон Антониевич вышел к рампе и торжественно объявил:

— Концерт окончен. Всем спасибо. Так? Прошу очистить зал на три счета. Раз!..

В зале засуетились модные охранники Широкова. Но подгонять никого не пришлось. Зрители рванули к дверям. И когда Аполлон грозно произнес «три», зал был пуст. Только подрагивали в рядах скрипучие сиденья бывшего жэковского клуба.

Со своей скамеечки в углу Дима наблюдал странную мизансцену. За столом, как хозяин, грузно устроился Широков, играя по столу пальцами в золотых перстнях. Рядом с ним, промакнув газовым шарфиком слезы, сидела встревоженная Викина мать. Сама Виктория стояла вместе с Виктором за креслом у бутафорской печки. Виктор ей что-то напряженно шептал. А на противоположной стороне сцены, у окна, за ними наблюдал, золотозубо ухмыляясь, Алихан. Он не ушел с бандитами, стоял как раз на том месте, которое в своем спектакле Дима нашел для Соленого, застрелившего на дуэли несчастного Тузенбаха. Нехорошее предчувствие возникло в Диминой душе. Неужели и это просто случайность? Или Алихан уже знает, кого он убьет сегодня? Ему уже приказал неведомый режиссер?..

— Я не допущу крови! — вышел на середину Аполлон Антониевич. — Как глава Императорского Совета, я обязан заявить, дорогие мои, что мы приходим в Россию с миром. Так? Мы прекратим в нашей горячо любимой стране все склоки, все раздоры, все войны. Мировая общественность хочет видеть в России спокойного и мудрого партнера, посредника между непримиримыми цивилизациями Востока и Запада. Так? Я, как глава Императорского Совета, обещал им это. И я сдержу свое слово. Так?

Взволнованный Дима слушал его словоблудие краем уха, про себя отметил только, что этот гуттаперчевый Аполлон уже кому-то что-то наобещал.

Аполлон Антониевич, потирая руки (как в том алкогольном бреду), прошелся по сцене и торжественно заявил:

— Дорогие мои, вы должны понять, что ключ к спокойствию на всей нашей планете находится здесь, — Аполлон топнул по сцене лакированным ботинком, — в России! Как глава Императорского Совета, я вижу первейшую свою задачу в примирении всех могущественных людей России, всех партий, всех группировок. Я призываю вас к миру, дорогие мои...

Широков сцепил на столе пальцы, унизанные перстнями:

— Это кого же ты призываешь, Поля? Нельзя ли по конкретней?

Аполлон Антониевич сделал вид, что не услышал Широкова, на гладком лице засияла клоунская улыбка:

— Оу, само Провидение вручило в мои руки пальмовую ветвь Мира! Само Провидение, мои дорогие. — Аполлон подошел к Виктории и торжественно поцеловал ее руку. — Это вы, моя дорогая девочка.

— Кто я? — не поняла Виктория.

— Вы — моя пальмовая ветвь, — широко улыбаясь, объяснил ей Аполлон.

Виктория отшатнулась от него.

— Оу, простите, — смутился Аполлон, — Вы не поняли? Объясню. Помните тот чудесный вечер в Выборгском замке? Вы произвели на Его Величество, на нашего Царевича неизгладимое впечатление. Он был очарован вами. На турнире он вручил вам корону Королевы любви и красоты. Помните? Такое невозможно забыть! Так? Я правильно выражаюсь?

Виктория раскрыла свою сумочку. Дима испугался, что она достанет сейчас серебряную фляжку. Но Виктория вынула из сумочки зеленую пачку сигарет.

— Я не понимаю, причем тут все это?..

— Оу! — расстроился Аполлон Антониевич. — Что же тут не понять? В мои обязанности входит наблюдение за всеми людьми, окружающими Его Величества. Так? И я стал через свои каналы наводить о вас справки. Так? Тем более, что сам Царевич меня попросил об этом. Я узнал о вас все, моя дорогая...

Виктория закурила:

— Вы так думаете?

Аполлон Антониевич ей подмигнул:

— Сомневаетесь?

Виктория тряхнула челкой:

— Я сама о себе всего не знаю.

Аполлон Антониевич наклонился к ее уху:

— Как-нибудь я вам покажу мое досье на вас, моя дорогая девочка. Договорились?

Виктория испуганно посмотрела на негою

Широков тревожно забарабанил по столу пальцами.

Виктор обнял Викторию, спросил с вызовом.

— Вы нас пугаете, что ли?

Аполлон Антониевич посмотрел на него долгим печальным, все понимающим взглядом:

— Как вы могли подумать обо мне такое? — Аполлон укоризненно покачал гуттаперчевой головой. — Подумайте сами, что может быть в досье молоденькой, хорошенькой девочки?

— Много чего, — неожиданно сказал Широков. — У хорошенькой и молоденькой очень много чего может быть. Сам Штирлиц позавидует!

Аполлон Антониевич от души рассмеялся и укорил Широкова:

— Не успел познакомиться, уже ревнует! — он быстро поправился. — Ревнует, как отец. Как любящий отец! Так? Так я выразился, Валя? Велл! Тебе я тоже, Валя, покажу ее досье. Все вместе мы посмеемся над юными девичьими грезами. Так?

И он зачем-то посмотрел на Диму. И Виктор тоже взглянул угрюмо на Диму и сказал раздраженно.

— Короче. Ближе к делу. Мы опаздываем.

Дима оценил их быстрые взгляды и понял, что Аполлон его не случайно оставил. Его он тоже хочет затянуть в свою паутину. В липкую паутину, которую он так искусно плетет у всех на глазах. В этом Дима уже не сомневался. Алихан, стоящий у окна, скрестив на груди руки, перестал ухмыляться и исподлобья глядел на Виктора.

— Вы меня обидели, молодой человек! Вы меня очень обидели, — упрекал Виктора Аполлон. — Как вы могли обо мне подумать такое? Ведь я же сегодня спас вашу жизнь! — Он обратился к Широкову: — Валя, подтверди.

Виктор смотрел на него недоверчиво.

— Оу! Он не верит мне, Валя! — расстроился Аполлон. — Мы сидели в моем отеле в ресторане. Валя, Зина и я. Мы отмечали их встречу. Благодаря мне любимые нашлись через двадцать лет! Так?

— Больше, — всхлипнула вдруг мать, — через двадцать три года...

Широков недовольно поглядел на нее и еще сильнее забарабанил по столу пальцами.

— Господа! — взмахнул рукой Аполлон. — Не буду раскрывать, как я нашел их. Скажу только одно. К чести Зинаиды Ивановны, — он галантно поклонился матери, — она мне не открыла фамилию отца своей дочери. Как я ее не упрашивал. Пришлось поработать по моим каналам. Так? И я ее поставил перед фактом. Перед неопровержимым фактом. Она долго отказывалась от встречи с любимым. Но я уговорил ее. И вот сегодня в ресторане моего отеля они встретились впервые за двадцать лет! Так?

— За двадцать три года. — уже спокойно поправила Аполлона мать.

Аполлон недовольно мотнул головой.

— На этой встрече в моем отеле Валерий Васильевич Широков впервые, я подчеркиваю это, впервые узнал, что у него имеется родная дочь! Красавица... Пальмовая ветвь... Так?

Дима насторожился. Он, наконец, понял, куда ведет свою игру Аполлон. И Виктор, кажется, понял это, он спросил резко:

— Короче. А спасли-то вы меня как?

— Оу! Объясню...

— Вы слишком долго объясняете!

Аполлон опять посмотрел на него печальным, понимающим взглядом.

— Велл. Я буду краток. Во время этой, волнительной для обоих родителей встречи, мне позвонили и сообщили, где находитесь вы с Викторией и что вас ожидает... Вы поняли меня?

— Кто позвонил? — оборвал его Виктор.

Аполлон Антониевич, улыбаясь, развел руками:

— Простите. Я не обязан раскрывать вам мои каналы. Так?

Виктор задумчиво посмотрел на Алихана. Алихан отвернулся к окну, будто за бутафорским окном можно было что-то увидеть, кроме грязной кулисы. Дима встал со своей скамеечки.

— Оу-у-у! — торжественно затянул Аполлон. — Конечно же, я не сказал об этом счастливым родителям. Так? То есть, я не сказал им о том, что вас там ожидает, Виктор. Но я заторопился на помощь. Я сказал, Вале, что он может сейчас же увидеть свою дочь. Надо ли говорить, что Валерий Васильевич не любит откладывать свои дела. Тем более, встречу со своей, так счастливо нашедшейся, дочерью. Валя пригласил с собой цыганский хор из моего отеля. Я возражал. Я не хотел этого театра, поверьте, — тревожно посмотрел на Диму Аполлон, — но надо знать характер моего друга. Он хотел приподнести своей дочери роскошный сюрприз. Так? И мне пришлось согласиться. На счастье мы явились в самый критический момент. Вы уже схватились за оружие! Так? Согласитесь, Виктор, если бы не мы... — Аполлон грустно склонил гуттаперчевую голову. — Если бы не мы, вас в живых уже не было бы... Так? Согласитесь?

Виктор молчал.

— А это почему его бы не было? — опомнилась Викина мать. — Что он говорит? А, Валя?

Широков раздраженно барабанил по столу пальцами.

Тогда Виктор ей все объяснил:

— Да потому что Широков меня и заказал! Сегодня я должен был стать покойником, Зинаида Ивановна!

Мать схватилась за панбархатную мощную грудь:

— Это правда, Валя?! Это правда?!.

Дима прислонился спиной к бутафорской печке. Он чувствовал себя актером по пьянке случайно вышедшем в чужой, незнакомый спектакль. Все раздражало его в этом спектакле, и он, оттолкнувшись от печки, спустился со сцены в зал. Аполлон, к счастью, не заметил его исчезновения.

Мать все не могла успокоиться:

— Валя, ответь! Ответь! Это правда?

Широков угрюмо молчал. Аполлон успокаивал ее:

— Оу, Зиночка! Ничего не случилось. Все хорошо, Зиночка. Благодаря мне все хорошо! Я нашел пальмовую ветвь! Ты понимаешь меня? Понимаешь? Пальмовая ветвь! Так?

Мать разрыдалась:

— Да что вы пристали со своими пальмами! Господи!..

Виктория подошла к матери и протянула ей серебряную флягу.

— На, хлебни.

— Это что?

— Лекарство.

Мать хлебнула из фляжки и схватила дочь за руку:

— Викуля, теперь ты понимаешь, почему я скрывала? Почему я не говорила тебе ничего о твоем отце?! Теперь ты понимаешь?

Виктория, не глядя на Широкова, подняла мать из-за стола.

— Успокойся, мама. Пошли. Мы отвезем тебя домой.

— Ноу! — запротестовал Аполлон Антониевич. — Мы все едем в ресторан праздновать мир! Всеобщий мир! Неужели вы не понимаете, что я хочу сказать?! Неужели не понимаете? Оу!

Виктор достал из кармана плаща автомобильные ключи:

— Поехали, Зинаида Ивановна.

— Виктор! — Аполлон Антониевич встал перед, ним раскинув руки. — Послушайте меня, Виктор! Вы мне обязаны своей жизнью! Послушайте вашего спасителя! Я все объясню!..

— Вы уже все объяснили.

— Ноу! — заволновался Аполлон Антониевич. — Про пальмовую ветвь я еще не объяснил. Так? Это очень просто. Я удивляюсь, почему вы сами до сих пор не поняли. Садитесь! Все садитесь! Это гениально просто! Так?

Аполлон усадил за стол Викину мать. И торжественно поднял руку, требуя внимания.

— Вы знаете, как я не люблю церемоний! Но сейчас я говорю, как глава Императорского Совета. Так? Прошу вас внимательно выслушать меня... Дорогие мои, мы с вами присутствуем при историческом событии... Я так выразился?.. Будущему Императору Всея Руси нужна спокойная и мирная Россия. Мы примирим всех людей, все партии, все группировки. Сегодня мы совершаем первый трудный шаг. На наших глазах обнимутся бывшие непримиримые враги! С враждой в Петербурге, в будущей Императорской столице, будет покончено! Благодаря моим скромным усилиям выяснилось, что названный сын известного всем мистера Кротова является мужем дочери не менее известного господина Широкова! — Аполлон Антониевич победно оглядел присутствующих. — Сам Бог послал мне в руки эту пальмовую ветвь! Дети двух, некогда враждующих семей, — муж и жена! Разве может после такого открытия между этими семьями существовать вражда? Ответьте мне, дорогие мои, родственники?

Дима сидел в последнем ряду пустого зала и мрачно наблюдал, как в до боли знакомых декорациях разворачивается что-то непонятное, чужое и грозное, во что вмешаться и что остановить, он не мог. Потому что в этом театре он был всего лишь зрителем...

Взволнованный Аполлон Антониевич так и не дождался ответа пораженных «родственников». Он выхватил из кармана смокинга трубку мобильного телефона:

— Велл! Я сейчас же, при всех, звоню Борису Сергеевичу Кротову! Я приглашаю его в ресторан моего отеля! Он мне не откажет. И я лично, как глава Императорского Совета, сведу в дружеском рукопожатии руки двух непримиримых врагов! — Аполлон Антониевич неожиданно рассмеялся каким-то надрывным, саркастическим смешком, похожим на собачий лай. — Оу, дорогие мои, ради таких моментов стоит жить!

В тишине запищала набираемая трубка. Широков резко встал из-за стола.

— Подожди! Не суетись! Аполлон!

Аполлон удивленно уставился на Широкова:

— В чем дело, Валерий?

— Я не признаю этого брака! — веско заявил Широков.

Викина мать заколыхалась панбархатной тушей:

— Это как же так?.. Это почему же, Валечка?

— А потому что не хочу, — угрюмо глянул на нее Широков. — Потому что я своего согласия на этот брак не давал. А моя подпись решающая! Ясно? Пятьдесят один процент акций — мои.

Виктор не выдержал, сорвался:

— Да о чем вы говорите? Когда мы поженились, вас вообще еще не было...

— А где же я был? — вышел из-за стола Широков. — Моя дочь — совместное предприятие, — Он подошел к Виктории. — Я вижу... Я чувствую... Характер у нее мой. А это главное! Значит, в ней мой решающий пакет акций! Верно, доченька?

Виктория, молча отвернулась:

— Да, когда мы поженились, Виктория и не знала ничего о вас! — возмущался Виктор. — Вика, скажи ему! Скажи!

Широков взял Викторию за плечи, повернул ее лицо к себе.

— Ну, скажи, дочка. Знала ты обо мне?

Виктория вдруг отстранилась от Широкова и посмотрела на него из-под челки:

— Если бы ты знал...

— Что? — не понял Широков.

Виктория вскрикнула:

— Если б ты знал, как я ждала тебя, папка!

Она бросилась на шею Широкову. Тот растерялся:

— Дочка... доченька... Неужели знала?

— Знала. Все знала, — глухо, в плечо ему, призналась Виктория. — Мать от меня твои письма прятала. Я их еще в пятом классе нашла...

Мать шумно бросилась к ней из-за стола:

— Что ж ты мне ничего не сказала Викуля!

Они втроем стояли, обнявшись, посередине сцены. Аполлон Антониевич зачем-то подошел к окну, к Алихану. Виктор широко ходил вдоль рампы, так что развевались полы его черного плаща. Дима в темном последнем ряду растерянно крутил головой. Он не ожидал такой драматургии. И старался, как профессионал, предугадать дальнейшее развитие сюжета.

Когда женщины немного успокоились, Широков спросил Викторию:

— И тогда, в парке, знала?

Виктория кивнула.

— Что ж ты мне не сказала ничего?

Виктория тряхнула челкой, улыбнулась.

— Я за Витю боялась.

Широков помрачнел:

— Правильно боялась... Знаешь, как я в больницу к твоей матери попал? Она тебе не рассказывала?

Виктория, глядя на Широкова, покачала головой.

— Да что рассказывать? — вскрикнула мать. — Твой отец с работы ехал. Он тогда зампред райисполкома был. Машину прямо у дома обстреляли. Шофера насмерть. А его, еле живого, к нам в реанимацию привезли...

Виктория, не отрываясь, глядела на Широкова. Тот спросил ее:

— А кто стрелял в меня, знаешь?

Виктория опять покачала головой.

— Тот, кого твой муж за отца держит. Бандит Борька Крот. А теперь известный бизнесмен Борис Сергеевич Кротов... Вот так, доченька.

Виктория поглядела на Виктора.

— Он же не знал этого... Правда, Витя?

Широков усмехнулся.

— Его названный папаша меня чуть на тот свет не отправил, а он наследника моего угробил. По заказу своего папаши!

Дима насторожился. Он-то великолепно помнил разговор у пруда. Он-то знал, кто кого заказывал и за что...

— Неправда! — сказал Виктор. — Никто его не заказывал! Он сам чуть не убил меня! Сам! Я только защищался!

— Врешь, — грустно улыбнулся Широков. — Вся площадь видела, как ты на нем верхом сидел, как пырнул его кинжалом в брюхо. У меня целая площадь свидетелей...

— И я все видела! — сказала вдруг Виктория. — Я видела, кто первый начал. Витя не хотел... Он случайно... Я на суде все скажу.

Широков покачал головой:

— Не дожить ему до суда... не дожить...

Дима, сидя в последнем ряду, вспоминал, как Виктор хладнокровно вытирал окровавленный кинжал о тамплиерский плащ, и понял, что племянник убит не случайно. Виктора еще до боя кто-то предупредил... Кто же это мог сделать?..

От этих мыслей его отвлекли слова Аполлона Антониевича:

— Оу, так нельзя! Надо прощать друг друга. Так сказал Христос. Валя, все-таки Виктор муж твоей дочери... Валя...

Широков перебил его:

— Моя дочь не может быть женой убийцы. Убийцы моего племянника, своего двоюродного брата!

Дима встрепенулся. О шекспировском сюжете он совсем забыл. Широков напомнил о нем открытым текстом.

Виктория обняла Широкова.

— Прости, Витю, Широков... Прости его, папа...

— Прости его, Валя, — почему-то засмеялся надрывным собачьим смехом Аполлон Антониевич. — Прости!

— Да не нужно мне его прощение! — возмутился Виктор. — Он войны хочет. Ему все мало. Поляна между нами давно поделена. А он опять разборки начинает. — Виктор достал из кармана телефон. — Тут правильное предложение было. Пусть сюда Борис Сергеевич приедет. Пусть разберутся, из-за чего непонятка вышла...

И Виктор стал набирать на трубе номер.

— Алик! — рявкнул Широков.

Алихан одним прыжком подскочил от окна к Виктору и вырвал у него из руки трубку.

Виктор разозлился:

— Отдай трубу, Алихан! Я требую, чтобы сюда приехал Борис Сергеевич! Пусть сами разбираются. Отдай трубу, Алихан.

Алихан вопросительно посмотрел на Широкова.

Широков покачал головой.

— Не надо. С Кротом я отдельно разберусь. Сейчас не о нем речь.

Дима понял, что Широков не хочет, чтобы сюда приехал Крот. Тогда бы выяснилось из-за чего, действительно, все началось. А началось-то все с той ночи в парке Выборгского замка, когда Широков, как он сам признался, «чуть не трахнул» Викторию... свою дочь, как выяснилось... Об этом Широков не хочет сейчас вспоминать...

Дима заволновался. Ведь, кроме Виктории, кто-то еще мог знать, что Широков ее отец. Кто-то мог подстроить их встречу в парке...

— Мне ваше прощение не нужно! — упрямо повторил Виктор.

— Да я и не прощу, — успокоил его Широков и посмотрел на Викторию. — Но ради тебя, дочка, я даю ему шанс. Пусть добровольно откажется от тебя. Пусть навсегда исчезнет.

Виктория удивленно глядела на Широкова. А Виктор спросил:

— Это как же?..

— Не понимаешь? — обернулся к нему Широков. — Либо ты труп, либо тебя нет, если не хочешь за убийство в тюрьму загреметь. Что же тут непонятного?..

Виктор опешил:

— Вы хотите, чтобы я отказался от нее?

— И пропал навсегда, — добавил Широков. — Это твой единственный шанс.

— Вика... — выдавил из себя Виктор. — Вика я от тебя никогда не откажусь... Слышишь, Вика. Решай сама...

Широков обнял Викторию за плечи:

— Слышала, что он сказал? Решай сама дочка.

Виктория уже хотела что-то сказать, но Широков пальцами в перстнях прикрыл ей рот:

— Не торопись, дочка. Подумай, как следует.

Виктория тряхнула челкой. Широков сильнее сжал ей рот.

— Завтра же валютный счет на тебя открою. Сколько тебе нужно? Сто тысяч баксов? Двести? Триста?..

Даже из последнего ряда Дима видел широко раскрытые, изумленные глаза Виктории, а под ними руку в сверкающих перстнях, зажавшую ей рот.

— Хочешь стать моей наследницей? — спрашивал ее Широков. — Наследницей всего, что я имею? А я много чего имею, дочка... Хочешь? Говори!

Он отпустил руку, и Дима увидел на лице Виктории знакомую улыбку, восторженную и хищную одновременно.

— Говори! — опять попросил Широков.

Виктория молчала. Тогда мать подошла к Виктору.

— Витя, не сердись... Валя тебя от тюрьмы спасает... Может, так лучше, Витя?

Виктор сказал зло:

— Эх, Зинаида Ивановна, что ж вы про отца раньше молчали?..

Виктория вдруг обернулась к нему:

— А что было бы, Витя? Если б ты раньше узнал? Ты бы не женился на мне? Это ты хочешь сказать? Договаривай!

Виктор мялся, опустив стриженую голову:

— Тогда бы все по другому было...

Виктория смотрела на него, будто увидела первый раз в жизни:

— А как? Как бы тогда было? Договаривай!

Виктор нехотя признался:

— Мне бы тогда не позволили на тебе жениться...

Виктория тряхнула челкой:

— Кто? Борис Сергеевич? И ты бы послушался?

Виктор ей сурово напомнил:

— Он же мне как отец.

Виктория засмеялась:

— А я? А я тебе как кто? А, Витенька? Кто я тебе?

Виктор попытался ее успокоить:

— Ведь этого не было. Ведь не было же... Ну, чего ты?

Виктория перестала смеяться:

— Не было... Зато теперь есть.

— Что есть? — не понял Виктор.

Виктория прижалась к Широкову.

— Теперь у меня есть отец.

— А я? — растерялся Виктор.

— А тебя нет! — вскрикнула зло Виктория. — До свидания! Прощай!

— Тебе все ясно? — обернулся к Виктору Широков.

Он прижал Викторию к себе и поцеловал ее в губы долгим, совсем не отцовским поцелуем. Виктория не могла вырваться из его объятий.

Дима, наконец, понял, почему он выбрал машинально этот последний ряд в пустом зале. Он бросился в осветительскую будку.

— Вика, что ты делаешь?! — заорал на сцене Виктор. — Вика! Ты знаешь, кто он? Это он заказал сына Бориса Сергеевича! Из-за него столько людей положено! Вика!

Широков оторвался от Виктории, оскалился:

— Алик! Убери его! Он надоел мне, Алик!

— Не надо! — трепыхалась в его объятиях Виктория. — Не трогайте его!

— Алик! Алихан!

Дима уже понял, что ему нужно сделать. Он хладнокровно вырубил на пульте общий рубильник. На сцене резко погас весь свет. В темноте стояла зловещая тишина...

Сердце у Димы колотилось так, что он испугался, как бы этот стук не услышали на сцене.

За кулисами, в коридорчике у актерских уборных, был запасной выход во двор. Виктория знала про него. Дима был уверен, что как только он вырубит свет, она все поймет и уведет отсюда Виктора. Дима ждал. Он прислушивался к тишине, но ничего не мог расслышать.

— Алихан, они уходят! — закричал вдруг чей-то незнакомый голос. — Стреляй, Алихан!..

22. Главный кредитор

В темноте грохнул выстрел. В ответ раздались сразу несколько выстрелов. И чей-то глухой вскрик. Завизжала женщина. Загремела падающая мебель...

Настежь распахнулась дверь. В зал с фонарями ворвались охранники Широкова. Лучи фонарей заметались по залу.

Дима присел в тесной будке. Затаился за пультом. Он пытался понять, кто же кричал перед выстрелами. Голос был незнакомым, потому что не принадлежал ни одному из людей, стоявших на сцене... Значит, был еще кто-то, кого Дима не видел? Кто же это? И как он мог сюда попасть?..

— Валерий Васильевич! — звал хозяина старший охранник. — Вы где? Вы живы?

Дима выглянул из-за пульта. В лучах фонарей стоял взволнованный Широков.

— Светите сюда! Ее ищите! Дочку ищите! Сюда!

— Викуля, ты где? Викуля! — натыкаясь на мебель, ходила по сцене мать, — Виконька, ты жива?

Сердце у Димы сжалось: «Вот и финал трагедии»...

— Дочку ищите! — ревел Широков.

По сцене, путаясь в кулисах, сновали охранники с фонарями.

Дима успокоился — значит, успели, значит, ушли...

И вдруг из коридорчика у актерских уборных раздался жалобный голос Аполлона Антониевича:

— Валя, сюда! На помощь! Она кусается!

— Викуля! — ринулась на голос мать.

Широков отпихнул ее в сторону и первым бросился в темноту. А по рядам с фонарем пошел старший охранник. Дима понял, что он ищет того, кто вырубил свет. Он приближался к осветительской будке все ближе. Дима прижался к пульту. Свет фонаря через окошко уже шарил в будке.

— Альберт! — крикнул со сцены Широков. — Уходим. Хватит. Нас здесь не было!

Свет фонаря исчез. И Дима осел на грязный пол за пультом. Он не видел, как они уходили. Он слышал их голоса.

Аполлон Антониевич торопился. Глава Императорского совета боялся прихода милиции. Широков успокаивал Викторию.

Охранники тяжело пронесли через зал кого-то раненого. Раненый глухо стонал. Плакала женщина. Но кто плакал, Дима определить не мог. Во дворе зашумели двигатели сразу нескольких машин, захлопали дверцы. И только когда они уехали со двора, Дима поднял голову и осторожно включил на пульте дежурный свет.

В полумраке он увидел опрокинутую на сцене мебель. Бутафорскую печку, сдвинутую почти на середину сцены. И что-то черное, бесформенное, как скомканая тряпка, лежащая за печкой.

Дима вышел из будки и по проходу между креслами пошел к сцене. За бутафорской печкой, раскинув руки, лежал Виктор. В левой руке он сжимал сотовый телефон, из правой на пол выпал пистолет...

Дима поднялся на сцену и оглядел труп. Полы черного плаща распахнулись, белая рубашка на груди была вся в крови, из плотно сжатого рта вытекла струйка теплой еще крови, голубые глаза с чуть заметной косинкой задумчиво уставились в потолок...

«Нет повести печальнее на свете...» — всплыла в памяти набившая оскомину строка.

Дима не сумел помешать неизвестному режиссеру. И тот добьется своего. «Теперь очередь за Викторией...» — равнодушно подумал Дима.

Он смотрел на вытянувшееся, бледное лицо Виктора, совсем еще мальчика... Хотел его пожалеть и не мог. Не мог забыть его остервенения. Злой пены на губах. Его истеричного крика: «Это я ее люблю! Я!..»

Дима вспомнил, как Виктория коварно натравила этого мальчика на него, вспомнил ее хищную улыбку, когда Широков сказал про валютный счет... Вспомнил и обозлился на себя. Зачем он вмешался в эту историю? Зачем признался в любви этой чужой, хищной девочке? Зачем пытался ей помочь? Уже через пять дней вернется в город Игорь! И, может быть, Дима вот так же, истекая кровью, раскинув руки, будет лежать где-то в чужом, незнакомом доме... И ему никто не поможет. Никто.

Зачем он поехал с ней в театр? Чем он мог ей помочь? Она-то уже знала, кто ее отец!

«Ах да! — вспомнил Дима. — Она же обещала мне деньги! Она сама призналась, что это ее долг!»

Дима в последний раз оглядел труп и вдруг увидел торчащую из верхнего кармана пиджака пачку долларов.

«Вот же эти деньги! Она их мне принесла! Ему они уже ни к чему. Но меня они могут спасти!..»

Дима встал на колени и подполз к трупу. Осторожно, будто боясь разбудить спящего, вытащил из кармана деньги, сунул их за пазуху и прислушался. Он оглянулся на распахнутую дверь.

Ему показалось, что по коридору удаляются чьи-то торопливые шаги. Дима схватил пистолет, вскочил на ноги и на цыпочках спустился в зал. Сердце отчаянно колотилось. Неужели кто-то видел, как он взял у трупа деньги? Кто мог видеть это? Все давно ушли...

Дима совсем забыл про «персонажей», про двух стариков в каморке под лестницей. Увидеть его могли только они. Дима спрятал в карман пистолет и решительно направился по проходу к двери. Если они видели, он им сейчас все объяснит, он докажет, что деньги должны принадлежать ему. А если не видели... Тогда он просто уйдет, пока сюда не приехала милиция...

Когда Дима вошел в каморку под лестницей, оба старика испуганно вздрогнули и уставились на него.

Маленький Саныч застыл посреди каморки почему-то с портретом Ворошилова в руках. Диваныч, стоя на стуле у стены, делал вид, что поправляет какую-то старинную икону без оклада.

Дима остановился в дверях. Старикам было не до него. Они, кажется, что-то прятали...

— Ну и напугал ты нас, тезка... — сердито сказал Диваныч. — А что у тебя с мордой?

Дима потрогал разбитое лицо:

— Ударился.

— Слава богу, живой, — пропищал Саныч из-за портрета Ворошилова...

— Живой, — согласился Дима и махнул рукой на дверь. — А там труп... Я хотел помочь... Поздно...

Диваныч слез со стула и длинно выругался:

— Знал бы, ни за что тебя с девчонкой не пустил в дом. Такой тут театр устроили, артисты... Туши лампаду!

— Надо бы милицию вызывать... — сказал Дима. — Труп все-таки...

— Нельзя, — нахмурился Диваныч. — Запретили милицию вызывать. Сейчас за ним сами приедут.

— Который с цыганами приехал, — поддакнул Саныч. — Он и запретил. — Он скорчил своим сморщенным личиком жуткую гримасу. — Ужас сплошной! Что нам пережить пришлось...

— А собака где? — спросил Дима. — Тезка живой?

Диваныч только рукой махнул.

— Чуть не застрелили Тимофея эти дикари. Пришлось его водочкой напоить. И спать уложить.

— Живой, значит? — с трудом улыбнулся Дима.

— Спит, как убитый, — Саныч кивнул на грязную штору и пропел: — Там в углу за занавескою...

— Брось паясничать! — цыкнул на него Диваныч. — Там сам за занавескою чуть не обоссался со страху...

Саныч радостно засмеялся беззубым ртом.

— А Ворошилова-то вы зачем сняли? — спросил его Дима.

Саныч промямлил что-то. Диваныч строго на него посмотрел:

— Охранники по всему дому с фонарями шмыгали. А мы в спаленке моей прятались. Они и сюда заглядывали, искали здесь что-то... Вот мы и подумали... — Диваныч указал на старинную икону на стене. — У меня под портретом Ворошилова дорогая икона спрятана. Вот мы и подумали...

— Запросто стырить могли, — закончил за него Саныч. — Для них же ничего святого нет.

Дима посмотрел на икону. На ней был изображен Спас Нерукотворный. По преданию, Иисус промакнул полотенцем свое потное лицо, и на ткани отразился его образ. С этого образа и была списана древняя икона. Лицо Христа, обрамленное распущенными ми до плеч волосами.

Дима замер. Ему показалось, что Христос смотрит на него, только на него, голубыми глазами, огромными, гораздо больше нарисованных на иконе.

Саныч, встав на стул, прикрыл икону портретом Ворошилова и перекрестился на портрет.

А Дима все стоял, замерев. Ему казалось, что голубые глаза смотрят на него даже сквозь портрет красного маршала.

— А артистку-то вашу увезли, — сказал Саныч. — Вместе с цыганами увезли... Вот ведь какой театр получился...

Огромные голубые глаза глядели сквозь портрет Ворошилова, словно хотели что-то сказать...

И Дима понял, оторвался от портрета, и позвал стариков:

— Пойдемте со мной.

— Куда это? — насторожился Диваныч.

— Идемте на убитого посмотрим.

— Чего на него смотреть? — нахмурился Диваныч.

— Что мы убитых не видели? — пожал плечиками Саныч.

— Идемте, — попросил их Дима, — Он еще живой...

Когда они втроем подошли к трупу, Дима заметил, что он изменил положение. Телефон валялся на полу, а рука, его сжимавшая, лежала на окровавленной груди.

Дима встал на колени и посмотрел, на его лицо. Глаза были закрыты, рот приоткрыт. Дима приподнял его голову и позвал:

— Витя... Ты живой? Витя...

Труп открыл глаза и прохрипел, плюясь кровавыми пузырями:

— Увези меня... Во дворе машина... Увези скорей... Я заплачу́...

— Я скорую вызову! — успокоил его Дима и взял с пола телефон.

Виктор мотнул головой в его руке:

— Не надо... Увези... Прошу... Как человека... Увези отсюда...

— Хочешь, я Бориса Сергеевича вызову? — спросил его Дима. — Назови телефон.

— Не надо, — зло плюясь кровью, хрипел Виктор. — Отнесите в машину... Я сам... Сам уеду... Скорей...

Конечно, сам он ехать не мог. Машину пришлось вести Диме. Дима не сидел за рулем с тех пор, когда в последний раз они с Тамарой на стареньком отцовском «Москвиче» ездили за грибами в сосновый бор под Приозерском.

Была глубокая ночь. Превозмогая сон, Дима опасливо вел незнакомый «Фольксваген» по пустым ночным улицам, привыкая к автоматической коробке передач. Шел мелкий то ли дождь, то ли мокрый снег. Обычная питерская мерзость.

Виктор лежал на заднем сиденье, наскоро перевязанный Диванычем. Куда его везти, Дима не знал. Виктор во время перевязки опять потерял сознание.

Дима поехал через Литейный мост, подальше от центра. За одно он не волновался, — Виктор успел предупредить, что менты машину с его номером не остановят, но куда ехать, сказать не успел.

Дима нащупал за пазухой пачку долларов. Старики точно не видели, как он ее взял. Но хозяин этой пачки лежит в машине... Что если остановить машину у какой-нибудь больницы, вызвать врача и уйти? Но старики-то видели, кто увез Виктора... А Виктора будут искать. Уже, наверное, ищут. И Диваныч им все расскажет по долгу службы... Этот странный охранник с кларнетом...

И тут в Диминой голове, будто молния, сверкнуло озарение... И умершая жена, и проданная квартира, и лохматая собачонка... Неужели пьяный беззубый старик и есть тот самый пропавший ученый-историк, о котором рассказывал Лева? Зачем же он так законспирировался? Зачем выдает себя за спившегося лабуха из ресторана «Балтика»? Что он скрывает? От кого прячется? Кого он так боится?...

И что же он прячет за портретом Ворошилова? Не икону же! Зачем охранникам Широкова старинная доска без оклада?

Что они искали во флигеле?

Неужели документы, о которых говорил у пруда Широков? Документы в доме за старинной иконой...

Ну и что?

А ему какое дело до них?...

Дима кружил по пустым улицам Выборгской стороны, ожидая, когда очнется Виктор. И материл себя на чем свет стоит. Опять он запутался в чужих проблемах. В чужих?

Дима задумался.

Ведь получалось так, что его судьба как нарочно связывалась с их судьбой. Он приехал на «ролевые игры» в Выборг и все они оказались там. Широков еще не знал, что Виктория его дочь. Но кто-то уже знал это?.. И готовил развитие сюжета. В тот же день был убит племянник Широкова. А через несколько дней Виктория получила загадочную записку. Таинственный старичок специально дал ей конверт, зная наверное, что за разгадкой она обратится именно к Диме. А сегодня Широков объявил себя ее отцом... Почему сегодня?

Да потому, что завтра Виктория с Виктором должны были убежать из города. И кто-то об этом тоже знал...

И это совсем не входило в планы таинственного режиссера...

Кто же он, этот режиссер «театра по имени жизнь»? Аполлон Антониевич?.. Гуттаперчевый персонаж с клоунской улыбкой?

Дима вдруг вспомнил томик Шекспира, лежащий на столе Игоря еще до игры в Выборге. И другую книгу на его столе, увиденную совсем недавно: «Войска СС в битве за Москву». И конверт с портретом Зои Космодемьянской вспомнил.

Будто опять ему намекали, что судьба Виктории будет связана с новой «ролевой игрой», которую уже задумали и уже готовились к ней.

Тамплиеры — Тевтонский орден — Орден «СС»...

Дима, наконец-то, понял, что вся эта игра, весь этот театр, затеян для него одного.

Его вечный соперник решил устроить театр из его жизни. Он уже почти завладел его женой, а с ним самим разделается так же, как с несчастными «отпрысками двух враждующих домов»...

Начало светать. На улицах стали появляться машины. А Виктор все не приходил в себя.

Дима решительно повернул на Выборгское шоссе и поехал к Осиновой роще. Он решил везти раненого в Васкелово, к отцу. Больше ехать было некуда. Виктора могли хватиться. Уже хватились!

Дима попривык к машине. Он летел по пустынному и продувному шоссе. Ветер с залива наметал на асфальт мелкий мокрый снег, но «Фольксваген» держал дорогу отлично.

«Игорь специально уехал, чтобы обеспечить себе алиби, — рассуждал Дима. — Значит, есть еще пять дней, чтобы встретить его во всеоружии, чтобы приготовиться к борьбе за свою жизнь. Чтобы защитить свою жизнь от чужой режиссуры».

Дима вышел на прямую и прибавил газу.

На заднем сиденьи застонал Виктор.

— Потерпи, — сказал ему Дима. — Скоро приедем. Потерпи.

Снег повалил крупными хлопьями, и Дима включил дворники. Дворники, попискивая, моталось перед лицом... Дима хлопнул себя по лбу! Он узнал незнакомый голос, кричавший на сцене перед тем, как загремели выстрелы.

Голос был Диме отлично знаком. Он не узнал его только потому, что на сцене не было его обладателя. И не могло быть, как считал Дима. В темноте кричал Игорь Горелин, «тайный советник», господин Штерн... Но как он там оказался?

Игорь же сказал, что улетает, он даже авиабилет показал зачем-то...

И не улетел?

Зачем же он остался?

Без него с ролью режиссера прекрасно справился гуттаперчевый Аполлон Антониевич.

Он так хитро старался примирить непримиримое, что довел дело до выстрелов. Двух олигархов нельзя примирить, по определению. Олигархия — это власть денег. Власть — прежде всего. А кто же будет делиться властью? Этим не делятся, потому что власть — главное средство достижения денег...

А деньги — непреодолимая сила для тех, кто попал в их ловушку. Это наркотик!

Перед лицом монотонно мотались дворники. Дима почувствовал, что засыпает, отпустил руль и обеими руками растер до красна холодное лицо.

Он вспомнил улыбку Виктории, восторженную и хищную одновременно. Она продала своего мужа за валютный счет...

Но почему же тогда она оказалась в актерском коридорчике перед самым выходом во двор? Хотела убежать? Зачем? Если Виктор лежал раненый на сцене...

Виктория могла бы многое рассказать, но до нее теперь не добраться. Широков теперь будет охранять ее, глаз с нее не спускать... Она теперь его. Виктория Валерьевна Широкова... От которой он потерял голову в Выборгском парке...

За пеленой снега Дима увидел на дороге человеческую фигурку с поднятой рукой. Он решил не тормозить, проехать мимо. Но фигура в белой куртке с капюшоном вышла на середину дороги и раскинула перед машиной руки. В свете фар Дима увидел бледное, искаженное лицо. Женщина что-то кричала ему. Дима узнал Викторию в Тамариной куртке. Он рванул руль в сторону и ударил по тормозам. «Фольксваген» развернуло и боком понесло вперед, к повороту. Последним, что увидел Дима, был вылетевший из-за поворота, ослепивший его фарами автопоезд «Вольво».

«Неужели и это режиссура?» — подумал Дима и заорал:

— Бля-а-а! Неужели все? Не-хо-чу!..

Дима не знал, что история его долга только начиналась. Потому что он забыл о главном своем кредиторе. О котором очень редко и ты вспоминаешь, мой дорогой, никому ничего не должный, читатель...

Конец первого действия.

ОГЛАВЛЕНИЕ

Алексей Яковлев

ПРЕМЬЕРА

Роман

Ответственные за выпуск
Е. Г. Измайлова, Я. Ю. Матвеева

Корректор
И. В. Адамантова

Верстка
Д. Д. Северный

Подписано в печать 10.10.2002.
Формат 84×108 $^1/_{32}$. Печать офсетная.
Бумага газетная. Гарнитура «Кудряшевская».
Уч.-изд. л. 13,30. Усл. печ. л. 20,16.
Изд. № 02-5017. Тираж 5000 экз. Заказ № 1305.

«Издательский Дом „Нева"»
199155, Санкт-Петербург, ул. Одоевского, д. 29

Издательство «ОЛМА-ПРЕСС Звездный мир»
129075, Москва, Звездный бульвар, д. 23А, стр. 10

Отпечатано с готовых диапозитивов
в полиграфической фирме «Красный пролетарий»
103473, Москва, ул. Краснопролетарская, д. 16